Martin Greiffenhagen
Von Potsdam nach Bonn

Martin Greiffenhagen

Von Potsdam nach Bonn

Zehn Kapitel zur
politischen Kultur Deutschlands

Piper
München · Zürich

ISBN 3-492-03035-1
© R. Piper GmbH & Co. KG, München 1986
Umschlag: Federico Luci
Gesetzt aus der Aldus-Antiqua
Gesamtherstellung: Clausen & Bosse, Leck
Printed in Germany

Inhalt

Einleitung

Politische Kultur ist die Physiognomie eines Staates. Ihre Erforschung nimmt über die politischen Institutionen hinaus die ›innere Verfassung‹ der Gesellschaft in den Blick: Findet das Regierungssystem im politischen Bewußtsein der Bevölkerung Zustimmung? Gibt es in der politischen Tradition des Landes Unterstützung für die gegenwärtige Regierungsform? Entsprechen die Einstellungen der Bevölkerung in scheinbar unpolitischen Bereichen wie Erziehung und Bildung, Kunst und Publizistik den Rahmenbedingungen des politischen Systems, oder gibt es hier Spannungen? Gelingt die Verbindung von Tradition und Fortschritt, Stabilität und Modernität im Ablauf der Generationen? Wo gibt es Anzeichen für Entfremdung, Apathie oder Aggression? Das sind die Fragen, welche die politische Kulturforschung stellt und in der Weise einer doppelten Vergleichung zu beantworten sucht: Man vergleicht den gegenwärtigen Zustand mit früheren Phasen der Nation, und beides wieder mit der Entwicklung in vergleichbaren Staaten. Auf diese Weise entsteht ein Beziehungsnetz, innerhalb dessen nicht nur gegenwärtige Orientierung, sondern auch Trendaussagen möglich sind.

Das Neue an der modernen nationalen Charakterforschung ist ihre empirische Ausrichtung. Unterschiedliche Gruppen der Bevölkerung können mit Hilfe von Befragungsmethoden auf ihre Werthaltungen untersucht werden. Trotzdem bleibt der politische Kulturforscher weiterhin angewiesen auf die klassischen Quellen: Literatur, Briefe, Zeitungen, Reiseberichte. Vor allem aber liefert die Geschichte eines Volkes selbst eine der wichtigsten Hilfen bei der Erstellung dieser politischen Röntgenaufnahme: Die Ausbildung der Gestalt des politischen Körpers erfolgt über lange Zeiträume und zeigt noch nach Jahrhunderten Brüche und Narben.

Das Bedürfnis nach politischer Kulturforschung entsteht stets in Zeiten beschleunigten sozialen Wandels. Erst wenn die Verhältnisse sich ändern, bekommt man den Blick frei für den Vergleich von heute und gestern, von hier und dort. Die politische Kulturforschung ist damit gleichzeitig ein Quell dessen, was in unruhigen Zeiten stets bevorzugter Gegenstand des Nachdenkens ist: der Identität. Eine Bevölkerung, welche die Koordinaten ihrer politischen Existenz nicht kennt, ist eine Gesellschaft von Unmündigen.

Dieses Buch geht der Politikgeschichte Deutschlands nach, im Interesse einer ›Ortsbestimmung der Gegenwart‹. Der Ausdruck stammt von Alexander Rüstow. Rüstow und Alfred Weber waren die letzten bedeutenden Vertreter der deutschen Kultursoziologie, die vor allem über Emigranten in den Vereinigten Staaten auf die weitere Entwicklung der politischen Kulturforschung bedeutenden Einfluß hatte. Ich habe bei beiden studiert und vor allem eines gelernt: Für kein Land ist die Beachtung der auf den ersten Blick unpolitischen Felder gesellschaftlichen Lebens so wichtig wie für Deutschland. Die deutsche Politikgeschichte ist wesentlich durch den Umstand bedingt, daß das Bürgertum von der politischen Herrschaft ausgeschlossen war und seine Aktivitäten in Bereiche von ›Innerlichkeiten‹ abgedrängt wurden, die ihren politischen Charakter erst einer sozusagen dialektischen Betrachtungsweise zu erkennen geben. Deutsche ›Geistesgeschichte‹ gehört somit auf ungemein intime Weise zur Politikgeschichte Deutschlands. Das ist eine der Grundeinsichten, die dieses Buch auf verschiedene Weise und auf unterschiedlichsten Feldern vermittelt.

Gleich das erste Kapitel versucht, politische Kultur an einem ungewöhnlichen Gegenstand in den Blick zu bringen: am Charakter *Friedrichs des Großen* und seinem Bild innerhalb der deutschen Politikgeschichte. Friedrich wurde trotz seiner Vorliebe für französische Kultur als ein eminent deutscher Herrscher empfunden und gefeiert. Besonders in den protestantischen Teilen Deutschlands waren es zwei Eigenschaften, die ihm innerhalb deutscher politischer Kultur einen festen Platz sicherten: sein Pflichtgefühl und seine Entscheidungskraft. Friedrichs Pflichtauffassung und die mit ihr verbundene Arbeitswut sind auf biographisch verschlungene Weise mit religiösen Motivstrukturen und theologischen Denkformen verbunden, wie sie sein Vater gegen den rebellierenden Sohn durchzusetzen versuchte. Auch sein Atheismus weist keine Züge von französisch-weltmännischer Skepsis auf, sondern zeigt Beschädigungen, die in der politischen Kultur Deutschlands damals und seither anzutreffen sind: Im Lande der Reformation wurden theologische Fragen in sonst nicht gekannter Radikalität durchgearbeitet, und Glaubenslosigkeit bedeutete eine ungeheure Schwächung des gesamten religiösen Milieus, mit tiefgreifenden Folgen für Moral und Politik. Die im Westen Europas bekannte Verbindung von Aufklärung und modernem Naturrecht kam in Preußen nicht zustande. Deshalb und aus anderen Gründen blieb der preußische Staat und später Preußen-Deutschland ohne Staatsidee.

Die Antwort auf die fehlende politische Identität hieß schon im Preußen Friedrichs des Großen nicht nur ›Pflichtreligion‹, sondern auch ›Entscheidung‹: aus einem normativen Nichts. Spuren solchen dezisionistischen Nihilismus' zeigen sich in Friedrichs Charakter von Jugend auf, als Kehrseite seiner vielgerühmten Risikobereitschaft. Preußen erlebte schon damals eine Sinn- und Wertkrise, als Vorreiter der europäischen Staaten im späten 19. und frühen 20. Jahrhundert.

Im zweiten Kapitel wird eine These untersucht, die bis heute für die Darstellung der *politischen Kultur Preußens* leitend ist, die Lehre von den zwei Seelen in der Brust: auf der einen Seite die Humanitätsidee Humboldts, auf der anderen der preußische Militarismus; hier ästhetische und moralische Höhenflüge, dort brutalster Machtwille. Ich frage nach einer Verbindung zwischen solchen Gegensätzen und versuche, eine heimliche Verwandtschaft zwischen ihnen gerade auf dem Felde des Geistes und der Bildung aufzuweisen. Besprochen wird die Universitäts-Idee Humboldts, die, ohne jede Verbindung mit der Praxis bürgerlicher Existenz, gerade in der Abkehr von realen Zwecken einen Bildungsbegriff entwickelte, welcher in seiner politischen Wirkung reaktionär war. Wie teuer das deutsche Bürgertum seine geistige ›Souveränität‹ bezahlen mußte, dafür lieferte die weitere Politikgeschichte Deutschlands vielfältige Beispiele, die sämtlich als Fluchtbewegungen zu charakterisieren sind. Diese Rückzüge bedeuteten gleichzeitig Freigabe des politischen Feldes für die alte und inzwischen anachronistische Elite. Alle philosophischen Emanzipationsideen blieben politisch ohne Belang, da sie sich nicht auf Verbesserungen des gesellschaftlichen Zustandes, sondern nur auf die Verbesserungen der Ideen und des individuellen Charakters bezogen.

Mit dem *deutschen Konservatismus* als einer der wichtigsten Bestimmungsgrößen und Spiegelungen politischer Kultur habe ich mich seit meinem Buch ›Das Dilemma des Konservatismus in Deutschland‹ (München 1971 und 1977, Neuauflage Frankfurt/Main Herbst 1986) immer wieder beschäftigt. Hier entwickle ich die gegenwärtig wichtigen Positionen: den konservativen Kampf gegen Formen emanzipatorischer Philosophie, Pädagogik und Politik; den sogenannten ›technokratischen Konservatismus‹; das konservative Staatsverständnis; das konservative Reformverständnis; die neuesten Überlegungen zum ›Posthistoire‹ und zur ›Postmoderne‹. Der letzte Abschnitt zeigt deutlich, daß der Konservatismus auch in seiner modernsten Form seinen Prinzipien treu bleibt. Seine Grundstimmung bleibt skeptisch. Er will auch angesichts der Modernisierungsaufgaben des Industriesystems prinzipiell nicht ›zukunftweisend‹ sein, weil dies seiner Grundüberzeugung widerspräche: daß man von der Zukunft nichts Gutes zu erwarten hat, wenn man sie nicht auf Herkunft gründet. Das konservative Konzept des ›Posthistoire‹ will das Kultursystem von der technischen Fortschrittsbahn abkoppeln und auf das Abstellgleis einer vom Zug der Zeit nicht berührten Geltung von Werten stellen, die ewige Dauer beanspruchen. Daß es sich bei diesen Inhalten um eine mehr oder weniger willkürliche Auswahl aus dem Traditionsbestand handelt, nimmt der Konservatismus der ›Postmoderne‹ zusammen mit der Gefahr der Unverbindlichkeit in Kauf.

Der *Nationalsozialismus* bedeutet eine schwere Beschädigung unserer politischen Kultur. Überall sind seine Narben spürbar, jede neue Generation gewinnt ihm neue thematische Seiten ab, manche innen- oder außenpolitische Turbulenz ließ sich im Lichte seiner Erfahrung sehen. Im Unterschied zu anderen Ländern, deren Geschichte ebenfalls dunkle Phasen kennt, müssen die Deutschen diesen Teil ihrer Geschichte in ihr Geschichtsbewußtsein aufnehmen. Die Gründe dafür werden im vierten Kapitel erörtert. Sein Titel ›Identität durch Schweigen?‹ weist darauf hin, daß das in der Auseinandersetzung mit einer These geschieht, die Kontroversen ausgelöst hat: mit dem Vorschlag Hermann Lübbes, das Schweigen über die NS-Zeit als Therapeutikum zu rechtfertigen. In der sogenannten Verdrängungsthese sieht Lübbe dagegen ein ideologisches Resultat der Studentenrevolte: Sie beinhalte in Wahrheit eine Kritik an der Bundesrepublik. Ich diskutiere diese These und weise sie in entscheidenden Punkten ab, mit Gründen, die sich aus unterschiedlichen Aspekten unserer politischen Kultur herleiten.

Die beiden folgenden Kapitel beschäftigen sich mit Gegenständen, die traditionellerweise der ›Geistesgeschichte‹ zugeschrieben werden. Gerade in ihrer Abkoppelung von der Politikgeschichte zeigen sie jedoch ihre eminent politische Bedeutung. Das Kapitel *Intellektuelle in der deutschen Politik* zeichnet den Weg deutschen Intellektuellentums von den Jahren der Französischen Revolution bis in die Gegenwart nach. Die Intellektuellen haben ihre Kritik vornehmlich in Zeiten geistigen und sozialen Umbruchs, den sie mit ihrer Kritik teilweise selber herbeigeführt oder doch verstärkt haben. Dieser Umbruch ist in vielen Ländern zu verschiedener Zeit und in verschiedener Form geschehen. In Gestalt und Wirkung der Intellektuellen zeichnet sich deshalb die politische Physiognomie der jeweiligen Nation deutlich ab. Zur Zeit der Französischen Revolution gab es in Deutschland eine Fülle von Intellektuellen, die in der aufklärerischen Tradition die Durchsetzung des Freiheitsprinzips auf politischem Felde begrüßten. Klopstock und Wieland haben der Französischen Revolution in ihrer ersten Phase ebenso zugestimmt wie Görres und Fichte. Die beiden letzten Namen zeigen schon den Umschlag an, der innerhalb sehr kurzer Zeit die Epoche der Reaktion einleitete. Seither hat die linke Intelligenz in Deutschland einen schweren Stand. Erst nach dem Ende des Zweiten Weltkrieges stand der Geist eher links, in der Gegenwart allerdings scheint sich das Pendel wieder in umgekehrter Richtung zu bewegen, so daß wir nach weiteren Jahrzehnten demokratischer Entwicklung vielleicht in die Lage Frankreichs kommen, das seit 1789 den Intellektuellen zwei politikgeschichtliche Perspektiven bietet: die Tradition von ›Autorität‹ und von ›Majorität‹.

Das Kapitel über das *evangelische Pfarrhaus* mag sich auf den ersten Blick in einem Buch über die politische Kultur Deutschlands merkwürdig ausnehmen, gehört aber hinein, im Sinne seines Untertitels ›Urbild und Vorbild bürgerlichen Lebens‹. Wenn immer es einen paradigmatischen Ort für bürgerliche Ideale gegeben hat, dann war es das protestantische Pfarrhaus des 18. und 19. Jahrhunderts. Politikferne, aufs engste mit patriotischer Königstreue verbunden, fand hier ihr gutes Gewissen und höhere Rechtfertigung. Über die Lutherische Gehorsamstheologie fand der Obrigkeitsstaat hohe moralische Legitimation. Heute hat sich das Bild grundlegend gewandelt. Die evangelischen Kirchen sind politisch nicht mehr ohne weiteres auf der Rechten angesiedelt, und ihre Pfarrer geben in ihren Gemeindehäusern auch sehr rebellischen Ideen und Kräften Raum. Trotz großer Einbußen an religiöser Sozialisationskraft darf man die Bedeutung der Kirchen für die gegenwärtige politische Kultur nicht unterschätzen. Auch wo Kirchgang und häusliches Gebet nicht mehr geübt werden, sind die Auswirkungen religiöser Faktoren in unserer politischen Kultur immer noch spürbar und meßbar.

Die nächsten beiden Kapitel stellen zwei politische Theorien vor, die von deutschen Sozialwissenschaftlern erfunden oder in einer Weise ausgebildet wurden, die ihre Abhängigkeit vom Umfeld der eigenen politischen Kultur augenfällig demonstriert. Hannah Arendt und Carl Joachim Friedrich haben mit ihren Büchern über totale Herrschaft und totalitäre Diktatur den Grundstein zur sogenannten *Totalitarismustheorie* gelegt, die bis heute den kategorialen Rahmen für die Einordnung des Nationalsozialismus und des Bolschewismus in die Regimenlehre liefert. Diese theoretische Klassifizierung hatte große Bedeutung für den praktischen Umgang mit beiden Regimen: als absolut identischen Formen unmenschlicher Politik, möglich geworden erst durch die technischen Voraussetzungen von Überwachung, Terror und Ausrottung. Es gab Widerspruch gegen die Gleichsetzung beider Systeme, weniger in ihrer Praxis als im Blick auf die ideologischen Voraussetzungen und politischen Ziele: Klasse macht keinen politisch-philosophischen Reim auf Rasse.

Diese Diskussion ist heute in ein neues Stadium getreten. Und wie damals gibt es praktisch-politische Relevanzen: Muß man wirklich die Staaten des Ostblocks, vor allem aber ihre sozialistische Doktrin, unter dem Gesichtspunkt ›totalitär‹ für in derselben Weise unmenschlich und gefährlich halten wie die Praxis und Ideologie des Nationalsozialismus? Darüber hinaus frage ich, ob der Nationalsozialismus nicht eher als autoritäres System anzusehen ist, wenn immer der Gesichtspunkt für ein totalitäres Regime die völlige Umformung der gesamten Gesellschaft ist.

Die Totalitarismustheorie zeigt von ihren Anfängen bis in die Gegenwart die Abhängigkeit vom Umfeld wechselnder politischer Kulturen: Der ›definitorische Gegner‹ bestimmt jeweils die theoretischen Perspektiven. Die Erfahrungen mit dem Nationalsozialismus, dem Stalinismus, dem Kalten Krieg, der Teilung Deutschlands, dem Mauerbau, der Studentenbewegung, das alles muß man im Blick haben, wenn man die verschiedenen Phasen der Totalitarismuslehre begreifen will. Für Deutsche liefert das Thema Totalitarismus darin noch eine besondere Nuance, daß der Kommunismus für Hitler der ›Weltfeind Nr. 1‹ gewesen ist und der Nationalsozialismus auf diese Weise nachträglich in seinem Kampf gegen die heute einzige aktuelle totalitäre Gefahr sozusagen auf der richtigen Seite zu stehen schien.

Eine *Technokratietheorie* wurde zwar schon von amerikanischen Sozialwissenschaftlern in den dreißiger Jahren entwickelt; die deutsche

Version, die zu Beginn der sechziger Jahre von konservativen Soziologen erdacht wurde, antwortete dagegen auf spezifisch deutsche Schwierigkeiten jener politikgeschichtlichen Phase und gehört somit unverwechselbar zur politischen Kultur der Bundesrepublik. Das technokratische Argument zielt auf das Problem der politischen Legitimität und allgemein auf die Frage nach dem Sinn staatlichen Handelns. Beide Fragen erledigen sich für den Technokraten dadurch, daß, wie Helmut Schelsky sich ausdrückt, der Staat optimal funktioniert. Technokratische Effektivität entbinde den Staat von Sinnfragen und das Volk von Willensbildungsprozessen, da das, was zu tun ist, jedermann einleuchte. Neutrale ›Sachgesetzlichkeit‹ ersetze den Streit um Ziele und löse damit das bisherige Politikverständnis zusammen mit seinen Theorien ab, zugunsten einer Richtigkeit, die rein zweckmäßiger Natur sei. Bezogen auf die politische Kultur Deutschlands kann man diese These als Lösung eines in der deutschen Geschichte weit zurückreichenden Problems lesen: Schon Preußen und danach Preußen-Deutschland war eine Staatskultur ohne Staatsidee. Man dachte hoch vom Staate, dessen Sinn aber unbestimmt blieb.

Das gilt auch für die Bundesrepublik Deutschland als Staat und als Teil einer geteilten deutschen Nation. Hatte man nach dem Krieg zunächst mit praktischen Aufbauarbeiten genug zu tun und trug sich im übrigen mit der Hoffnung, durch eine starke europäische Integration womöglich der Frage nach der eigenen politischen Identität enthoben zu werden, so stellt sich diese Frage seit den sechziger Jahren mit immer größerer Nachdrücklichkeit. Die Technokratietheorie würde die Frage nach der politischen Identität weitgehend erledigen, zusammen mit der Frage, welche Form von Demokratie man bevorzugt. Auch diese Frage führt bis heute in der Bundesrepublik gelegentlich zu Irritationen und ist bei uns aus Mangel an einer entsprechenden Tradition zwar längst nicht mehr prinzipiell offen, wird aber doch von Zeit zu Zeit auf unterschiedlichen Feldern neu gestellt. Bei solchen Gelegenheiten zeigt sich, daß die Technokratietheorie nur bei voller Homogenität der Gesellschaft in allen Fragen Aussicht auf Plausibilität hat: als Ideologie des für alle Selbstverständlichen. Die Versuchung, die Augen vor der Pluralität von Interessen und dem gesellschaftlichen Wandel zu schließen, ist in der deutschen Politikgeschichte immer wieder mächtig gewesen und auch in der gegenwärtigen politischen Kultur der Bundesrepublik nicht überwunden. Heute ist es weniger die Technokratiethese als die Theorie der ›Postmoderne‹, welche konservative Sozialwissenschaftler bevorzugen, um eine prinzipielle ›Kristallisation‹ gesellschaftlicher Entwicklungen als wahrscheinlich zu erweisen.

Lieferte *politische Kultur* in den vergangenen Kapiteln Aspekte für die Beurteilung unterschiedlicher Phasen und Phänomene deutscher Politikgeschichte, so wird in den beiden letzten Kapiteln dies Forschungskonzept ausdrücklich thematisiert und beide deutsche Staaten mit seiner Hilfe dargestellt. Seit dem ›Schwierigen Vaterland‹ (München 1979, Frankfurt/Main 1981), das ich zusammen mit meiner Frau schrieb, beschäftigt mich politische Kultur auch als Forschungsstrategie. Der Begriff ›Politische Kultur‹ ist durch unser Buch inzwischen auch in der Publizistik heimisch geworden, leider in einer für die deutsche politische Kultur selbst bezeichnenden Veränderung des Wortsinnes: als ob politische Kultur für sich schon etwas Positives sei, das man einander zubilligen oder absprechen könne, wie politische Moral oder politischen Stil. Das ist nicht der Sinn des amerikanischen Ausdrucks *political culture*, dem zufolge *jeder* Staat eine politische Kultur ausbildet.

Nur in diesem wertfreien Sinne kann man unbefangen von der *politischen Kultur der DDR* sprechen. Beide deutschen Staaten teilen deutsche Politikgeschichte bis zum Ende des Zweiten Weltkrieges und noch Strecken darüber hinaus. Ein Vergleich ihrer politischen Kulturen begegnet verschiedenen Schwierigkeiten. Zum einen wehren sich die Sozialwissenschaftler der DDR aus ideologischen Gründen dagegen: die westliche Forschung lasse den ›Grundwiderspruch‹ des kapitalistischen Systems außer Betracht und reproduziere in ihren Ergebnissen nur falsches Bewußtsein. Die westliche Forschung bedauert das Handicap fehlender empirischer Untersuchungsmöglichkeiten. Zwar sind DDR-Veröffentlichungen auf einigen Feldern (z. B. der Jugend- oder Freizeitforschung) durchaus seriös, aber vergleichbare Forschungen auf dem politischen Wertefeld fehlen, ganz zu schweigen von Untersuchungen, welche direkt die politische Folgebereitschaft, Kompetenzzuweisungen etc. zum Gegenstand hätten. Trotzdem muß man, wie ich meine, Vergleiche anstellen, und zwar unter denselben Gesichtspunkten, welche die westliche Forschung leiten. Wir sind auch nicht ohne alle Quellen, sondern verfügen über dasselbe Material, das bis zur Erfindung der Umfragetechniken jedem Sozialwissenschaftler als Grundlage für die ›Nationalcharakterforschung‹, wie es damals hieß, zur Verfügung stand.

Beschäftigt sich das Kapitel über die politische Kultur in der Bundesrepublik ausschließlich mit dem Vergleich Westdeutschlands zu anderen liberaldemokratischen Staaten der westlichen Welt, so versuche ich im letzten Kapitel, einen Vergleich beider deutscher Staaten, oder besser: eine Forschungsstrategie für eine solche Vergleichung zu entwickeln. Die meisten Bücher begnügen sich mit einem Vergleich der politischen Systeme, d. h. der unterschiedlichen Institutionen. Kein Wunder, daß bei solcher Vergleichung als Ergebnis auf der einen Seite ein ›totalitäres System‹ und auf der anderen Seite ein ›freiheitlicher Staat‹ herauskommt. In völliger Abtrennung von solchem Systemvergleich erscheinen in den letzten Jahren immer mehr Bücher, welche die Lebenswelt der DDR-Bevölkerung beschreiben. Ich versuche einen dritten Weg, indem ich nach Legitimitätsquellen für unterschiedliche Politikfelder und überhaupt Aspekte des politischen Systems in der DDR frage. Auf diese Weise unterscheide ich zwischen der Machtelite des Zentralkomitees oder des Staatsrates; der staatlichen Bürokratie; des ökonomischen Systems; des sozialen Sicherungssystems; des Bildungssystems; der Infrastruktur und dem Kommunikationssystem; der beruflichen Alltagswelt; der Welt der Freizeit mit seinen Vereinen, seiner Geselligkeit und Familienfesten; des Sozialismus als marxistischer Ideologie und als erlebter gesellschaftlicher Wirklichkeit. Je nach der Ebene, die man ins Auge faßt, müssen wir unterschiedliche Grade der Loyalität und der politischen Folgebereitschaft in der DDR vermuten. Solche unterschiedlichen Aspekte der politischen Kultur führen auch zu unterschiedlicher Bewertung des Verhältnisses der DDR-Bevölkerung zu unserem Staat: Was neidet man uns, worin kritisiert man uns?

Geht man diesen Weg einer stark differenzierenden Analyse, so trifft man auf eine ganze Reihe vergleichbarer Probleme und Dispositionen, ihnen zu begegnen. Das kann nicht wunder nehmen, wenn man die lange politikgeschichtliche Tradition bedenkt, die beide Staaten verbindet. Man hat die DDR den ›deutscheren‹ Staat genannt. Das gibt Sinn, wenn man bedenkt, daß deutscher Autoritarismus in der DDR auch nach 1945 eine Fortsetzung fand: in Gestalt proletarisch-kleinbürgerlichen Unterschichtsautoritarismus', verstärkt durch ideologischen Druck und politischen Terror. In Westdeutschland zeigen dagegen die empirischen Einstellungsuntersuchungen einen ständig wachsenden Sinn für diejenigen Verhaltensweisen, wie sie die alten bürgerlichen Demokratien westlichen Musters auf ihrer ›Demokratieskala‹ ausweisen: Toleranz, Sinn für Opposition und Abweichung, Partizipationsbereitschaft etc.;

dazu flankierende Werthaltungen im Erziehungsstil und in den Umgangsweisen des Alltags. Diese für die Ausbildung einer liberalen Demokratie günstigen Werte sind allerdings bei uns weniger das Ergebnis von Einstellungsänderungen älterer Generationen als von Zuwächsen neuer Werthaltungen durch Jüngere.

Es gibt Anzeichen dafür, daß in der DDR unter jüngeren Altersgruppen die Kritik nicht nur an der Parteiherrschaft, sondern an der etablierten staatlichen Ordnung wächst, die man spießbürgerlich nennt. In diesen Bewegungen sind Kinder hoher Parteifunktionäre oft führend. Der Neid auf westliche Lebensweise zielt bei diesen Gruppen nicht mehr auf den höheren Lebensstandard, sondern auf die bei uns gegebene Freiheit zu unorthodoxen Meinungen, zu neuen Wegen in der Gestaltung von Familie, Beruf und Freizeit, Ökologie und Frieden.

Das letzte Kapitel zeigt weniger in Resultaten als in konzeptionellen Überlegungen die Wichtigkeit des Aspektes ›politische Kultur‹. Ohne ihn bleibt politische Analyse verkürzt auf eine rein institutionelle Betrachtungsweise, allenfalls ergänzt durch unverbundene Schilderungen aus diesem oder jenem Lebensbereich dessen, was man Alltagskultur nennt. Wie immer vorläufig und ergänzungsbedürftig ihre Resultate sein mögen: Die politische Kulturfoschung wird in Zukunft eine der wichtigsten Disziplinen der Politikwissenschaft werden.

Die zehn Kapitel dieses Buches sind nicht hintereinander geschrieben, sondern aus kleineren, zur Hälfte ungedruckten Arbeiten der letzten Jahre ausgewählt und zusammengestellt. Daß dabei mehr als eine ›Aufsatzsammlung‹ herausgekommen ist, wird der Leser merken. Trotzdem gibt es hier und da Überschneidungen, die ich im Interesse der Lesbarkeit belassen habe. Dr. Heidi Bohnet danke ich für die in diesem Fall besonders verdienstvolle Arbeit der Lektorierung.

Stuttgart, im Herbst 1985   M. Greiffenhagen

Erster Teil
Politische Traditionen

Friedrich der Große, Preußen und wir

Wer Jubiläen feiert, muß wissen, was er tut. Die bloße Erklärung einer Person oder eines Ereignisses für hochbedeutsam und erinnerungswürdig genügt nicht, um zu dem zu führen, was Gedenktage bringen sollen: Vergegenwärtigung. Das wurde uns so oft, z. B. im Musiker-Gedenkjahr 1985, vor Augen geführt. Von den großen Komponisten, derer wir uns in Ehrfurcht vor ihrem Genie erinnern sollten, hat nur Bach diesen Sinn erfüllt. Das Interesse an Bachs Musik nämlich war schon lange vor 1985 auf dramatische Weise gewachsen. Zahllos die neuen Einspielungen, die Diskussionen über die richtige Aufführungspraxis, die Verwendungen und Verwandlungen seiner Themen und Techniken, auch im Jazz und in der Popmusik. Von Jahr zu Jahr wuchs nicht nur in Deutschland, sondern in aller Welt der Respekt vor Bachs Größe und Wirkung in dreihundert Jahren Musikgeschichte. Im Vergleich dazu waren wir auf die Feier des bedeutenden Heinrich Schütz fast gar nicht vorbereitet. Die obligate große Biographie kam heraus, es gab Sonderkonzerte und Vorträge, im übrigen aber keine Bewegung, keine Begeisterung, kein allgemeines Gedenken dieses großen Komponisten.

Friedrichs Gedenkjahr trifft auf eine gute Aufnahmebereitschaft. Das ist nicht selbstverständlich. Zwar kennt fast jedes Kind seinen Namen, und viele wissen von ihm. Aber ob man sein Gedächtnis in Ehren halten solle, das war bis vor wenigen Jahren bei uns nicht sicher. Für die Einschätzung unserer Bereitschaft, Friedrich seinen bis 1945 unbestrittenen Platz unter den erinnerungswürdigen Deutschen zu lassen, war die große Preußen-Ausstellung 1981 in Berlin eine Art Test. Daß sie gelang, war eine Überraschung. Obwohl durch keine Jubiläumstradition gestützt, sondern durch unsere jüngste Geschichte eher belastet, fand das Thema Preußen nicht nur Interesse, sondern Sympathie.

Natürlich nahm Friedrich der Große in dieser Ausstellung und in vielen sich um sie gruppierenden Veranstaltungen und Veröffentlichungen einen wichtigen Platz ein. An ihm kam man bei der großen Erinnerungsarbeit nicht vorbei. Wer immer heute Friedrichs gedenken will, sieht sich deshalb auf eine Fülle von Darstellungen verwiesen, unter denen er Nachlese halten darf. Was das politische Risiko solcher Erinnerung angeht, wird man mit weniger Schwierigkeiten rechnen müssen, als man für das ›Preußen-Jahr‹ fürchtete.

Es sei denn, man fragt, ob wir wirklich der 200. Wiederkehr seines Todesjahres nachdrücklich gedenken sollten. Die Preußen-Ausstellung 1981 war kein Jubiläum und wird keine Jubiläumstradition bilden. Sie war nicht mehr als die Idee einiger Männer, die meinten, man solle das strittige Thema anpacken. Anders liegt die Sache im Fall Friedrichs. Hier gibt es eine Jubiläumstradition. Sie ist Bestandteil der deutschen Nationalgeschichte, die sich an den unterschiedlichen Friedrichs-Feiern darstellen ließe. Diese Gedenktradition fortführen bedeutet Friedrichs Platz in der politikgeschichtlichen Tradition Deutschlands anerkennen, und zwar mit seinem Ehrentitel. Das wäre 1945 und noch Jahre danach nicht möglich gewesen, aus Gründen, auf die noch einzugehen sein wird.

Meine Überlegungen zur Bedeutung Friedrichs des Großen gliedere ich in drei Abschnitte: Friedrich als

1. weltgeschichtliche Figur,
2. Gestalt in der neueren deutschen Geschichte,
3. Gegenstand neuerlichen Interesses im Lichte unserer eigenen politischen Erfahrungen.

Diese Abschnitte behandeln Friedrichs Gestalt und Wirkung unter wechselnden Gesichtspunkten. Manchmal kommt ein Aspekt doppelt zur Sprache, im Sinne eines neuen Durchganges. Für diese Verfahrensweise bitte ich den Leser um Geduld.

1. Weltgeschichtliche Größe

Was immer über weltgeschichtliche Größe gesagt worden ist, folgende Gesichtspunkte lassen sich für sie mit Sicherheit angeben: Es muß sich um eine Gestalt handeln, die nicht nur für die eigene Nation, sondern auch für andere Völker von Bedeutung ist; meist deshalb, weil sie die Staatenwelt selbst verändert hat. Häufig und wohl zwangsweise verbindet sich mit dieser internationalen Wirkung eine prägende Bedeutung auf militärischem, ökonomischem, sozialpolitischem, kolonisatorischem oder religionspolitischem Felde.

Eine welthistorische Gestalt verdient meist auch als Charakter unser Interesse; handle es sich um einzelne, herausragende Fähigkeiten oder um eine äußerst seltene Kombination von Begabungen, die normalerweise in einem Menschen nicht zusammen anzutreffen sind, deren Zusammenspiel aber die großen Wirkungen erklären. Im Falle des Politikers gilt das für die Verbindung von Einfallsreichtum, Entschlußkraft, Durchhaltewillen und schließlich einer Begeisterungsfähigkeit, die eine Anhängerschaft zu bilden, beieinanderzuhalten und in den Dienst der eigenen Ziele zu stellen vermag. – Eine unabdingbare Voraussetzung für weltgeschichtliche Größe ist schließlich die Nachhaltigkeit der Aktivitäten, ihre ›Geschichtsmächtigkeit‹. Bloß kurzfristige Erfolge rechtfertigen den Titel ›der Große‹ ebensowenig, wie ihn das Scheitern einzelner Unternehmungen gefährdet, solange am Ende welthistorische Wirkung unter den genannten Gesichtspunkten herauskommt. Sebastian Haffner vergleicht unter diesem Gesichtspunkt Napoleon mit Hitler: »Napoleon ist wie Hitler als Eroberer gescheitert, aber von seinen Leistungen als französischer Staatsmann ist vieles erhalten geblieben: seine großen Gesetzgebungswerke, sein Erziehungssystem; ja auch sein straffer Staatsbau mit seinen Departements und Präfekten steht heute noch, wie er ihn hingestellt hat, trotz aller seitherigen Veränderungen der Staatsform. Hitler hat keinen Staatsbau hingestellt, und seine Leistungen, die zehn Jahre lang die Deutschen überwältigten und die Welt in Atem hielten, sind ephemer und spurlos geblieben – nicht nur, weil sie in einer Katastrophe endeten, sondern weil sie nie auf Endgültigkeit angelegt waren. Hitler war als purer Leistungsathlet vielleicht sogar noch stärker als Napoleon. Aber eines war er nie: ein Staatsmann.«

Ein Blick auf Friedrichs Leben und Charakter zeigt, daß er die Kriterien weltgeschichtlicher Größe erfüllt, und zwar auf vielen Gebieten. Was immer von seinem Werk nach seinem Tode verloren, vertan oder verändert wurde: Geblieben ist genug, um ihm einen hervorragenden Platz in der neueren Geschichte anzuweisen. Er führte Preußen auf den Weg zur europäischen Großmacht; er war ein begabter, ja in einzelnen Entscheidungen genialer Feldherr; er vollbrachte in seinem Staat bedeutende Kolonisationsleistungen; er bemühte sich im Strafprozeßrecht um humane Grundsätze; er führte – wenn auch aus pragmatischen Gründen oder indifferenter Haltung – die Religionsfreiheit ein; er ließ Toleranz walten und gab Anstöße für das große Gesetzgebungswerk des ›Allgemeinen Preußischen Landrechts‹.

Was Friedrichs Charakter angeht, so muß man ihn in vieler Hinsicht außerordentlich nennen. In ihm verband sich hohe geistige Sensibilität mit ungewöhnlicher Willensstärke, weitreichende Planungsintelligenz mit spontaner Entscheidungskraft. Er gebot über die Fähigkeit, Menschen selbst unter ungünstigen Umständen an sich zu binden. Seine Generalität gehorchte ihm fast blind, seine Truppen gingen für ihn ins Feuer, sein Volk arbeitete für ihn. Die Begeisterung für Friedrich reichte bekanntlich weit über die Grenzen seines Staates, seiner Armee und seines Volkes hinaus. Man war nicht nur in Deutschland, sondern auch in Britannien, ja sogar im gegnerischen Frankreich und Rußland ›fritzisch‹ gesinnt, verfolgte seine Feldzüge mit Spannung, später seine Aufbauleistungen mit Respekt. Geliebt hat man ihn nicht, weder zu Hause noch draußen. Dafür war man fasziniert von dieser charakterlichen Verbindung von Gegensätzen: Distanz und Dezision, Großmut und Rachsucht, Humanität und Egoismus, Intellektuellentum und handfester Praxissinn, hohe Humanitätsideale und kältester Machiavellismus, Schriftstellerei und Feldherrnkunst, eisernes Pflichtgefühl und depressive Stimmungen ... Die Reihe der Widersprüche ließe sich fortsetzen.

Kein Grund also, sich bei der Frage, ob Friedrich zu den Großen der Weltgeschichte gehört, länger aufzuhalten. Friedrich zählt zu den großen Deutschen, wie Jefferson und Lincoln zu den großen Amerikanern, Richelieu und Napoleon zu den großen Franzosen, Gladstone und Disraeli zu den großen Briten.

2. Einfluß auf die deutsche Geschichte

Der Einfluß Friedrichs des Großen auf die neuere deutsche Geschichte ist bedeutend. Was im einzelnen als sein Erbe anzusehen ist und was davon in seinem Sinne lag, soll uns hier nicht beschäftigen. Ich habe mir etwas anderes vorgenommen: die Frage nämlich, ob es möglich ist, in der Person Friedrichs Anhaltspunkte für die Ausbildung der politischen Kultur Deutschlands zu finden. Das ist ein riskantes Unterfangen und unterliegt vor allem zwei Gefahren: zum einen einer falschen Personalisierung der Geschichte, zum anderen der Mißachtung aller jener Kräfte, die nach ihm auf die deutsche Entwicklung Einfluß hatten. Ich sage deshalb nachdrücklich, daß es sich bei den folgenden Gedanken nicht um den Aufweis von Ursachen und Kausalketten handeln soll. Ich versuche, im

Charakter Friedrichs, in seinen politisch-weltanschaulichen Überzeugungen und in seinen politischen Akten Züge der politischen Physiognomie Deutschlands zu entdecken, von denen einige sogar in der Gegenwart der Bundesrepublik noch sichtbar sind. Solche physiognomische Erkundung läßt sich ebensogut als die Frage formulieren, ob Friedrich eigentlich als *deutscher Herrscher* gelten kann, und woran man denkt, wenn man ihn emphatisch *deutsch* nennt, wie es immer wieder geschehen ist.

»Des Königs Herz ist deutsch, trotz des französischen Schnörkels«, berichtete der englische Gesandte 1748 aus Berlin. Dies muß ihm bemerkens- und betonenswert erschienen sein: entgegen der Rede von dem großen Einfluß französischen Geistes auf den König. Friedrich war kein Franzose auf einem deutschen Thron, wie man von manchem Habsburger als ›dem Spanier‹ gesprochen hatte. Die Bevorzugung französischer Lebens- und Denkart, die damals an allen europäischen Höfen Eingang fand, hatte für Friedrich noch einen besonderen Grund: die Opposition gegen seinen Vater. Man hat deshalb Anlaß, die Entschiedenheit, mit der sich Friedrich französischer Literatur und Philosophie zuwandte, dialektisch zu deuten und damit in gewisser Weise zu relativieren.

Sein Vater, Friedrich Wilhelm I., verachtete und haßte französische Skepsis, Leichtlebigkeit und Weitherzigkeit in Dingen der Religion, Moral und Sitte. Er wollte seinen Sohn zu einem frommen Herrscher erziehen. Er selbst betrachtete sich als gläubigen Christen, und man weiß, daß das Problem der Prädestination, des göttlichen Vorausbestimmtseins, nicht nur den Vater, sondern auch den Sohn in dessen Jugend, vielleicht noch darüber hinaus, beunruhigt hat. Es ist deshalb vermutlich nicht abwegig, wenn man Züge von Depression und Melancholie, wie sie bei Friedrich immer wieder begegnen, mit religiösen Erfahrungen in seiner Kindheit und Jugend zusammenbringt. Schon in Rheinsberg, einer im ganzen glücklichen Zeit seines Lebens, tauchten Phasen elegischer Stimmungen auf, die Gustav Freytag im Auge hatte, als er schrieb: »Trotz aller französischen Tendenzen war die Anlage seines Wesens auch in dieser Richtung sehr deutsch.« Deutsch-protestantisch müßte man genauer sagen, und so war auch das Mittel, mit dem Friedrich diesem deutschen Erbübel, der Melancholie, zu Leibe ging: »Nichts tröstet mich als die starke Anspannung, welche die Arbeit fordert; so lange sie dauert, verscheucht sie die traurigen Ideen.« (1759)

Der Religionspsychologe Gerhard Schmidtchen spricht im Blick auf diese Verbindung von »Arbeitszwang aus depressiver Motivation«. Oft genug versucht der Protestant, insbesondere der calvinistisch-reformierte, mit Arbeit das ›Heil seiner Seele‹ zu schaffen und überhaupt Spannungen zu lösen, deren Ursache häufig in der Kindheit liegen. Friedrich hatte aus den tiefen Verletzungen seiner Kindheit und Jugend genug Gründe, Arbeit als probates Mittel gegen Melancholie einzusetzen, und seine Pflichtauffassung zeigt stets Zeichen der Überanstrengung, die in dieser deutschen Versuchsanordnung liegt. Einmal spricht er von der »religiösen Hingabe an meine Pflichten« (1756) und weist damit ebenso treffend wie vermutlich unbewußt auf den calvinistischen Quell seiner Arbeitsethik. – Besonders in den protestantischen Teilen Deutschlands hat man Friedrichs Arbeitswut und Pflichtgefühl immer wieder als vorbildlich gepriesen: mit sicherem Gespür dafür, daß ein hierin deutscher Herrscher das, was man als deutsche Tugend empfand, vorbildlich lebte!

Wenn die Spur, die auf eine Beschädigung Friedrichs im Bereich religiöser Sozialisation weist, nicht trügt, müßte auch Friedrichs philosophischer Agnostizismus, die Lehre von der Unmöglichkeit zuverlässiger Erkenntnis, eine eher ›deutsche‹ Beurteilung erfahren. Man hätte bei ihm dann nicht mit französich-weltmännischer Skepsis zu tun, sondern mit einem abgründigen Zynismus, der eher auf religiöse Erschütterung als auf Gleichgültigkeit in theologischen Dingen verweist. Gewiß, Friedrich gab sich als Mann der französischen Aufklärung, der die Klassiker parat hatte. Besonders stoische Philosophen führte er gern an und legte Wert darauf, in dieser Hinsicht für gebildet zu gelten. Aber war das wirklich seine Lebensform oder nur ein Stil, mit dem er schlimme Verwundungen verbarg?

Bei diesen Überlegungen ist wichtig zu bemerken, daß Friedrich kein origineller philosophischer Denker war. So gern er sich über philosophische Themen verbreitete, so sehr blieben seine Gedanken durchaus in den konventionellen Bahnen der Zeit und seiner philosophischen Umgebung. Friedrich wollte auf allen Gebieten der Kultur brillieren, aber seine Gedichte sind ebenso mittelmäßig wie seine musikalischen Kompositionen; und das Bild vom in Gefechtspausen flötespielenden und philosophierenden Heerführer ist doch wohl eher ein Stück Legende, an deren Entstehung und Verbreitung Friedrich selber in hohem Maße interessiert war.

Friedrichs Atheismus ist nicht als Theorie, sondern als Lebensgefühl von einer Modernität, für die Deutschland nach dem Urteil Helmuth Plessners eine Vorreiterrolle zukommt. Weil im Lande der Reformation theologische Fragen in sonst nicht gekannter Radikalität durchgearbeitet wurden, bedeutet Glaubenslosigkeit in Deutschland eine ungeheure Schwächung des gesamten religiösen Milieus, mit tiefgreifenden Folgen für Moral und Politik. Immer wieder trifft man bei Friedrich auf besonders zynische Bemerkungen, mit denen er die christliche Religion und die durch sie gestützten Institutionen, wie z. B. die Ehe, bedenkt. Diese Ausfälle künden nicht von französischem Geist, der gegenüber religiösen Dogmen und Institutionen eher skeptische Gleichgültigkeit an den Tag legte. Friedrichs Attacken müssen wohl doch als Antwort auf die rigorosen religiösen Erziehungsgrundsätze seines Vaters und die durch sie bedingten Autoritäts- und Schuldverstrickungen seiner Jugend gedeutet werden.

Die Radikalität, mit der Friedrich allem Religiösen den Kampf ansagte, hat teil an einer deutschen Form von Nihilismus, der sich auf verschiedenen Feldern ausgewirkt und Deutschland von der politischen Entwicklung der westeuropäischen Staaten abgekoppelt hat. So wenig der Zynismus in religiösen Dingen Friedrichs historisches Verdienst weltanschaulicher Toleranz schmälert, so wenig darf man den Quell dieser Toleranz außer acht lassen, wenn man nach Anstößen für die weitere Entwicklung der politischen Kultur Deutschlands fragt.

Im Westen Europas war die Geschichte der Toleranz verbunden mit der Entwicklung des modernen Naturrechts. Diese Verbindung kam in Preußen nicht zustande, weil sie einer anderen Ehe entgegenstand: derjenigen zwischen Protestantismus und Aufklärung. Während in Frankreich die breite Masse von der Aufklärung weitgehend unberührt blieb und man auf dem Lande weiter dem Priester folgte, durchdrang die Aufklärung in Preußen nicht nur den gesamten Staatsapparat, sondern ebenso die Kirche. Aufklärung wurde zum Inhalt des Protestantismus, und Protestantismus wurde eine Form der Aufklärung. In dem Maße, in dem Protestantismus für die preußischen Untertanen Luthertum und landesherrliches Kirchenregiment bedeutete, entwickelte sich lutherische Staatsorientierung zusammen mit preußischer Aufklärung zu einer Art Staatsfrömmigkeit, in der sich Staatsräson und Gottesliebe verbanden. Der Staat konnte sich religiös aufladen, indem er selbst Aufklärung betrieb und die Pfarrer anhielt, von den Kanzeln auch bürgerliche Tugenden zu lehren.

Für eine tiefe sittliche Begründung des Staates aber reichte dieses Amalgam nicht aus. Der preußische Staat blieb wie später Preußen-Deutschland ohne Staatsidee. Ohne weitreichende dynastische Tradition, ohne tiefgreifende individuell-naturrechtliche Verankerung hing seine Identität an der Dynamik militärischer Expansion und wirtschaftlicher Effektivität. Diese geschichtliche und weltanschauliche Ungebundenheit hatte auch ihre Vorzüge: Der religiösen Inhaltsleere und der landsmannschaftlichen Indifferenz dieses Staates verdankten alle Einwanderer die Möglichkeit rascher Integration. Das einzige, was sie respektieren mußten, war seine hohe Rationalität und die ihr entsprechende Tugend der Staatsräson auf der Seite der Untertanen.

Friedrich hat für diesen Vernunftstaat weltanschaulicher Ungebundenheit viel Sinn gehabt. Effizienz war das Gesetz, nach dem er funktionierte. Solange Territorien hinzuzuerobern, neue Landstriche zu kolonisieren und die Finanzen in Ordnung zu bringen waren, merkte niemand etwas von der fehlenden Idee. Erst Hegel hat später die Philosophie des preußischen Staates geschrieben und dabei buchstäblich aus der Not eine Tugend gemacht. Der Sinn der Geschichte erfüllt sich ihm in der Abfolge von Staaten, deren höchste und zugleich abstrakteste Form der preußische Staat ist: Er hat keinen Inhalt außer sich selbst, ist reine Rationalität, welche die Unterscheidung von Mittel und Zweck nicht mehr erlaubt. Der Staat dient sich selbst, ist Selbstzweck; er hat keine Transzendenz, sondern ist selber Transzendenz: Wenn immer das Wort ›Staatsvergottung‹ Sinn gibt, in Hegels Staatsphilosophie hat es ihn gefunden. Der Staat ist nicht Hüter oder Förderer der Humanität oder einer Kulturidee. Man dient ihm, als erster Diener oder als Volk von Untertanen; und niemand fragt über ihn hinaus.

Wenn der Staat keine ihn geschichtlich begründende oder philosophisch fordernde Idee hat, bedeutet politische Führung vor allem die Setzung von Zielen selbst. Die Unterwerfung unter solche Führung hieß Pflicht. ›Unbedingter‹ Gehorsam schloß die Indifferenz gegenüber politischen Zielen und Mitteln ein. Das ist der politikgeschichtliche Sinn des Wortes ›Pflichtreligion‹. Nur in einem Staate ohne Staatsidee konnte sich eine Tugendlehre ausbilden, welche die absolute Geltung bestimmter Tugenden forderte, ohne Ansehung der Ziele, in deren Dienst sie jeweils geübt wurden.

In Preußen wurde diese Hochschätzung von ›sekundären‹ Tugenden noch gefördert durch den beispielhaften Rang, den die Armee für alle

Institutionen besaß. Die Armee ist die einzige Institution, bei der Tugenden wie Pünktlichkeit, Gehorsam, Disziplin und Ordnung ›an sich‹ Geltung haben dürfen: im Interesse von Schlagkraft, Schnelligkeit, Geheimhaltung. Das Prinzip von Befehl und Gehorsam gibt militärischen Kardinaltugenden im Sinne einer allgemeinen Verfügbarkeit durchgängige Bedeutung und ihrer Abstraktheit Sinn. Beides zusammen, ein Staat, der nichts als Rationalität sein will, und das militärische Prinzip absoluter Disponibilität, haben zur Ausbildung einer Pflichtethik geführt, die in dem Augenblick verheerende Folgen zeitigen mußte, in dem die letzten Reste der alten religiösen und moralischen Kultur aufgezehrt waren: sowohl an der Spitze des Staates wie auf seiten bedingungslos gehorchender Untertanen.

Sollten diese schlimmen Folgen auch erst sehr viel später eintreffen, so zeigt sich schon bei Friedrich eine Erscheinungsform dieses politischen Amoralismus. Wer eine Lage nicht mehr nach moralischen und religiösen Gesichtspunkten beurteilen kann, entscheidet ›aus dem Nichts heraus‹. Was jetzt gilt, ist nur noch die Kraft zur Entscheidung selbst. In Friedrichs Charakter zeigen sich Spuren dieses dezisionistischen Nihilismus, der sich mit Entscheidungen aus dem Zwang der Praxis begnügt. Er ist die Kehrseite seiner vielgerühmten Risikobereitschaft. Die Verwegenheit des ›Alles oder Nichts‹ nahm keine Rücksicht auf andere Gesichtspunkte. Aus seinem schlesischen Hauptquartier schrieb Friedrich 1745 an seinen Minister Graf Podewils: »Aber ich habe einmal den Rubikon überschritten und will nun meine Macht behaupten, oder es mag alles zugrunde gehen und bis auf den preußischen Namen mit mir begraben werden.« – Wie im Falle von Friedrichs Arbeitswut und religiös motiviertem Pflichtgefühl ist auch sein Dezisionismus in Deutschland stets Gegenstand hoher Begeisterung gewesen. Im traditionellen deutschen Politikverständnis haben die Elemente ›Entscheidung‹ und ›Tat‹ stets Vorrang vor Kompromissen und Verhandlungen. Das gilt bis in die Gegenwart.

In keinem Land Europas wurde mit der Naturrechtslehre und den moralischen Grundlagen der Politik so gründlich aufgeräumt wie in Preußen-Deutschland. Die historische Rechtsschule hinterließ einen Rechtspositivismus, der wiederum einen radikalen Dezisionismus nach sich zog. Politischer Nihilismus wurde lange vor dem Nationalsozialismus politisch hoffähig. Während andere Länder Europas noch aus der Tradition unbefragt übernommener Wertvorstellungen lebten, erlebte Preußen bereits eine Sinn- und Wertkrise, welche die europäischen Staaten erst im späten 19. und frühen 20. Jahrhundert erfuhren. Ihre Radikalität wird in einer Gestalt wie Kleist deutlich. Sein Lebenswerk und sein Lebensschicksal offenbaren zugleich eine elementare Sinnkrise und den Versuch, ihr mit preußischer Disziplin zu Leibe zu gehen.

Das Fehlen einer naturrechtlichen Verankerung der Politik wirkte sich auch auf die Entwicklung des preußischen Rechtsstaates aus. Zunächst konnten die rechtsstaatlichen Errungenschaften in Preußen für eminent modern gelten: Der Fürst verstand sich als Garant der Wohlfahrt seiner Bürger; Willkürherrschaft verbot sich schon deshalb, weil sie das Prinzip rationaler Effizienz verletzt hätte; Untertan und Herrscher standen in einer Leistungsgemeinschaft, die eine neue Legitimitätsgrundlage des Staates abgab: anstelle unbekümmerter Genußsucht eiserne Sparsamkeit, anstelle bedenkenloser Ausbeutung der Gesichtspunkt des Allgemeinwohls, anstelle wirtschaftlichen Raubbaus langfristige Planung ökonomischen Wohlstands und Förderung unterentwickelter Gebiete.

Politisch bedeutete der preußische Rechtsstaat jedoch nichts anderes als eine Untertanenkultur mit gewissen Freiheiten. Er war keine Staatsbürgerkultur auf der Basis angeborener Freiheit und ›vorstaatlicher‹ Menschenrechte. Der preußische Staat gab seinen Untertanen zwar gewisse Rechtssicherheit, aber keine demokratischen Mitwirkungsrechte. Die individuelle Freiheitssphäre galt als vom Staat ›gewährt‹ (und war dies auch, was die Regierungspraxis Friedrichs anbetraf). So modern und human der preußische Rechtsstaat sich im Vergleich zu den meisten europäischen Staaten ausnahm: Von dem Zeitpunkt an, wo anderswo das demokratische Prinzip über den Absolutismus siegte, mußte er reaktionär werden.

Ich schließe diesen Teil mit einem längeren Zitat des Freiherrn vom Stein. Sein Urteil über Friedrich den Großen ist in einem hohen Sinne des Wortes ausgewogen. Er nennt die großen Leistungen Friedrichs, gleichzeitig aber auch Schwächen, die er besonders in seinem autokratischen Regiment sah. Was Stein über Friedrichs selbstherrlichen Regierungsstil sagte, sollte später in abgewandelter Form noch einige Male über große deutsche Politiker geurteilt werden. Bunsen hat über Bismarck gesagt, er habe Deutschland groß und die Deutschen klein gemacht.

Die Sätze Steins über Friedrich gehören zum Besten, was je über ihn geschrieben wurde:

»Die Verwaltung des Innern seiner Staaten war wohltätig, milde, soweit das straff angespannte Verhältnis der Lage des Ganzen es zuließ; sie beförderte den inneren Wohlstand, Geisteskultur, Denkfreiheit; sie war sparsam in Verwendung des öffentlichen Einkommens, unterstützte aber reichlich jede neu sich öffnende Quelle des Nationalreichtums und wirkte als Beispiel und Endepunkt des Nachstrebens für die übrigen deutschen Staaten, besonders für Österreich. Nur war alles auf Selbstregierung berechnet; keine ständische Verfassung, kein zum Einigungspunkt sämtlicher Verwaltungszweige dienender tätiger Staatsrat, keine Einrichtungen, wo sich Gemeingeist, Übersicht des Ganzen bilden, feste Verwaltungsprinzipien entwickeln und aufgebaut werden konnten; alle Kräfte erwarteten den bewegenden Stoß von oben, nirgends war Selbständigkeit und Selbstgefühl. Es bildeten sich in seinen letzten Regierungsjahren weder Feldherren noch Staatsmänner; man fand tüchtige Vorsteher einzelner Geschäftszweige, aber keinen durch Geist und Charakter eminenten Kopf, der große Ansichten zu fassen oder ins Leben zu bringen imstande war. Die einseitige Aufmerksamkeit, welche jeder Minister auf den ihm angewiesenen Kreis wandte, hatte vielmehr die verderbliche Folge, daß sie dadurch unfähig wurden zu einem klaren und weitumfassenden Überblick der zusammengesetzten äußeren und inneren Verhältnisse, aus welchen ein so kunstreiches Gebäude wie der Staat besteht ...

Solange an der Spitze des Ganzen ein großer Mann stand, der es mit Geist, Kraft und Einheit leitete, so brachte das Maschinenspiel gute und glänzende Resultate hervor, die das überall hervorstechende Flickwerk, die Halbheit und nordische Gemütslosigkeit der Masse verbargen. Sein Beispiel erhielt einfache, sparsame Sitten, reizte zu angestrengter Tätigkeit, schreckte die Bösen, hob die Guten und nötigte die große Zahl der Mittelmäßigen und Charakterlosen, auf dem schmalen Pfad der Pflicht zu wandeln. Wie unerwartet schnell wurde alles dieses nach dem Tode des großen Königs ganz anders – um es zu glauben, muß man Augenzeuge und Zeitgenosse gewesen sein.«

3. Friedrich heute

Fragen wir schließlich, in welchem Sinne die Gestalt Friedrichs heute unser neuerliches Interesse verdient. Geschichte wird ja stets ›umgeschrieben‹, weil neue Erfahrungen neue Perspektiven öffnen. Seit 1945 ist bei uns die neuere deutsche Geschichte einer besonders kritischen Prüfung unterworfen worden, von der auch Friedrich nicht verschont blieb. Unter dem Schock der Einsicht, daß die ungeheuren Verbrechen des NS-Regimes in einem Kulturstaat wie Deutschland möglich gewesen waren, verwandelten sich Jahrhunderte deutscher Geschichte in Vorgeschichte: unter der Frage nämlich, welche ihrer Männer als Wegbereiter, welche ihrer sozialen und geistigen Bewegungen als Antriebe für solche barbarische Politik gelten müssen. Da blieb kein Feld der Religions-, Sozial-, Wirtschafts- und ›Geistes‹geschichte unbetroffen. Wenn schon solche Durcharbeit unter dem Gesichtspunkt unterschwelliger Vorbereitung für die Hitler-Jahre nicht unsinnig war, blieb eine direkte Zuordnung bestimmter Eigentümlichkeiten deutscher Politikgeschichte mit den Verbrechen jener Jahre doch unbefriedigend. Der Nationalsozialismus war keine unausweichliche Konsequenz eines politischen ›Sonderweges‹, nationaler ›Verspätung‹ oder was man sonst an Theoremen entwickelte. Die Hinwendung des deutschen Volkes zum Nationalsozialismus hatte sehr komplexe Gründe und bedeutete jedenfalls nie die volle Akzeptierung seines Ideologiegemisches oder gar seiner Verbrechen. Der Zeitgeschichtler Martin Broszat hat in einem bemerkenswerten Aufsatz (Merkur 1985, S. 373ff.) dafür plädiert, die Jahre des Nationalsozialismus der deutschen Geschichte wieder einzufügen. Die Pauschaldistanzierung von der NS-Vergangenheit blockiere die Einsichten in gewisse Kontinuitäten der deutschen Politikgeschichte.

Wenn solche Einfügung der NS-Zeit in eine »periodenübergreifende Betrachtung des ganzen neuzeitlichen Geschichtsraums« gelänge, würde das für unser Thema der Bedeutung Friedrichs und Preußens die Befreiung von einer auf falsche Weise zugespitzten Frage bedeuten: ob Preußen dem NS-Regime Vorschub geleistet habe oder nicht. Hier nämlich haben beide recht: diejenigen, die sich auf den hohen Anteil von Preußen am Widerstand gegen Hitler berufen und darauf verweisen, daß Hitler selber, trotz des geschickt inszenierten ›Tages von Potsdam‹ nichts von preußischer Tradition hielt, daß unter den ›alten Kämpfern‹ nur 3,4 Prozent aus Preußen stammten und Bayern als Heimat führender Nationalsozialisten weit überrepräsentiert war, daß die zahlreichen Divisionen der Waffen-SS keinen preußischen Namen aufwiesen etc., etc. Andererseits haben diejenigen recht, die auf die frühen politischen Engagements und Überzeugungen führender Männer des 20. Juli verweisen, dazu auf die Verfassungsentwürfe für die Zeit nach dem gelungenen Putsch mit ihrer Nähe zu Inhalten nationalsozialistischer Politikauffassung, mindestens in der Ablehnung der Parteiendemokratie westlichen Musters. Eine solche nachträgliche Aufrechnung führt nicht weiter. Eine säuberliche Trennung der deutschen Geschichte bis 1933 in gefährliche oder unbedenkliche Segmente muß scheitern.

Die volle Einbeziehung der NS-Zeit in den Gang deutscher Geschichte bringt noch einen anderen Vorteil. So wie es nicht möglich ist, ganze Epochen der deutschen Geschichte zur Vorgeschichte des Nationalsozialismus zu machen, wäre es auch unsinnig, die Geschichte der Bundesrepublik völlig aus der Kontinuität deutscher Nationalgeschichte herauslösen zu wollen. Es hat nie eine Stunde Null gegeben, es kann sie auch nicht geben. Wer das Ganze der neueren deutschen Geschichte ins Auge faßt, bekommt den Blick auch frei für eine kritische Beurteilung gewisser Erscheinungen in der Bundesrepublik, die ohne politikgeschichtliche Reflexion nicht zu verstehen sind. Technokratische Tendenzen in der Bundesrepublik z. B. wären dann ebensowenig als potentiell ›faschistisch‹ zu interpretieren, wie der Hinweis auf obrigkeitlich-autoritäre Neigungen in Preußen-Deutschland eine ›präfaschistische‹ Deutung erzwingt. Beide Wege sind gleicherweise falsch und haben die Herausbildung eines gelassenen politischen Selbstbewußtseins in der Bundesrepublik erschwert, zusammen mit einer freimütigen Erörterung gewisser Schwächen unserer politischen Kultur unter demokratischen Gesichtspunkten.

Überlegt man, welche Züge unserer politischen Kultur besonders an Preußen und seinen großen König erinnern, so sehe ich vor allem eine Erscheinung, deren Paradoxie beide Staaten verbindet: Die Bundesrepublik hat wie Preußen eine *Staatskultur* ohne tragende *Staatsidee* ausgebildet. Wir denken hoch vom Staate, wie Friedrich hoch von ihm dachte; und wir sind wie er verlegen, wenn wir angeben sollten, worin der Staat seinen hohen Rang legitimiert. Dieses Manko ist für uns schmerzlicher als für Preußens Friedrich: nach den vielen Anläufen, mit denen man in Deutschland versucht hat, den Mangel einer in der Tradition oder im modernen Naturrecht gründenden Staatsidee zu beheben.

Friedrich hatte seine gesamte Politik an der Priorität einer starken Armee orientiert. Die Offiziersstellen waren ausschließlich dem Adel vorbehalten. Diese Maßnahme bewirkte zweierlei: Ausschluß des Bürgertums von der Politik und gleichzeitig Bindung des Adels an die Krone, wie sie damals in Europa ungewöhnlich war. Überall sonst gerieten Adel und Monarchie in Gegensatz mit der Folge, daß am Ende beide ihre politische Macht einbüßten, zugunsten des Bürgertums.

In Preußen und auch in Preußen-Deutschland dagegen blieb zusammen mit der Armee der obrigkeitlich verfaßte Staat mächtig, selbst Handel und Gewerbe fühlten sich in Staatsnähe am wohlsten. Trotz dieser zentralen Rolle des Staates hatten weder Preußen noch das Deutsche Reich eine Staatsidee, aus der sie geistig lebten. Geschichtslos, arm, dann neureich, ohne gewachsene Kultur war Preußen im wahrsten Sinne ein Vernunftstaat, gebaut auf reine Rationalität, institutionell angewiesen auf selbstgeschaffene Strukturen, die zur Bewältigung zukünftiger Aufgaben geplant werden mußten: ein Maschinenstaat, wie der Staatstheoretiker Adam Müller Preußen nannte. Effektivität war das Gesetz, nach dem er funktionierte und dem allein er sein Leben verdankte.

Sebastian Haffner hat einen glücklichen Ausdruck für diesen Staat ohne Tradition und Volkstum, für diese politische Kultur ohne vorwärtsweisende *Idee* gefunden: ›Staat ohne Eigenschaften‹. Haffner meint übrigens, im Charakter beider großer preußischer Könige etwas von dieser Inhaltsleere zu bemerken. Das ist richtig. Keiner lebte als Person aus tiefen geschichtlichen Wurzeln. Ihre geschichtliche Bedeutung erschließt sich vielmehr darin, daß sie Preußen ›aus dem Nichts‹ schufen.

Die Bundesrepublik ist zwar nicht aus dem Nichts entstanden, aber sie muß mit der traditionellen deutschen Schwäche einer mangelnden Staatsidee leben. Gleichzeitig hat sie das Erbe einer politischen Kultur übernommen, in welcher dem Staate im Vergleich zu den gesellschaftlichen Kräften und Bewegungen Priorität und hohe Achtung zukommt. Die Spannung zwischen beidem: der bedeutenden Rolle eines Staates, der trotzdem keine ihn tragende Idee kennt, hat sich in der Geschichte der Bundesrepublik immer wieder gezeigt. Ich gebe im folgenden einige Beispiele für Eigentümlichkeiten unserer politischen Kultur, welche die Bundesrepublik von anderen entwickelten Industriedemokratien deutlich unterscheidet:

Nur bei uns gibt es so leidenschaftliche Diskussionen über die Frage, ob der Staat einen sittlichen Auftrag habe. Hierüber stritten sich u. a.

Bundeskanzler Helmut Kohl und sein Amtsvorgänger Helmut Schmidt auf dem Forum einer katholischen Akademie. Entgegen einem eher funktionalen Verständnis des Staates als offenem Feld gesellschaftlicher und weltanschaulicher Bewegung vertritt Helmut Kohl die Idee einer sittlichen Aktivität des Staates, deren Inhalt er aus dem christlichen Naturrecht nimmt. Die Väter des Grundgesetzes hatten sich, nach der gründlichen philosophischen und staatsrechtlichen Zerstörung dieses in den alten Demokratien nie bestrittenen Fundamentes, mit einer Entschiedenheit zum Naturrecht bekannt, die den Grundrechtsteil sogar vor den Organisationsteil der Verfassung plazierte. – Wie unsicher unser Umgang mit dem Grundgesetz ist, davon zeugt die paradoxe Entwicklung von preußischer ›Staatsvergottung‹ zu einer Art ›Verfassungsvergottung‹: Gerade die Angst vor der Überschätzung des Staates führte jetzt zu einer in den alten Demokratien unbekannten Interpretation der Verfassung als eines ›Wertsystems‹, mit der Gefahr der Hochstilisierung zu einem Wertgehäuse, in dem auch die privatesten Werte noch Platz finden sollen.

Nur bei uns diskutieren alle Parteien über sogenannte ›Grundwerte‹ und thematisieren damit fundamentale gesellschaftliche Voraussetzungen, deren Selbstverständlichkeit in anderen Ländern gerade dadurch bewahrt wird, daß man über sie nicht spricht.

Nur bei uns gibt die Unterscheidung von ›Staat‹ und ›Gesellschaft‹ Sinn: Die Souveränität des Staates im Sinne ursprünglicher, nicht ableitbarer Herrschaft wird unabhängig vom Volk gedacht und gerät deshalb mit der demokratischen Volkssouveränitätslehre leicht in Konflikt: dann nämlich, wenn man unter ›Staat‹ nicht die Summe demokratischer Institutionen und Entscheidungen versteht, sondern ein Etwas, das, getrennt von Volkssouveränität, Parteien und Parlamenten, *vor* ihnen existiert, mit eigenem Willen und eigener Würde.

Nur bei uns gerät das Bundesverfassungsgericht in die Gefahr einer Rolle des Über-Gesetzgebers. Es gab Phasen einer bedenklichen Verschiebung der politischen Macht vom Parlament zum Verfassungsgericht. Statt des Kampfes für unterschiedliche Ziele bevorzugte man objektive und nicht veränderbare Rechtssprüche des Bundesverfassungsgerichtes, das sich am ›Willen des Grundgesetzes‹ orientierte. Dabei ist dieser Wille in vielen Fällen nicht ohne weitgehende Interpretationen oder Rechtsfortbildungen zu formulieren und führt im Einzelfall zu unnötiger Festschreibung des gesellschaftlichen Status quo.

Nur bei uns hat die Spannung zwischen dem Staatsbeamten und den Freiheitsrechten demokratischer Bürger in eine Unversöhnlichkeit geführt, wie sie der sogenannte Extremistenbeschluß kennzeichnet. Das Dienst- und Treueverhältnis des Beamten zum Staat fordert die Achtung der »hergebrachten Grundsätze des Berufsbeamtentums«. Unbeschadet der politikgeschichtlich sehr unterschiedlichen Füllung des Sinnes von »hergebracht« soll sich bis heute das Berufsbeamtentum an seinen »Dienstherrn«, den Staat, in einer Weise gebunden fühlen, die ihn in Gegensatz zum bürgerlichen Grundrecht des Beitritts und der Arbeit für eine Partei bringen kann.

Nur bei uns hat man überlegt, Rechtsbrüche, wie sie in den ›Grauzonen‹ staatlicher Existenz zuweilen vorkommen (vor allem im Bereich von Spionage und Terrorismus), zu legitimieren: im Interesse des Rechtsstaates! Das versuchte einer unserer Innenminister, als man ihn eines unerlaubten Lauschangriffes überführt hatte. In Ländern mit stärkerer rechtsstaatlicher Tradition hätte der Minister wegen der eklatanten Rechtsverletzung sofort seinen Abschied genommen, seinem Nachfolger aber vielleicht geraten, aus Sicherheitsinteressen in einem solchen Fall ähnlich, aber geschickter zu verfahren.

Nur bei uns gibt es eine ausgeführte Theorie der Technokratie als einer modernen Staatsform, in welcher die Frage der Legitimation politischer Macht sich dadurch erledigt, daß der Staat auf effektivste Weise funktioniert. »Der Sachzwang der technischen Mittel, die unter der Maxime einer optimalen Funktions- und Leistungsfähigkeit bedient sein wollen, enthebt von diesen Sinnfragen nach dem Wesen des Staates« (Helmut Schelsky). Die Theorie des technischen Staates erklärt eine Staatsidee für überflüssig und erledigt auf diese Weise ein traditionelles Problem deutscher Staatlichkeit.

Nur bei uns gibt es Streit um den Wert oder die Bedenklichkeit sogenannter sekundärer Tugenden wie Disziplin, Gehorsam, Fleiß, Ordnungsliebe und Pünktlichkeit – und natürlich auch gleich einen großen Kongreß ›Mut zur Erziehung‹ dazu.

Die Reihe solcher Beispiele ließe sich noch fortsetzen und würde immer wieder eines zeigen: Gerade die hohe politische Plazierung des Staates macht die Frage nach seiner Idee unabweislich. Max Weber hat einmal das Kaiserliche Deutschland mit einem führerlos dahinrasenden Schnellzug verglichen. Das Bild trifft präzis die Modernität einer wirtschaftlichen Großmacht ohne Staatsidee. Im 18. Jahrhundert gab dynastischer Expansionswille für sich schon einen gewissen politischen Inhalt ab, so daß der tautologische Charakter der preußischen Staatsidee kaum ins Bewußtsein trat: Stärker zu werden war damals ein von allen Staaten Europas akzeptiertes politisches Ziel. Für das Deutsche Reich galten dann schon andere Bedingungen: Zunehmend wurde es an den Maßstäben der politischen Kultur derjenigen Nationalstaaten gemessen, von denen es umgeben war. Dort hatte man seine politische Identität inzwischen auf demokratische Grundlage gestellt. Der Staat diente der Verwirklichung individueller Menschenrechte, für welche sich die Nation jeweils als Vorkämpfer betrachtete. Nicht zuletzt imperialistische und koloniale Ziele wurden solchermaßen ideologisch verbrämt. Deutschland hatte dieser demokratischen Staatsidee nichts als die Devise ›deutsch ist deutsch‹ entgegenzusetzen, dazu eine wachsende militärische und wirtschaftliche Macht, welche aber die Frage, wem diese Macht diene, desto dringlicher machte.

Die Bundesrepublik hat der Versuchung wirtschaftlich-militärischer Großmannssucht bis heute widerstanden und deshalb im Ausland auch weitgehend jene politisch bedrohliche Mischung von Furcht und Verachtung vermeiden können, die Deutschland früher schadete. Man traut der demokratischen Entwicklung bei uns und hat allen Grund dazu: Die empirischen Einstellungsforschungen geben keinen Grund zur Sorge vor einem Rückfall in extremen Autoritarismus, Chauvinismus oder Militarismus.

Unbeschadet der Tatsache, daß die Bundesrepublik zu den stabilen Demokratien westlichen Musters gehört, bleibt sie ihrer politikgeschichtlichen Herkunft darin verbunden, daß sie vermutlich auch in Zukunft eher eine *Staatskultur* sein wird. Das muß kein Nachteil sein. Wer wollte die großen Vorteile im Vergleich zur *Gesellschaftskultur* angelsächsischen Musters übersehen, welche die staatliche Organisation, z. B. des Schulwesens, des sozialen Netzes, der Theaterkultur, gegenüber einer gesellschaftlichen Selbstorganisation bedeutet, wie sie in den Vereinigten Staaten vorherrscht. Allerdings muß man darauf dringen, daß solche Staatskultur dem hohen Selbstbild des Staates auch entspricht. Die Korruptionsskandale der letzten Zeit geben zu Sorgen Anlaß.

Der Mangel einer eigenen Staatsidee läßt sich nicht von heute auf morgen beheben. Wir sollten mit solchen Versuchen auch vorsichtig sein. Natürlich nehmen Staaten mit kräftigen Traditionen Rückschläge gelassener hin als wir, die wir unser Vertrauen in die Zukunft weniger aus der Herkunft schöpfen können. Wir reagieren deshalb vergleichsweise nervös auf leiseste Schwankungen unserer wirtschaftlichen Prosperität und unserer innenpolitischen Stabilität: Weil man nicht weiß, was kommt, ist man stets auf das Schlimmste gefaßt. Hier hilft nur das Vertrauen in den bald halbhundertjährigen Bestand unseres Staatswesens, das nun schon eine eigene Tradition auszubilden imstande ist.

Preußen ist von der deutschen Geschichte nicht abzulösen. Wenn schon vieles versunken ist und ganze Machtgruppen wie das Militär und der Landadel verschwunden sind, gibt es genügend Spuren nachhaltiger Geschichtsmächtigkeit dieses Abschnittes. Und wer die politische Kultur nicht nur der Bundesrepublik, sondern auch der DDR begreifen will, kommt ohne Rückblick auf Preußen nicht weit. Das gilt für Institutionen wie z. B. das Berufsbeamtentum. Das gilt vor allem für das Verständnis von Politik selbst: als der von jedem Volk herauszufindenden Verteilung von Rechten und Pflichten; als Machtverteilung von Regierung, Parlament, Gerichten und Verwaltung; als dem bekömmlichen Maß der politischen Beteiligung des Volkes. Eine Beschäftigung mit Preußen und seinem bedeutendsten König rechtfertigt sich deshalb unter aktuellsten Gesichtspunkten. Das hatte der Historiker Johann Gustav Droysen im Sinne, als er schrieb: »Das, was war, interessiert uns nicht darum, weil es war, sondern weil es in gewissem Sinn noch ist ...«

Zwei Seelen in der Brust?
Zur politischen Kultur Preußens zwischen 1789 und 1848

Geschichte wird nicht nur von Männern, Völkern und Klassen gemacht, sondern auch von Historikern und Gedächtnisausstellungen: Sie rufen in Erinnerung, was heute wichtig erscheint, versichern sich der Bestände, die weiter bestehen sollen, bringen Licht in bisher Unbekanntes, wenn man sich davon Hilfen für gegenwärtige Aufgaben verspricht. Neue Verknüpfungen erlauben neue Perspektiven, vielleicht neue ›Traditionen‹.

Was Preußen angeht, so zeigt die Geschichte seiner Rezeption deutlich zeitgeschichtliche Bedürfnisse. Einige Beispiele aus jüngerer Zeit: Die Friedrich-Welle in den letzten Jahren der Weimarer Republik wollte angesichts nationaler Schmach die militärische Größe und die Aufbaukraft des friderizianischen Preußens in Erinnerung bringen. Gleichzeitig versuchte man, der Herausforderung des Marxismus mit der Behauptung eines ›preußischen Sozialismus‹ zu begegnen. Ähnliches galt für den ›preußischen Stil‹. Er war die Antwort auf einen kulturellen Pluralismus, den man als bedrohlich empfand. Hitler hielt wenig von Preußen, inszenierte trotzdem den ›Tag von Potsdam‹ überaus geschickt, um die starken obrigkeitsstaatlichen Traditionsströme in das Flußbett seiner völkischen und führerstaatlichen Vorstellungen zu lenken. Gegen Kriegsende versuchte er, die Erinnerung an den ›Durchhaltewillen‹ Friedrichs des Großen sowohl für das deutsche Volk wie für sich selbst nutzbar zu machen. Der 20. Juli 1944 erinnerte viele an die Tradition preußischer Rechtsstaatlichkeit, und manche fügten diesem Datum das Gedächtnis an einen anderen 20. Juli hinzu: 1932 wurde ›der letzte König von Preußen‹, der sozialdemokratische preußische Ministerpräsident Otto Braun, von Papen aus seinem Amt vertrieben.

Nach dem Kriege hat es keine Preußen›welle‹ gegeben. Die Erinnerungen blieben diffus und dienten sehr partiellen Bedürfnissen, teilweise auch nur nostalgischen Anwandlungen. Am häufigsten wurde der preußische Rechtsstaat beschworen, zusammen mit Kant, dem am ehesten weltbürgerlichen der preußischen Philosophen. Auf Humboldts Universitätsidee besann man sich, ein Freiherr-vom-Stein-Preis erinnerte an die Reformen. Fontane und Kleist fanden schon vor Jahren Beachtung, Bismarck rückt erst jetzt wieder voll in das Licht historischen Interesses.

Inzwischen hat sich diese diffuse Zuwendung zu einzelnen Traditionselementen verdichtet. Die Berliner Preußen-Ausstellung 1981 trug viel dazu bei, daß ›Preußen‹ wieder als Gesamtgebilde erscheint. Trotzdem verschwimmt es als Erkenntnisobjekt ständig, indem der eine mehr die politische, der andere mehr die künstlerische, philosophische, kulturelle Bedeutung in den Blick nimmt, wenn er von ›Preußen‹ spricht. Der Eklektizismus solcher Betrachtungsweise wird jedoch eher verdeckt, die Einseitigkeit der Betrachtung häufig unterschlagen. Auf diese Weise bekommt jeder recht, wenn er für oder gegen ›Preußen‹ sich erklärt.

Das Gesagte gilt besonders unter einer Frage, die für deutsche Geschichtsschreibung von großer Tragweite ist: Welche historischen Phasen und Gestalten waren geschichtsmächtig in dem Sinne, daß sie Weichen gestellt und die weitere Entwicklung geprägt haben? Nationale Traditionen lassen sich nur in Grenzen gegen solche geschichtswirksamen Entwicklungen herausbilden: Die Evidenzen sind zu mächtig. So behauptet sich gegen den Willen, Geschichte unter Umständen ›gegen den Strich zu bürsten‹, am Ende doch die Anerkennung dessen, ›was wirklich gewesen ist‹: nicht nur als historische Redlichkeit, sondern als geschichtliche Unausweichlichkeit.

Diese Tatsache gilt es besonders im Blick auf unser Thema zu berücksichtigen. Die Neigung deutscher Geschichtsschreibung, auf verschiedenen Schienen zu fahren und also die ›Geistesgeschichte‹ von der Politik- und Sozialgeschichte abzuklammern, ist erst in den letzten Jahrzehnten einem integralen Geschichtsverständnis gewichen. Erst jetzt erscheinen bei uns Sozialgeschichten der deutschen Literatur und der Kunst. Bis dahin überwogen die hermetischen Darstellungen der Politik-, der Militär-, der Literatur-, der Kunst-, der Musikgeschichte. Diese Abschottung lag selber in der Konsequenz deutscher Politikgeschichte: Ein Bürgertum, das, von der Politik ausgeschlossen, auf die innerlichen Bereiche der Familie, der Kunst, der Naturlyrik oder -wissenschaft und als einzig dynamisches Feld die Wirtschaft beschränkt war, mußte um seiner Identität und Selbstachtung willen besonders den Bereich der Kultur als einen ›souveränen‹ behaupten. Hier, im Felde der Philosophie, der Wissenschaften und Künste errichtete es seine ›Reiche‹, baute seine

Systeme, focht seine Kämpfe, nicht in Revolutionen, Parlamenten, kolonialen Eroberungen und imperialistischen Kriegen.

Für die Beurteilung der Zeitspanne von 1789 bis 1848 ist diese Einsicht von besonderer Bedeutung. Stets nämlich trifft man auf unterschiedliche und auf den ersten Blick unverbundene Phasen, Akzente, soziale und künstlerische Bewegungen. Der ›Zeitgeist‹ wechselte nicht nur ungeheuer rasch, sondern bestand überhaupt nicht als ein identisch greifbarer: Die überkommenen literaturgeschichtlichen Einteilungen Klassik, Sturm und Drang, Romantik, Biedermeier, lassen sich mit den philosophischen Strömungen und beide mit den politikgeschichtlichen schwer vereinen. Wer literaturgeschichtlich ›Biedermeier‹ sagt, unterschlägt nicht nur politik- sondern auch literaturgeschichtlich das Junge Deutschland und den Vormärz. Ähnliches gilt für die philosophiegeschichtlichen Epochen und schließlich auch für die grobe Einteilung von Aufklärung und Romantik. Hier löst nichts einander in sauber zu trennender Weise ab, die ›Dialektik‹ liegt tiefer. Das gilt auch für die innenpolitische Entwicklung, also für ›Reformzeit‹ und ›Reaktion‹.

Diese Situation ist damals von den Zeitgenossen selber empfunden worden. Das deutlichste Zeichen dafür ist die Erfindung und Entwicklung der Dialektik, die um die Jahrhundertwende von verschiedenen Geistern in Angriff genommen wurde, bis Hegel sie voll ausbildete[1].

Deutsches dialektisches Denken ist der Versuch, aus der Not politischer Apathie die Tugend gesellschaftlicher Identität zu machen. Das war genau, was das deutsche Bürgertum brauchte. Deshalb wurde soviel über beides zugleich nachgedacht: über ›Entfremdung‹ und ›Totalität‹, dazu das dialektische Vehikel der ›Vermittlung‹. Ob nach rückwärts oder nach vorwärts orientiert, als konservative oder als revolutionäre Ideologie vorgetragen, das dialektische Sprungdenken sollte die Versöhnung jener deutlich empfundenen Widersprüche bringen, denen sich das deutsche Bürgertum konfrontiert sah und unter denen es litt. Mindestens ›im Begriffe‹ sollte das Wahre sich als das Ganze zeigen, und das ›Reich der Gesellschaft‹ im ›Reich der Wissenschaft und Kunst‹ vermittelt werden: »Wir unserntheils haben es immer für nothwendig gehalten, die Ansicht beider, vor unseren Augen so unglücklich getrennten Welten in uns in gleicher Schwebung zu erhalten, und so glauben wir jetzt, daß das feindselig geschiedene sich in unserm Innern wieder glücklich durchdrungen und vereinigt habe«, schrieb Adam Müller[2].

Bei der Betrachtung unserer Zeitspanne verdienen die Vermittlungsversuche besondere Beachtung, mit denen ›bürgerlicher Geist‹ die Widersprüche lösen wollte, die sich zwischen der Humanitätsidee Humboldts und dem preußischen Militarismus, zwischen der Idealität geistiger Freiheit und der Unterdrückungsmaschinerie der preußischen Geheimpolizei, zwischen der Aufgeklärtheit von Lesegesellschaften und der strikten Weitergeltung der Klassengesellschaft auftaten. Dabei muß man sich vor zu schneller ›dialektischer‹ Vermittlung hüten. Worauf es ankommt, ist, den Quell solcher Widersprüche zu entdecken, eine Ätiologie zu entwickeln, welche einander widersprechende Tendenzen in Zusammenhang bringt, ohne sie in ihrer Widersprüchlichkeit ›aufzuheben‹ und solchermaßen zu versöhnen. Die folgenden Bemerkungen sollen hierfür Hinweise geben. Sie taugen nur als Skizze und bleiben in hohem Maße ergänzungs-, auch widerspruchsbedürftig. Man spricht heute viel vom ›interdisziplinären Gespräch‹. Wie schwer es ist, dafür liefern diese Gedanken ein neues Beispiel.

Wer das Preußen der Aufklärung ins Auge faßt, darf das Preußen der Romantik nicht aus dem Blick verlieren. Dasselbe gilt für das Preußen der Reformen und der Reaktion. Beide gehören zusammen, in dem Maße, in dem alle diese Bewegungen ›deutsche Bewegungen‹ gewesen sind. So birgt der Ausdruck ›preußische Aufklärung‹ bereits eine Spannung in sich, welche die französische Aufklärung nicht kennt: In Frankreich steht Aufklärung für Befreiung aus allen Vormundschaften, in Deutschland nur für die Befreiung aus religiöser Vormundschaft; dort will Aufklärung Weltbürgertum, in Preußen führt sie am Ende zu einem Nationalismus, der sich gerade nicht an der Spitze des Kampfes für die Gleichheit aller Menschen sieht. Die spezifisch preußischen Züge der Aufklärung lassen sich auf folgende Punkte bringen:

1. Träger der preußischen Aufklärung war nicht ›das‹ Bürgertum, sondern eine kleine Schicht, die sich vom Staat abhängig wußte.

2. Die preußische Aufklärung richtete sich nicht gegen den Feudalstaat.

3. Die preußische Aufklärung ließ die Klassenschranken unangetastet.

4. Die preußische Aufklärung war von extrem kurzer Dauer.

1. Die Schicht, welche die Aufklärung in Preußen trug, war keineswegs der gesamte bürgerliche Stand, sondern eine sozial inhomogene Gruppe aus Offizieren, Geistlichkeit, bürgerlichen Beamten, Schulmännern,

Gelehrten, Teilen des Adels. Handel und Gewerbe waren so gut wie nicht vertreten: Wirtschaft spielte weder als ökonomische Potenz noch als politische Haltung eine Rolle, im Gegenteil: Der Handelsgeist wurde verpönt, der Kaufmann verachtet. Gesellschaftliche Orientierung bot weiter der Adel, dessen Lebensweise man beneidete und kopierte. Das Publikum der preußischen Aufklärung war stark intellektuell-wissenschaftlich orientiert. Diese Orientierung erlaubte den Lesegesellschaften eine gewisse soziale Offenheit und gesellschaftliche Toleranz, führte aber gleichzeitig zu elitärer Abgeschlossenheit und politischer Bedeutungslosigkeit. Das muß man bedenken, wenn man die folgenden Sätze Henri Brunschwigs liest: »Die Lesezirkel bilden die Truppen der Aufklärung; die Presse liefert ihre Offizierskorps, die Philosophen ihren Generalstab. Ihre Mitglieder kämpfen in vorderster Reihe, denunzieren die Sünder vor den Journalisten, verbreiten die neuesten Ansichten und bahnen den Reformen den Weg.«[3] Gewiß, so läßt sich das sehen und beschreiben, und wer wäre nicht beeindruckt von den Zeichen mannigfacher Emanzipation, die in den Lesezirkeln statthatte. Aber ihre politische Folgenlosigkeit erklärt sich darin, daß diese ›Truppen‹ zu klein waren, vor allem aber, daß sie nicht den richtigen Feind bekämpften.

2. Die preußische Aufklärung kämpfte auf dem Felde von Theologie und Philosophie, nicht gegen Klassenherrschaft und absoluten Staat. »Räsoniert soviel Ihr wollt, aber gehorcht«, diese friderizianische Maxime konturierte das aufklärerische Terrain. Gegen sie half keine noch so intensive Lektüre französischer oder englischer Aufklärer, die man alle gut kannte, gegen sie half auch nicht Lessings Überzeugung, daß die Staaten für die Menschen da sind. Wilhelm Dilthey hat die Situation der deutschen Aufklärung treffend beschrieben, allerdings ohne zu wissen, welche Defizite er mit seiner Charakteristik gleichzeitig offenbarte: »Die deutsche Aufklärung löste die christliche Religiosität aus den rohen Begriffen der Orthodoxie und stellte sie auf den festen Grund der Freiheit der moralischen Person. Sie gab der Erziehung und dem Unterricht neue Ziele und Methoden. Sie reformierte das Recht und vertiefte das Verständnis der politischen Welt; sie stellte sich überhaupt ganz in den Dienst der Gesellschaft und des Staates. Sie entwickelte bei dieser Arbeit einen sittlichen Ernst und einen pädagogischen Eifer wie eine neue Religion.«[4]

Nicht nur, daß die preußische Aufklärung sich nicht gegen den Staat wandte, sie hatte in ihm den zuverlässigsten Bundesgenossen bei ihrem Ziel der Transformation von Religion in aufklärerischen Deismus, in Moralphilosophie und Merkantilismus. Was aber den Gedanken an eine Liberalisierung der Politik anging, so vertraute man mit Kant auf das, was man heute einen ›herrschaftsfreien Diskurs‹ nennt, und auf das Prinzip der Öffentlichkeit. Kant wandte sich gegen das Widerstandsrecht und verließ sich darauf, daß der Republikanismus sich schließlich durchsetzen werde, als Resultat aufklärerischer Überzeugungsarbeit. Das meinten außer ihm noch eine ganze Reihe von Intellektuellen.

3. Auch die soziale Gleichheitsforderung wurde von der preußischen Aufklärung zunächst durchaus vorgetragen, z. B. von Friedrich Nicolai: »Verständige und ehrliche Leute gehören zusammen ohne Rücksicht auf Stand, auf Religion und auf andere Nebensachen.«[5] Bedenkt man jedoch, was allein der Beitrag zu den Lesegesellschaften kostete[6], so wird deutlich, daß das Gleichheitsideal der preußischen Aufklärer in hohem Maße selektiv war, wie das Kants, der bekanntlich nur Hauseigentümern und in anderer Weise ›Selbständigen‹ das Wahlrecht zubilligen wollte. Die soziale Schichtung wurde nicht angetastet, der Adel blieb die politische Klasse. Über Grundherrschaft und Offiziersstand übte er eine Macht aus, die noch über hundert Jahre unbefragt gelten sollte.

4. Die Phase der preußischen Aufklärung war von ungewöhnlich kurzer Dauer. Das hängt mit den politischen Implikationen der deutschen Form von aufgeklärtem Absolutismus zusammen, dessen widersprüchlicher Begriff besonders in Preußen praktische Auswirkungen behinderte. Aufklärung wurde zunächst von der preußischen Monarchie begünstigt, ja zeitweilig als herrschende politische Lehre buchstäblich gepredigt: als absolutistische Modernisierungsideologie, die Brunschwig im Blick auf das Preußen Friedrichs des Großen gut beschrieben hat: »Seine Bewohner, von Beamten bewacht, von Pastoren abgekanzelt und von Philosophen unterrichtet, gewöhnten sich allmählich daran, Toleranz zu üben, vernünftig zu denken und mit einem starken Optimismus an den Fortschritt der Menschheit zu glauben.«[7] Sobald aufklärerische Tendenzen sich gegen den Staat zu wenden drohten, zeigte er seine obrigkeitliche Seite und wurde repressiv. Dann galt nicht einmal mehr die religiöse Toleranz, sondern Wöllners Edikt trat in Kraft. Dieser Gesinnungswandel zeigte sich auch in den Salons. Hatten gegen Ende des 18. Jahrhun-

derts Juden in den Berliner Salons den Ton angegeben, so wurden sie von der Christlich-deutschen Tischgesellschaft ausdrücklich ausgeschlossen. Die kaum begonnene Tradition der Aufklärung wurde abgebrochen, die intellektuelle Elite verriet ihre Ideale, wurde fromm und blieb staatsfromm.

In welcher Weise reformerisch-progressive Tendenzen am Ende reaktionäre Resultate zeitigten, dafür liefert die Universitätsidee Humboldts und die Gründung der Berliner Universität ein Beispiel, das bis heute folgenreich geblieben ist. Der bloße Hinweis darauf, daß die Berliner Universität ›viele glänzende Geister‹ versammelte, kann nur demjenigen genügen, der in der Tradition deutscher Trennung von Geist und Politik nach dem politischen Ort dieser Universität nicht fragt und also nicht wahrnimmt, daß die Humboldtsche Gelehrten›republik‹ nicht von republikanischem Geist erfüllt war. Humboldts Universitätsidee orientierte sich positiv an der Gelehrtengeselligkeit der Lesegesellschaften, negativ am ›Brotstudium‹ einer auf praktische Tüchtigkeit zielenden Ausbildung. Die Organisationsstruktur der Universität wurde nicht verändert. Nur ein ›neuer Geist‹ sollte einziehen, ein Geist der Selbständigkeit, der Freiheit und der herrschaftsfreien Kommunikation. Vorgebildet war diese Form des Umgangs von Professoren und Kommilitonen in dem privaten Vorlesungsbetrieb, der auf der Basis eines häufig adligen Mäzenatentums in Berlin eine exklusive Berliner Gesellschaft versammelte. Dieses »Traumbild der kultivierten Intellektuellen aller Zeiten« (Helmut Schelsky) berief sich zu Unrecht auf die griechische Akademie: Die griechische Gelehrtenrepublik hatte ein republikanisches Umfeld und also selber politische Qualität[8]. Statt dessen stand die Humboldtsche Universitätsgründung unter der Maxime ›Einsamkeit und Freiheit‹: Ohne Verbindung mit der Praxis bürgerlicher Existenz, gerade in der Abkehr von realen Zwecken wollte man sich zu einer Bildung erheben, von der man sich an Stelle der politischen wenigstens geistige ›Souveränität‹ versprach. In den westlichen Demokratien war das Volk inzwischen souverän geworden und hatte den Nationalstaat ausgebildet. In Deutschland führte die Bildungsidee des Neuhumanismus nur zum National›gedanken‹. Und wie im Falle des Republikanismus, so erhoffte man sich auch hier aus geistigen Impulsen praktische Auswirkungen.

Helmut Schelsky erscheint diese idealistische Vorstellung heute noch als ein realer Zusammenhang: »Die ›Nation‹ als sozialer und geistiger Lebensraum ist in wissenschaftlichen Ideen vorweggenommen und erprobt worden, von hier aus wird soziologisch-strukturell verständlich, weshalb das 19. Jahrhundert in Europa politisch zu einer Auseinandersetzung der ›Ideen‹ werden konnte. Die ›philosophische Universität‹ Berlin ist eine der politischen Grundinstitutionen des Jahrhunderts gewesen. In der Situation des Studenten potenziert sich diese soziale Zukunftsoffenheit anthropologisch: Der junge Mensch, von den Beziehungen zu festen Berufskarrieren und einem festgelegten Lebenslauf befreit, ist seinem Entwicklungsstadium nach auf eine ›imaginative Erprobung und Vorwegnahme des Daseins in toto‹ verwiesen; für den Studenten der ›philosophischen Universität‹ Humboldts und Fichtes fielen die Grundimpulse des Jugendalters mit den Forderungen der Wissenschaft und der gesellschaftlichen und politischen Entwicklung des Zeitalters als Auftrag und Möglichkeit der ›Bildung‹ zusammen.«[9]

Diese Fehleinschätzung hat uns vermutlich heute die Gruppenuniversität eingetragen, als Reaktion gegen eine Universitätsidee, die zum nicht geringen Teil an den politischen Katastrophen Deutschlands teilhat[10]. Die Universitätsdenkschrift Fichtes schloß mit der Verherrlichung der Universität als der Geburtsstätte des ›vollkommenen Staates‹[11]. Dieses sich auf eine spezifisch deutsche Kulturidee berufende Politikverständnis verwandelte sich schon bei Fichte und später in immer aggressiveren Formen zu einer nationalen Verteidigungsideologie gegenüber französischer Vorherrschaft, und dann gegenüber der gesamten politischen Kultur westlicher Demokratien. Die Einmaligkeit der deutschen Sprache sollte dem ›Urvolk‹ der Deutschen einen sowohl natürlichen wie kulturellen Vorsprung vor allen anderen Nationen der Erde geben: Am deutschen Wesen sollte die Welt genesen[12].

Man kennt den Weg, auf den der Versuch, politische Einflußlosigkeit durch ›geistige Macht‹ zu kompensieren, das deutsche Bürgertum geführt hat. Aus einem scheinbar rein geistigen Interesse an deutscher Sprache und deutscher Literatur wurde über die Volksmythologie und den Rassenkult am Ende der Anspruch zur Weltbeherrschung. Eine Vorstufe findet sich schon im Vorwort zur 4. Auflage der Literaturgeschichte von August Vilmar: »Der Beruf des deutschen Volkes in der Zukunft wird kein anderer sein als der er seit fast zwei Jahrtausenden gewesen ist: ein Hüter zu sein unter den Völkern für Zucht und für Sitte, für Gerechtigkeit und für Hingebung, für Dichtung und Wissenschaft in ihrer stillen Innerlichkeit und für den Glauben der christlichen Kirche in seiner weltüberwindenden Herrlichkeit.«[13]

Man versucht bis heute einen Widerspruch zwischen dem geistigen und dem militaristischen Preußen zu behaupten: auf der einen Seite Humboldts Gymnasien, auf der anderen preußische Kadettenanstalten, hier der freie Geist der Gelehrtenrepublik, dort die Maxime Befehl und Gehorsam in Heer und Verwaltung. Diese Antinomie läßt sich nicht halten. Das Urteil des britischen Historikers Feuchtwanger ist hart, aber zutreffend: »Es hatte nie eine direkte Antithese zwischen dem Deutschland der Dichter und Denker und dem Preußen der Soldaten und Kasernen gegeben.«[14]

Wie eng beide Seiten Preußens zusammengehörten, dafür lieferte Fichte, der erste Rektor der Berliner Universität, viele Zeugnisse. Er war ein Verfechter des Staatssozialismus auf dem kulturellen Sektor. Das Kind müsse von der Familie getrennt und seine Erziehung in die Obhut des Staates gegeben werden. Die Volksgemeinschaft verlange das Kultur- und Erziehungsmonopol. In einer vom Staat überwachten Schulgemeinschaft könne allein neue Verantwortlichkeit für die Gemeinschaft gelernt werden[15]. Solche Maximen wurden nicht nur in den Kadettenanstalten beherzigt, sondern prägten auch die humanistischen Gymnasien, deren nationaler Auftrag mit der ›Allgemeinbildung‹ zusammengebracht wurde: »Alle Schulen, deren sich nicht ein einzelner Stand, sondern die ganze Nation oder der Staat für diese annimmt, müssen eine allgemeine Menschenbildung bezwecken. Was das Bedürfnis des Lebens oder eines einzelnen seiner Gewerbe erheischt, muß abgesondert und nach vollendetem allgemeinem Unterricht erworben werden. Wird beides vermischt, so wird die Bildung unrein, und man erhält weder vollständige Menschen noch vollständige Bürger einzelner Klassen.«[16]

Wie wenig es eine von beruflicher Praxis und politischer Realität absehende Bildung vermochte, die Person mit dem Gemeinwesen zu verbinden, dafür zeugt die autobiographische Literatur jener Jahrzehnte. Humboldt selbst war ein Intellektueller, der widerwillig in die Politik ging und dort stets Amateur blieb[17]. Ralph-Rainer Wuthenow vergleicht die deutsche Memoirenliteratur mit derjenigen anderer Länder und kommt im Blick auf Benjamin Franklin zu diesem Ergebnis: »Das politische und öffentliche Leben ist bei Franklin sehr viel stärker und zugleich auf positive Weise mit dem privaten verflochten; der Memoirencharakter tritt dementsprechend auch in manchen Abschnitten deutlicher hervor. Franklin erzählt das Leben eines handelnden Menschen, der sich durch Tüchtigkeit emporgeschwungen, der sich vor allem durch Selbstprüfung erzogen hat. Er will sich nicht als außergewöhnlich und begünstigt darstellen, sondern als ein Beispiel für jeden durchschnittlichen Menschen, der freilich fähig und bereit sein soll, für das demokratische Gemeinwesen zu wirken. Deutsche Autobiographien bleiben demgegenüber meist ›tatenarm und gedankenvoll‹ ... Die deutschen Autobiographien sind in viel stärkerem Maße privat und innerlich, introspektiv als Folge des Mangels an öffentlichem Leben.«[18]

Das Humboldtsche Bildungsideal war, was seinen pädagogischen Impuls anging, illusionär, und was seine politische Wirkung anging, reaktionär. Sein Konzept ›Bildung durch Wissenschaft‹ versagte, weil es andere Bildungskräfte sträflich vernachlässigte, z. B. Geselligkeit, Sport und Spiel[19]. Die Vorstellung, daß »die höchste Menschlichkeit durch das tiefste Studium des Menschen gewirkt« werde[20], sollte sich als ein verhängnisvoller Irrtum erweisen. Die deutsche Universität war, genau im Gegensatz zu dem Urteil Hermann Heimpels, politisch von Anfang an im Kern krank, und der Gelehrte keineswegs, wie Humboldt wollte, »der sittlich beste Mensch«[21].

Humboldts Kampf gegen den Utilitarismus der Aufklärung und gegen das ›Brotstudium‹ diente dem Obrigkeitsstaat, dem zu dienen als höchste sinnliche Pflicht galt. Im übrigen begünstigte sein Konzept einer wissenschaftlich ausgebildeten Elite das traditionelle Apathiegebot gegenüber ›den Massen‹: »Die Erhebung des gemeinen Verstandes zum Schiedsrichter in Sachen der Vernunft führt ganz notwendig die Ochlokratie (Pöbelherrschaft) im Reiche der Wissenschaften und mit dieser früher oder später die allgemeine Erhebung des Pöbels herbei.« So drückte sich Schelling in der fünften Vorlesung »Über die wissenschaftliche und sittliche Bestimmung der Akademien« aus[22].

Diesem antidemokratischen Bildungskonzept lagen je nach den Umständen ganz verschiedene gesellschaftliche Orientierungsmuster zugrunde. Einmal galt die wissenschaftliche Bildung als der einzige Weg zum gesellschaftlichen Anschluß an die Adelsschicht: Durch die Universität öffnete sich dem Bürgertum der Weg zum ›Staatsdienst‹[23]. Gleichzeitig stand die kleinbürgerliche Familie weiter Modell: als Gesellschaftsform idealer Humanität. Da man den Kapitalismus und die ihn tragende Industrie- und Handelsbourgeoisie ängstlich und skeptisch nahen sah, flüchtete man in die biedermeierliche Idylle der Familie. Die

Familienmetaphorik zieht sich leitmotivisch durch die Bildungswelt des frühen und mittleren 19. Jahrhunderts[24]. – Novalis hat Adel, Staat und Familie in seiner romantischen Darstellung der Ehe und Familie der Königin Luise beispielhaft verbunden. Das Königspaar gerann ihm zu einer einzigen Verkörperung aller gesellschaftlichen Modelle, an der die bürgerliche Existenz damals hing[25].

Das kleinbürgerliche Selbstbild schloß jedoch heroische Träume keineswegs aus. Über die literaturhistorische Versicherung germanischer Frühzeit gelangte man zur Kenntnis des Treueverhältnisses zwischen dem Herzog und seinen Mannen. Diese Beziehung sollte in sich verstärkendem Maße das anachronistische ›monarchische Prinzip‹ legitimieren und später noch das nationalsozialistische Führerprinzip rechtfertigen[26]. Ob als Beamter, später als Offizier, als Professor oder Lehrer, schließlich auch als ›Kommerzienrat‹: stets gelang dem deutschen Bürger das Mißverständnis seiner Existenz als einer ›höheren‹, zuweilen einer heroischen: »Gerade der Mangel an politischer Praxis bringt in Deutschland die Illusion eines größeren, heroischen Lebens, die in Frankreich das politische Ziel zu rechtfertigen hatte, zu selbständiger Gestalt: Das Ideal macht seinen Ursprung aus der Ideologie vergessen. In der Sphäre der Kunst behauptet es Autonomie und Dauer, als die politische Wirklichkeit bereits zu unheroischen Geschäften übergegangen ist. Zu dieser ›reineren‹ Haltung berechtigt die sozialgeschichtliche Eigentümlichkeit, daß der in Deutschland dominierende Typ des Bürgers: der Beamte und Gelehrte, sich von bourgeoisen ökonomischen Interessen weitgehend frei weiß.«[27]

Wie teuer das deutsche Bürgertum seine erdichtete Identität bezahlen mußte, dafür lieferte es selbst vielfältige Beweise. Man kann sie sämtlich als Fluchtbewegungen charakterisieren. Diese Rückzüge haben ihre Gründe bereits in einem um die politische Dimension reduzierten Aufklärungsverständnis. Dieser Gesichtspunkt ist wichtig, da die Äußerungsformen bürgerlichen Rückzugs sich deutlich erst in der Zeit der Romantik und der politischen Reaktion zeigen: als Melancholie, Liebesschmerz, Naturlyrik, Ästhetisierung, Ironie etc.

Einen politisch ungemein folgenreichen Fluchtweg wählte sich das deutsche Bürgertum in der Kunst. Hier liegen Parallelen zu Wissenschaft und Universität: Wie die sittliche Persönlichkeit vor allem durch ein humanistisches Studium gebildet und der Staat durch die Universität vorgebildet werden sollte, so versprach man sich auch von der Kunst eine ›Totalität‹, die als Kunstautonomie verstanden, sich selbst genügen, gleichzeitig aber andere ›Totalitäten‹ abbilden sollte, vor allem die des Staates. Die Behauptung der Kunst als autonomen Bereiches empfahl sich als Ausweg aus gesellschaftlicher und politischer Ohnmacht. In der ›Welt‹ der Kunst herrschte der Bürger souverän, wie im ›Reich‹ der Wissenschaft. Die bürgerliche Gesellschaft »akzeptiert die von ihr distanzierte Position der Kunst, indem sie ihr diese Freiheit zubilligt, sie aber auch zur Freiheit zwingt: funktionsfrei zu sein«[28]. Diese Auffassung von Kunstfreiheit und Kunstautonomie hatte schon Kant in seiner Ästhetik vorgebildet. »Zweckmäßigkeit ohne Zweck«, das war der Gesichtspunkt, unter dem er sich der Ästhetik näherte. Kritisch im Blick standen dabei, wie bei Humboldt, die bürgerlichen Kategorien der Nützlichkeit und des Interesses. Kants Definition der Schönheit: »Das Wohlgefallen, welches das Geschmacksurteil bestimmt, ist ohne alles Interesse.«[29] Schönheit und interessenbedingte Parteilichkeit schließen einander aus, die Kunst erhebt sich hoch über bürgerliche Tätigkeit.

Indem die Kunst sich als von gesellschaftlicher Aktivität gleichermaßen befreite und getrennte ›Welt‹ behauptet, versteht sie sich als ›Totalität‹, die alles enthält, was der Mensch zum Leben braucht, wessen er ›eigentlich‹ bedarf. Diese ungeheure Überspanntheit des Kunstanspruchs richtet sich, wie man leicht sehen kann, kritisch gegen die Politik. Auf immer neuen Wegen hat deutscher bürgerlicher Geist versucht, Kunst und Politik auf eine Weise miteinander in Beziehung zu bringen, welche die erzwungene politische Apathie gleichzeitig rechtfertigt und vergessen macht.

Adam Müller definierte den Staat als »die Totalität der menschlichen Angelegenheiten, ihre Verbindung zu einem lebendigen Ganzen«[30]. Diese Staatsauffassung der politischen Romantik ist aber gleichzeitig darin ›poetisch‹, daß sie die Frage nach der realen Macht und der politischen Klasse ausklammert. Diese Entschärfung läßt sich am deutlichsten in der poetischen Staatsauffassung des Novalis fassen[31]. Die hier begonnene Ästhetisierung der Politik hat verhängnisvolle Folgen gezeigt und reicht bis zu Ernst Jünger, der Granateinschläge auf dem Schlachtfeld von Verdun im Bilde leuchtender Blumen beschrieb[32]. Für Novalis galt ein wahrhafter Fürst als »der Künstler der Künstler«, Heinrich Leo nannte den Staat »ein Kunstwerk göttlichen Ursprungs«[33]. Auf diese Weise rechtfertigte das deutsche Bürgertum seine applaudierende und rein betrachtende Rolle in der Politik. Was immer geschah, man fragte nicht nach politischen Interessen und Zielen, sondern erlebte die Politik als Schauspiel, das nur ästhetischen Kategorien zugänglich ist. Auch handelnde Personen wurden als Künstler gedeutet, die ihre Sache gut oder schlecht machen, und dies nicht nach politischen und ethischen, sondern nach ästhetischen Wertmaßstäben.

Der Widerspruch zwischen politischem Handeln und poetischer Abstinenz wird auch selber immer wieder thematisiert. Goethes Tasso lebt von der Konkurrenz zwischen dem tätigen politischen Leben und der solcher Existenz entfremdeten Dichterexistenz. Schiller hat sich zeit seines Lebens mit dem Anspruch der Politik herumgeschlagen. Das Resultat war skeptischer Rückzug, ja mehr: die Behauptung, man müsse alles, was sich auf die politische Verfassung bezieht, aus der dichterischen Welt verbannen: als den Ursprung von Streit und Disharmonie. Er meinte, daß »alle wahre Verbesserung des gesellschaftlichen Zustandes« nicht von der Form der Regierung, sondern von »besseren Begriffen, reineren Grundsätzen und edleren Sitten« abhinge[34]. Das entsprach genau den Erwartungen, die Humboldt im Blick auf seine Universität hegte. Nachdem die Französische Revolution zunächst von vielen jungen Intellektuellen begrüßt worden war, wirkten der Abscheu vor der jakobinischen Schreckensherrschaft und die Angst vor der einsetzenden politischen Reaktion in Richtung eines politischen Quietismus, der sich nur schlecht in der Behauptung verbarg, alle politische Verbesserung sei nur durch eine individuelle, intellektuelle, wissenschaftliche, künstlerische und moralische Verbesserung der Individuen zu erwarten. So sah es Wieland später, nachdem er früher leidenschaftlich für die Ziele der Revolution eingetreten war: »Soll es jehmals besser um die Menschheit stehen, so muss die Reform nicht bey Regierungsformen und Konstituzionen, sondern bey den einzelnen Menschen anfangen. So wie diese in allen Ständen und Klassen vernünftig genug seyn werden ihr wahres Interesse zu kennen, so werden sie auch besser, und so wie sie besser sind, werden sie auch glücklicher seyn.«[35] Das ›wahre Interesse‹ des Bürgers aber wurde als lediglich wissenschaftliches und ästhetisches definiert.

Der ästhetische Rückzug des deutschen Bürgers aus der Politik läßt sich besonders auf dem Felde der Naturlyrik zeigen. »Was zwischen 1815 und 1848 an Lyrik hervorgebracht wurde, läßt sich, der Quantität nach, nur mit Bildern von Dammbrüchen und Überschwemmungen einigermaßen verdeutlichen«[36], schreibt Peter von Matt, um dann zu zeigen, daß in der Naturlyrik jener Jahrzehnte ein Urteil über die öffentlichen Zustände in Deutschland enthalten ist, »das so erbarmungslos ist wie die ausgesprochenen Richtsprüche in den politischen Kampfgesängen der Emigranten. Nur wenn man diese grundsätzliche Bedeutung aller Naturszenerie als des einzigen Schauplatzes ungezähmter Wünsche und Vorstellungen erkannt hat, begreift man, warum die künstlerischen Qualitätsunterschiede so wenig ins Gewicht fallen. Wenn die mediokren Naturgedichte aus den zwanziger und dreißiger Jahren des 19. Jahrhunderts in ihrer Massierung tatsächlich zum Heute-noch-ersticken sind, dann reproduziert sich in diesem Reflex des gegenwärtigen Lesers etwas von den fundamentalen Erstickungsgefühlen der gelähmten Intelligenz im restaurierten Deutschland«[37].

Ob die herrschende Klasse des Adels offen kritisiert wird wie im ›Anton Reiser‹ oder als Maßstab repräsentativer Existenz gilt wie im ›Wilhelm Meister‹, ob bürgerliche Entfremdung angeprangert, kaschiert oder durch Ironie ›aufgehoben‹ wird (wie im ›Titan‹), stets wird bürgerliche Reflexion begleitet von einer melancholischen Grundströmung. Die Melancholie beherrscht den Zeitgeist, sie ist die Artikulation »artikulationsfähiger Dissidenten«[38]. Ganze Literaturgattungen hat sie geschaffen: die Autobiographie, den psychologischen Roman, den Tagebuchroman, den Briefroman: Rückzug, Innerlichkeit, Resignation, ›Hypochondrie‹.

Wolf Lepenies hat zwei Stellen aus den Reflexionen Christian Garves ›Über Gesellschaft und Einsamkeit‹ zusammengestellt, welche die Ambivalenz bürgerlicher Entfremdung gut kennzeichnen: das Gefühl der ›geistigen Überlegenheit‹ und gleichzeitig die tiefe Niedergeschlagenheit in diesem Rückzug vom tätigen Leben: »Alles demnach, was Stille, Muße und Beharrlichkeit der Beschäftigung zur Cultur des Geistes beytragen kann: das hat der Philosoph bey seiner einsamen Lampe vor den Reichen und Großen, wenn sie in ihren erleuchteten Prunkzimmern versammelt sind, und selbst vor den Herrschern der Erde, wenn sie an der Spitze ihrer Heere stehen, oder in ihren Rathsversammlungen die Schicksale der Völker abwägen, zum voraus.« Und dagegen: »Aber dafür hat er eine andere Klippe zu fürchten, welche für die wahre Belehrung, und noch mehr für die Veredelung des Geistes ebenso gefährlich als die Zerstreuung und die gereizte Sinnlichkeit ist; – ich meine die Erschlaffung, die Trägheit, und eine gewisse Niedergeschlagenheit desselben.«[39]

Bei diesen Bemerkungen zur geistig-politischen Situation Preußens zwischen 1789 und 1848 blieben alle Figuren und Bewegungen außer

Betracht, die für Preußen und Preußen-Deutschland nicht geschichtsmächtig wurden: Von den Linkshegelianern, von Büchner, von Börne und Heine, von Marx war nicht die Rede. Arnold Ruge hatte Humboldts humanistischer Bildungsidee eine politische gegenübergestellt, Bruno Bauer die Idee der ›Allgemeinbildung‹ gebrandmarkt, Heine haßte den preußischen Obrigkeitsstaat, Börne das borniertе deutsche Nationalbewußtsein.

Aber diese Männer blieben für den geschichtlichen Weg Preußens ohne Bedeutung, haben keine politische Tradition begründet. Sie wurden verfolgt, verboten, verbannt und lebten außer Landes.

Was sich behauptete, war eine politische Kultur, deren unfreiheitliche Züge dominierten. Emanzipationsideen waren von Anbeginn auf zu schmaler Front angetreten und im Kern zu unpolitisch, als daß sie gegen die Karlsbader Beschlüsse sich hätten behaupten können. Freiheit galt von vornherein nur als ›geistige‹ und konnte sich deshalb unter politischem Druck mit gutem Gewissen in sich selbst und ihre ›Reiche‹ zurückziehen.

Die Antwort auf die Frage ›Zwei Seelen in der Brust?‹ muß deshalb im Blick auf die wirksamen Kräfte Preußens negativ ausfallen: Seine politische Kultur zeigte kein janusköpfiges, in sich gespaltenes Bild. Das Doppelurteil: hier geistige Freizügigkeit – dort obrigkeitliche Knebelung; hier Emanzipation – dort feudale Klassenherrschaft ist falsch. Der ›Verrat der Intellektuellen‹ wurde zwar erst in der Zeit der politischen Reaktion sichtbar, hat aber Wurzeln, die sich viel weiter zurückverfolgen lassen: in die Zeit des ›geistigen Aufbruchs‹ selber.

Nimmt man die Männer des revolutionären Vormärz, die meist außerhalb Preußens wirkten, in ein Gesamtbild hinein, so mag das Urteil anders ausfallen. Sicher ist das nicht. Das gilt für Heine, dem Börne vorwarf, er liebe »an der Wahrheit nur das Schöne«[40]. Das gilt für Marx, dessen sozialistische Kritik und kommunistisches Ziel romantisch-deutsche Züge tragen. Auch die Linkshegelianer blieben eben Hegelianer. Aber das ist ein anderes Thema.

Konservatismus heute

Konservatismus war immer schwierig zu definieren. Es gibt Hunderte durchaus verschiedener Definitionen, von denen die meisten später als ›scheinkonservativ‹ abgetan wurden. Das liegt daran, daß der Konservatismus sich im Unterschied zu Sozialismus und Liberalismus auf Herkunft beruft, auf diese oder jene Phase der geschichtlichen und politischen Überlieferung des je eigenen Landes. Sozialisten und Liberale haben es deshalb auf internationalen Kongressen mit der Verständigung über ihre politischen Ziele leichter, während der Konservatismus in verschiedenen Ländern notwendig ein verschiedenes Gesicht zeigt. In den Vereinigten Staaten zum Beispiel ist der Konservatismus von Anfang an demokratisch orientiert, er ist so alt wie die Vereinigten Staaten selbst. Im kontinentalen Europa hat der Konservatismus dagegen seine Verbindungen zur Monarchie und zu ständischen Gesellschaftsstrukturen lange beibehalten. Aber auch innerhalb Europas gibt es ganz verschiedene konservative Traditionen. In England beruft sich der Konservatismus heute noch auf die Naturrechtstradition. Der deutsche Konservatismus hat sich im 19. Jahrhundert gerade im Kampf gegen diese Naturrechtslehre entwickelt, in der politischen Romantik, die wiederum weder in England noch in Frankreich eine große Rolle gespielt hat.

Wer gegenwärtig in Deutschland konservative Positionen aufsuchen und beschreiben will, gerät überdies noch in spezielle Schwierigkeiten. Der deutsche Konservatismus ist durch seine eigene Geschichte in einer Weise politisch und moralisch belastet, daß man nach dem Zweiten Weltkrieg zunächst dachte, er sei tot. Jedenfalls gab es keine ernstzunehmenden Politiker oder politischen Theoretiker, die 1945 gewagt hätten, sich konservativ zu nennen. Der Konservatismus hatte in den zwanziger und dreißiger Jahren dieses Jahrhunderts in Deutschland eine Form ausgebildet, die man ›Konservative Revolution‹ nannte. In manchen ihrer politischen Vorstellungen berührte sie sich mit dem Nationalsozialismus. Eine eindeutige Beziehung zwischen beiden Bewegungen läßt sich jedoch schon deshalb nicht annehmen, weil an der Opposition gegen Hitler auch Männer teilnahmen, die dieser kulturkritischen und demokratiefeindlichen Bewegung angehörten. Dennoch läßt sich nicht übersehen, daß die Konservative Revolution und der Nationalsozialismus in demselben philosophisch-politischen Klima angesiedelt waren. Die politische Ordnungsvorstellung des deutschen Konservatismus, seine Betonung von Autorität, Volk und Nation haben ihn in die Nähe eines Regimes gebracht, das versprach, alte konservative Werte wieder ans Licht zu heben. Am stärksten waren beide Bewegungen durch ihre Kritik am liberal-parlamentarischen Verfassungsstaat verbunden. Der deutsche Konservatismus hatte ebenso wie der Nationalsozialismus Sinn für den Vorrang politischer Führung vor politischer Kontrolle, für organisch-ständische Gesellschaftsmodelle, für einen herkunftsorientierten Volks- und Nationbegriff. Am sogenannten ›Tag von Potsdam‹ war es Hitler gelungen, beide Traditionen des deutschen Konservatismus: die preußische Staatsidee und die sogenannte deutsche Bewegung der Öffentlichkeit als die beiden Quellen der nationalsozialistischen Bewegung vorzustellen.

Vergleicht man die Situation des deutschen Konservatismus nach dem Zweiten Weltkrieg mit derjenigen des französischen, so wird klar, daß der deutsche durch seine Nähe zum Nationalsozialismus, durch den Zusammenbruch der deutschen Volksideologie und die Zerschlagung des preußischen Militärstaates viel stärker in Mitleidenschaft gezogen war als der französische Konservatismus durch die Dreyfus-Affäre, das Vichy-Regime oder den Algerienkrieg. In Frankreich gab es gleich nach dem Kriege wieder konservative Stimmen, in Deutschland schien es keine Tradition zu geben, an die man als Konservativer hätte anknüpfen können oder wollen.

Das hat sich dann geändert. Seit den sechziger Jahren gibt es wieder geistige Positionen und politische Gruppierungen, die sich konservativ nennen. Die CSU hat den Begriff sogar in ihr Parteiprogramm ausdrücklich aufgenommen. Aber auch in der SPD gibt es Politiker, die das Wort konservativ nicht mehr scheuen. 1974 bekannte sich Bundeskanzler Helmut Schmidt vor dem Überseeclub in Hamburg ausdrücklich zum Konservatismus. Erhard Eppler hat ein ganzes Buch zum Thema Konservatismus geschrieben und unterscheidet zwei Formen von Konservatismus, die uns noch beschäftigen werden. Frühere Liberale nennen sich inzwischen konservativ, es gibt konservative Zeitschriften, zum Beispiel das ›Criticon‹, in dem konservative Intellektuelle ohne Bindung an eine Partei oder Wirtschaftsgruppe sich zum Konservatismus bekennen. Auch Bücher sind in Fülle erschienen, nicht nur historische wie das vorzügliche Buch von Klaus Epstein über ›Die Ursprünge des Konservatismus in Deutschland‹, sondern auch auf die Gegenwart und Zukunft bezogene Bücher wie das kritische Buch von Helga Grebing oder die konservativen Sammelbände von Gerd-Klaus Kaltenbrunner. Der Seewald-Verlag versammelt eine ganze Reihe konservativer Autoren, und der Herder-Verlag startete eine konservative Taschenbuchreihe. 1974 gab es in München eine große Tagung, auf der konservative Philosophen wie Robert Spaemann und Hermann Lübbe mit konservativen Sozialwissenschaftlern wie Erwin Scheuch und Arnold Gehlen diskutierten. Auch die Wirtschaft hat sich inzwischen konservativer Unterstützung versichert. Vor Jahren schenkte man sich zu Weihnachten Bücher wie Hajeks ›Weg zur Knechtschaft‹, Schöcks Buch über den Neid und Schelskys Abrechnung mit den Intellektuellen. Heute sind eher Vertreter des amerikanischen Neokonservatismus in Mode, wie Daniel Bell.

Desgleichen gibt es auf dem Felde der Kirchen und Theologien inzwischen längst wieder einen konservativen Flügel und entsprechende Flügelkämpfe auf Kirchentagen und Synoden.

Das einzige Gebiet, auf dem konservative Tendenzen sich zunächst nicht zeigten, war das Feld der anspruchsvollen Literatur. Die repräsentativen Schriftsteller der Bundesrepublik waren sämtlich politisch eher links als rechts angesiedelt, so daß es lange Zeit schwer fiel, in der deutschen auswärtigen Kulturpolitik für politische Ausgewogenheit zu sorgen: Es waren einfach keine konservativen Schriftsteller von Rang aufzutreiben. Heute hat sich auch hier das Bild gewandelt. Zusammen mit einer postmodernen Baukunst gibt es wieder konservative Literatur.

Die wissenschaftlichen Felder dagegen waren schon bald nach Kriegsende erneut mit konservativen Positionen besetzt. Ich gehe einmal die Fakultäten der Universität durch: In der Jurisprudenz und Staatslehre findet man die bis heute ungebrochene Tradition einer wörtlich verstandenen ›Staatslehre‹ und einer konservativen Verwaltungswissenschaft neben einer nach dem Zweiten Weltkrieg neu entstandenen progressiven Politiklehre. In der Soziologie gibt es auf dem linken Flügel Gelehrte wie Urs Jaeggi, auf dem rechten Niklas Luhmann und Erwin Scheuch. In der Psychologie gibt es nicht nur die Schule Alexander Mitscherlichs, sondern auch Peter R. Hofstädter. In der Politikwissenschaft konstatiert man nicht nur linksorientierte Fachbereiche in Marburg, Berlin, Bremen und Oldenburg, sondern auch konservative Politikschulen in Freiburg, Köln, München und Würzburg. In der Philosophie gibt es die linken Professoren Negt in Frankfurt und Sandkühler in Bremen, aber auch die konservative Gehlen-Schule und die philosophischen Richtungen Phänomenologie und Ontologie. In den Erziehungswissenschaften sieht es nicht anders aus, und in der Geschichtswissenschaft liefern Historiker wie Imanuel Geiss und Thomas Nipperdey unterschiedliche Pole.

Eines allerdings muß im Blick auf gegenwärtige konservative Positionen in der Bundesrepublik deutlich festgestellt werden: Bestimmte Traditionen des deutschen Konservatismus werden nicht mehr fortgeführt. Das gilt vor allem für die sogenannte ›Deutsche Bewegung‹, jenen Mythos von deutschem Blut und deutschem Boden, jenen Volkstumsglauben, der das Goldene Zeitalter deutscher Politik bei den Schnur- und Bandkeramikern der Völkerwanderungszeit suchte. Diese konservative Tradition ist mit dem Nationalsozialismus endgültig zu Ende gegangen. Wir werden uns also mit den eher lächerlichen Resten und Rändern dieser einstmals so mächtigen völkischen Ideologie heute auch nicht befassen.

Ich möchte nun die wichtigsten gegenwärtigen konservativen Positionen in der Bundesrepublik vorführen und orientiere mich dabei nicht so sehr an politischen Gruppen oder Parteien, sondern an ideologischen Positionen, die quer durch die Parteien die Bezeichnung konservativ erlauben. Es ist ja nicht so, daß links und rechts, sozialdemokratisch, liberaldemokratisch und christdemokratisch derart im politischen Spektrum verteilt wären, daß etwa an den rechten Flügel der Sozialdemokratie der linke Flügel der Christdemokraten sich nahtlos anschlösse, sondern in allen Parteien gibt es progressive und konservative Flügel, konservatives und progressives Staatsverständnis, eine stärkere Betonung des freiheitlichen oder gleichheitlichen Aspektes der Demokratie, Fürsprecher und Kritiker des Wohlfahrtsstaates, konservative Technokraten und ihre Gegner.

Nachdem dieses klargestellt ist, mögen sich in Grenzen auch parteipolitische Strukturen und Frontverläufe abzeichnen, aufgrund von Grundsatzprogrammen, den Ergebnissen von Grundwertekommissionen und der Art und Weise von Wahlkämpfen. Die Wahlkampfparole ›Freiheit statt Sozialismus‹ konnte nur eine konservative, nie eine sozialdemokratische sein. Aber diese parteipolitischen Aspekte sollen hier nicht im

Vordergrund stehen, sondern ich will versuchen, anhand von fünf Positionen den Umkreis konservativen Denkens und konservativer Politik auszuschreiten. Dabei fallen notwendig eine ganze Reihe anderer konservativer Perspektiven durch die Maschen. Ich meine aber, mit diesen Positionen die wichtigsten gefaßt zu haben. Es handelt sich 1. um den konservativen Kampf gegen Formen emanzipatorischer Philosophie, Pädagogik und Politik; 2. um den sogenannten technokratischen Konservatismus; 3. um das damit zusammenhängende konservative Staatsverständnis mit seiner Abwehr von Demokratisierungstendenzen; 4. um ein konservatives Reformverständnis, wie es Erhard Eppler in seinem Buch ›Ende oder Wende?‹ als linker Sozialdemokrat entwickelt hat, und 5. um Anzeichen für neue Positionen konservativer Philosophie und Politik.

1. Der konservative Kampf gegen emanzipatorische Philosophie, Pädagogik und Politik

Emanzipation war ursprünglich ein Rechtsbegriff. Im römischen Recht bedeutete Emanzipation die Freilassung des Kindes aus väterlicher Gewalt, die rechtswirksame Mündigkeitserklärung. Seit der Mitte des 19. Jahrhunderts hat sich ein Bedeutungswandel vollzogen: Seither ist der Emanzipationsbegriff zweideutig geworden und meint nicht nur einen einmaligen Akt der Mündigkeitserklärung, sondern zugleich einen prinzipiell nie abzuschließenden Prozeß der Befreiung von gesellschaftlicher Vormundschaft und Unterdrückung. Dieser Prozeß begann mit der Emanzipation des Bürgertums von fürstlicher und kirchlicher Bevormundung, es folgten die Emanzipation des Proletariats, die Emanzipation der Juden, die Frauenemanzipation. Heute geht es um die Emanzipation von Farbigen, von Randgruppen, ja sogar von Strafgefangenen. Das ganze Leben des Menschen wird als Emanzipationsprozeß, als eine Entwicklung zu mehr Freiheit und Selbstbestimmung verstanden.

Dieser Emanzipationsbegriff wird von den Konservativen abgelehnt oder doch als zu weitgehend kritisiert. Der bedeutendste Kritiker ist heute der Philosoph Robert Spaemann. Er schreibt zugunsten des traditionellen Begriffes von Emanzipation:

»Es ist sehr wichtig, an diesem liberalen und formal rechtsstaatlichen Begriff der Mündigkeit festzuhalten, der von den Emanzipationsideologien im allgemeinen mit Verachtung behandelt wird. Der sozialpsychologische Emanzipationsbegriff kehrt sich bei diesen nämlich gegen den politisch-rechtlichen und unterhöhlt ihn. Die Rechtsgemeinschaft einander in ihrer geschichtlich-natürlichen Identität anerkennender Subjekte verwandelt sich in einen kollektiven Lernprozeß, in dem niemand mündig ist, sondern jeder des anderen Pädagoge, Psychotherapeut und Vormund im Namen des gemeinsamen Ideals der Mündigkeit und Emanzipation. Wenn vor einiger Zeit Alexander Mitscherlich sagte, ›niemand von uns ist bisher mündig‹, so stimmt das in einer gewissen Hinsicht und in einer anderen nicht. Vor allem irritiert dabei das Wort ›bisher‹, weil es suggeriert, wir befänden uns auf dem Wege zu größerer Mündigkeit. Das stimmt jedoch nicht. Mit fortschreitender Spezialisierung des Wissens werden immer weniger Menschen mündig in dem Sinne, daß sich ein einzelner ›auf der Höhe der Zeit‹ befände. Jeder von uns ist nur auf einem sehr schmalen Gebiet mündig, also fähig, kompetent mitzureden. In diesem Sinne sind die Menschen in archaischen Gesellschaften weit mündiger als wir.«

Ich teile die Meinung Spaemanns nicht, sondern halte die Emanzipationsprozesse für notwendig und wichtig, glaube auch, daß sich noch viel menschliches Leid vermeiden läßt, wenn man im Sinne solcher Emanzipationsbewegungen falsche Herrschaftsverhältnisse aufdeckt und beseitigt. Eine Gefahr allerdings sehe ich zusammen mit Spaemann: In dem Augenblick, wo ein Mensch oder eine Gruppe von Menschen, zum Beispiel eine Parteielite, meint, den einzig richtigen Weg zur Emanzipation gefunden zu haben, und daraus das Recht ableitet, Menschen nach ihrem Bilde zu formen und sich also als Führer in Emanzipation aufzuspielen, geht genau die Freiheit, die durch Emanzipation erworben werden soll, gleich wieder an eine solche Führungsgruppe verloren. Auch muß man die Verdauungsfähigkeit des sozialen Systems bei sozialen Reformen in Rechnung stellen, und wer wollte leugnen, daß wir im letzten Jahrzehnt diese Verdauungsfähigkeit hie und da strapaziert haben. Der konservative Philosoph Hermann Lübbe hat diesen Gedanken im Blick auf zwei Gruppen unserer Gesellschaft ausgeführt, im Blick auf die Kinder und im Blick auf die alten Menschen. Er schreibt über die Situation an unseren Schulen:

»Wenn das nutzungsfähige Schulwissen mit wachsendem Tempo des wissenschaftlichen und sozialen Wandels immer rascher veraltet, verlieren unsere Lehrprogramme auf allen Stufen ihren Charakter aufmerksamkeitsunbedürftiger kultureller Selbstverständlichkeit. Genau dieser

Situation entspricht die Curriculumreform als pädagogisch-kulturpoliti-sches Dauerthema. In der Konsequenz wird die Schule der Kinder den Eltern zur fremden. Die kulturelle Homogenität der Generationen zer-fällt und die Ungleichzeitigkeit des sozial verbreiteten Wissens nimmt zu. In der Spiegelung des individuellen Bewußtseins bedeutet das, daß die Vertrautheit der kulturellen Umwelt abnimmt. Der Satz ›Ich ver-stehe die Welt nicht mehr‹, mit dem im 19. Jahrhundert Hebbel ein Bür-gerliches Trauerspiel beschloß, wird ein Satz von erwachsenenpädago-gisch nur schwach überdeckter Dauergeltung.«

Kein Zweifel, daß Lübbe hier einen kritischen Punkt getroffen hat. Kein Zweifel aber auch, daß in dem Maße, in dem unsere Gesellschaft sich rasch wandelt, die Bildungsinhalte und Lernziele diesen Wandel be-gleiten müssen, ja mehr, daß wir unsere Kinder weniger diese oder jene Inhalte lehren, als ihnen beibringen müssen, wie solche rasch wechseln-den Inhalte neu aufzufassen und wie mit ihnen umzugehen ist: Lernen, wie man lernt, ist wichtiger als möglichst viel Wissen zu speichern.

Trotzdem müssen wir darauf achten, das Tempo des sozialen Wandels nicht zu überdrehen. Ein Alarmzeichen dafür ist die Situation der alten Menschen in unserer Gesellschaft. Die folgenden Sätze Hermann Lüb-bes sind eine deutliche Warnung:

»Wir brauchen unbeschadet gewisser Grenzen stets ein Minimum an Zeit, um Erfahrungen machen zu können. Eben diese Zeit steht nicht mehr zur Verfügung, wenn die Verhältnisse sich rascher ändern als wir Zeit haben, unsere auf diese Verhältnisse sich beziehenden Erfahrungen konsolidieren zu können. Die Lasten dieses Vorgangs hat in unserer Ge-sellschaft in erster Linie das Alter zu tragen. In relativ stabilen Gesell-schaften genießt das Alter den Vorzug, seine anwachsende physische Schwäche sozial durch ein Mehr an konsolidierter Erfahrung, durch seine Ratgeberkompetenz also, kompensieren zu können. Demgegen-über ist unsere Lage dadurch charaktersiert, daß wir mit dem altersbe-dingten Schwund unserer Anpassungsfähigkeit jeweils morgen stets ein wenig mehr von gestern sein werden. So enden wir in unserer Welt nicht nur physisch, sondern nun auch lebensorientierungsmäßig als ein Fall gerontologisch unterstützter Sozialfürsorge. Die Altersforschung wird heute überall in modernen Gesellschaften schwerpunktmäßig gefördert. Es steht nichts entgegen, das als einen Fortschritt zu rühmen. Man darf nur nicht übersehen, daß auch dieser Fortschritt partiell Kompensations-charakter hat.«

Eine gewisse Unterstützung erfährt diese konservative Kritik an einem allzu raschen gesellschaftlichen Wandel und einem großen Vertrauen in die Emanzipationsfähigkeit des Menschen von Wissenschaften her, die in besonderer Weise mit den unveränderten Naturkonstanten zu tun haben: der Biologie, der Genetik und der Verhaltensforschung. Konrad Lorenz, ein bedeutender Biologe und Verhaltensforscher, hat seine Wissenschaft auf menschliche Verhaltensweisen anzuwenden versucht und ist darüber zu einem konservativen Menschenbild gekommen, das er seit einigen Jahren im Sinne einer auch politisch durchschlagenden konservativen Theorie vertritt. Diese biologische Philosophie oder Politik wird von links heftig kritisiert. Man wirft Lorenz vor, er habe die Grenzen der Biologie überschritten. Worum es geht, mag ein Beispiel zeigen, das sich in einem von Lorenz herausgegebenen Sammelband findet. Dort empfiehlt Paul Leyhausen, Trotzreaktionen bei Kleinkindern durch wenn nötig gewaltsamen Widerstand zu brechen. Er schreibt:

»Auf die Gefahr hin, zarte Gemüter zu verletzen, muß ... hier festgestellt werden, daß ... in bestimmten Fällen Schläge nicht nur statthaft, sondern für die seelische Gesundheit und das weitere Gedeihen geradezu erforderlich sind, nicht viel und schon gar nicht besonders heftig, in den meisten Fällen brauchen sie gar nicht zu schmerzen. Nur unmittelbar erfolgen müssen sie. Der Grundsatz, man dürfe ein Kind nicht im Zorn strafen, ist hier ganz falsch: Man kriegt den Zorn ja, damit man in ihm straft! Und so wie ein solcher Schlag eine unmittelbare echte Instinkthandlung seitens des Erwachsenen darstellt, so hat auch das Kind ein feines angeborenes Verständnis dafür und ist in vielen Fällen geradezu wie ausgewechselt. Die kindliche Liebe erleidet dadurch nicht die geringste Einbuße, eher das Gegenteil ... Daß aus solchen Strafen das ganze spätere Leben vergiftende ›Jugendtraumen‹ entstehen sollen, ist barer Unsinn.«

Es gibt Gesellschaften, in denen Kinder nie geschlagen werden. Deutschland ist innerhalb Europas für eine besonders autoritäre und aggressive Kinderbehandlung bekannt. In Italien werden Kinder sehr viel weniger geschlagen. Man kann also wohl fragen, ob die Theorie von Leyhausen wirklich für ›den‹ Menschen und ›die‹ Kleinkinder schlechthin gilt.

Ähnliches gilt für die konservative Inanspruchnahme von Forschungsergebnissen, wie sie Jensen und Eysenck vorlegen. Diesen Untersuchungen zufolge haben Schwarze einen geringeren Intelligenzquotienten als Weiße. Überhaupt sind Begabung und geistige Fähigkeiten zu einem geringeren Prozentsatz durch Umwelteinflüsse bedingt, als man bisher annahm. Diese wohl gesicherten Ergebnisse kommen gewissen reaktionären Tendenzen entgegen, scheinen sie doch die Rede vom Menschen im Singular generalis in Zukunft nicht mehr zu gestatten. Längst vergessene Rassentheorien könnten neue Nahrung finden, ein Imperialismus modernen Stils geboren werden. Entgegen der konservativen Folgerung, Erziehungseinflüsse und pädagogische Anstrengungen brächten eben doch nichts im Vergleich zu Anlage und Vererbung, weisen progressive Pädagogen und Psychologen darauf hin, daß auch nur 10 Prozent Umwelteinfluß bei einem geringen Intelligenzquotienten ungeheuer viel für die Sozialisation und das Lebensglück eines Menschen bedeuten, wenn man sich vorstellt, daß diese 10 Prozent in vielen Fällen darüber entscheiden, ob ein Kind in die normale Hauptschule oder in eine Sonderschule kommt, mit allen Folgen, die sich daraus ergeben.

Von großem Einfluß auf konservative Gesellschaftstheorien ist die Institutionenlehre des konservativen Soziologen Arnold Gehlen. Er räumt den Institutionen prinzipiell einen Vorrang gegenüber dem Individuum und seinem launenhaften Willen ein. Institutionen sollen den einzelnen Menschen den Sinn ihres Lebens vorgeben und sie einbinden in einen Gesamtzusammenhang, innerhalb dessen ihr Leben überhaupt lebenswert ist. Hier bekommt Herrschaft ihre wichtige Funktion. Hören wir Gehlen selbst dazu:

»Es hat nie herrschaftslose Gesellschaften gegeben. Wenn jemand die Institutionen begreifen sollte als Hinternisse auf dem Wege zu Menschlichkeit und zur wahren Humanitas, was wohl nur in der Bundesrepublik vertreten wird, so halte ich ihn für irregeleitet. Reformbedürftig allerdings sind manche Institutionen. Nur muß man bei Reformen vorsichtig sein, der sogenannte Fortschritt bedeutet in der Regel, oder er bedeutet sehr oft den Ersatz von Einrichtungen mit schon bekannten Fehlern durch Einrichtungen mit noch unbekannten, vielleicht um so drastischeren Fehlern, siehe Hochschulreform. Die Deutschen sind zu einer wohldurchdachten und begrenzten experimentellen Reformarbeit offenbar nicht geneigt oder nicht fähig.«

Wie diese Worte zeigen, gehört Gehlen zu den resignierenden Konservativen, die dem Fortschritt überhaupt skeptisch gegenüberstehen, vor jedem Experiment warnen, weil sich das Neue noch nicht bewährt hat, und sich gegenüber dem Alten nur theoretisch als überlegen empfehlen kann. Der Status quo hat immer viel für sich, einfach deshalb, weil es ihn gibt, weil man ihn kennt und in ihm lebt. Darüber werden wir am Schluß noch genauer nachdenken.

2. Der technokratische Konservatismus

Beschränken sich die meisten konservativen Positionen auf eine Kritik an zu raschem Wandel oder Veränderung überhaupt, so bedeutet die Lehre von der Technokratie eine entscheidende Ausnahme von diesem Gesetz. Der technokratische Konservatismus ist, auf den ersten Blick und was die Methoden angeht, eine sehr fortschrittliche Sache. Franz Josef Strauß hat das Wort ›konservativ‹ damals in das Grundsatzprogramm der CSU mit einer Begründung hineingebracht, die für die technokratische Form des Konservatismus unter bestimmten Gesichtspunkten durchaus zutrifft. Sie ist überraschend und lautet: »Konservativ bedeutet, an der Spitze des Fortschritts marschieren. «

Wir wollen sehen, wie es sich mit der Fortschrittlichkeit dieser konservativen Position verhält. Zuvor will ich meine Kritik der Technokratiethese gleich zu Beginn offenlegen. Meiner Meinung nach stellt sich der technokratische Konservatismus nur insoweit auf die Seite des Fortschritts, wie dieser Fortschritt ihm erlaubt, die alten konservativen politischen Ideale weiterzuverfolgen und eher noch besser zu verwirklichen. Indem der technokratische Konservatismus seine prinzipielle Kritik an der Aufklärung hinter sich läßt und jedenfalls die technischen Konsequenzen rationalen Geistes, in Grenzen auch die sozialen Ergebnisse der politischen Aufklärung akzeptiert und in seinen Dienst stellt, versucht er gleichzeitig, die politischen Konsequenzen emanzipatorischer Bewegungen zu vermeiden und zu bekämpfen. Für diese Strategie scheint die Theorie der Technokratie ein brauchbares Rezept abzugeben. Helmut Schelsky jedenfalls, und in seiner Nachfolge eine ganze Reihe von Theoretikern des ›Technischen Staates‹, formulierte in seiner die Technokratiedebatte eröffnenden Schrift den Gegensatz von Demokratie und Technokratie mit unmißverständlicher Deutlichkeit.

Mit einem solchen Staatsverständnis haben die Konservativen einen Grundwert ihrer Philosophie, der im Zuge der Emanzipations- und Demokratisierungsbewegungen sich aufzulösen drohte, aufs neue unter Dach gebracht: Autorität soll wieder in einem durchgängigen Sinne Geltung haben, jetzt nicht mehr als die naturwüchsige Unterscheidung von Vätern und Kindern, Landesvätern und Landeskindern, sondern als die durch Sachzwänge gegebene, prinzipiell ebenso unaufhebbare Distanz zwischen dem Fachmann, der sich auskennt, und der Masse des Volkes, das keine Ahnung hat. Die Herrschaft einer Elite von Experten über die ungebildete Masse würde jenes Modell politischer Herrschaft wieder in den Blick rücken, dem der Konservative in Deutschland stets den Vorzug gab: das Modell des aufgeklärten wohlfahrtsstaatlichen Absolutismus. Als Gegenleistung für die Garantie außenpolitischen Schutzes, rechtsstaatlicher Verhältnisse und innenpolitischer Ordnung zahlte das Volk damals mit einer im Absolutismus neuentwickelten Tugend, der Staatsräson. Diese Tugend schloß die Einsicht in die Unmöglichkeit demokratischer Selbstbestimmung ein und war nichts anderes als technokratische Ideologie, von der Seite der Regierten aus betrachtet.

Zusammen mit einer Neugewinnung von Autorität verspricht sich der technokratische Konservative auch eine Wiederbelebung des verlorengegangenen Sinnes für Disziplin. Eine moderne Leistungsgesellschaft verlangt in ihrem technokratischen Verständnis eher noch ein höheres Maß an Disziplinierung als frühere Gesellschaften. Besonders der Staat muß im Falle wirtschaftlicher Krisen, für die er als Leistungs- und Wohlfahrtsstaat der Bevölkerung gegenüber einstehen muß, mit harten Maßnahmen reagieren und ist hierbei nach technokratischer Vorstellung eher auf das Gesetz von Befehl und Gehorsam verwiesen als auf demokratisch-partizipatorische Mittel.

Schließlich erreicht der Konservative mit der Technokratieideologie ein Ziel, das ihm in den vergangenen hundert Jahren immer weniger erreichbar schien: den Stopp einer dynamischen Gesellschaftsentwicklung, welche ihn stets zum Schlußlicht des sozialen Prozesses machte. Alle technokratischen Ideologen sind sich nämlich darin einig, daß die sozioökonomische und politische Entwicklung zu einer gewissen ›Kristallisation‹ geführt habe, einem Zustand, »der eintritt, wenn die darin angelegten Möglichkeiten in ihren grundsätzlichen Beständen alle entwickelt sind«, wie Arnold Gehlen sich ausdrückt. Nach dem Willen konservativer Technokratietheoretiker soll künftig nichts Neues unter der Sonne geschehen und damit endlich ein Zustand erreicht sein, den die konservative Philosophie stets vor Augen hatte. Gehlen meint, wir seien an der Schwelle zum ›Post-histoire‹ angelangt, einer Art geschichtslosem Zustand. Die politische Umsetzung dieses Gedankens versuchte Rüdiger Altmann, der sozialtheoretische Kopf der deutschen Wirtschaft, mit dem von ihm geprägten Begriff der ›Formierten Gesellschaft‹, einer Garantie neugefundener Stabilität:

»Unsere Gesellschaft lebt bereits im Gefühl, wenn auch nicht im klaren Bewußtsein ihrer Einheitlichkeit. Diese Einheit gründet sich auf die Einebnung gegensätzlicher Tradition, auf soziale und nationale Erfahrungen ... Pluralismus und Integration sind komplementäre Begriffe geworden, wobei Integration augenscheinlich den höheren Funktionswert besitzt.«

3. Das konservative Staatsverständnis

Die konservative Auffassung des Staates lebt stark aus der Tradition des preußisch-deutschen Obrigkeitsstaates. Dieses Staatsverständnis nimmt seinen Ausgang von einem tiefen Mißtrauen gegenüber der Masse des Volkes. Ausgehend von der Vermutung, »Was aber der Wähler mit seiner Entscheidung aus- oder anrichtet, ist jenseits seines Begreifens«, zitiert heute Ernst Forsthoff aus den ›Gedanken und Erinnerungen‹ Bismarcks zustimmend folgenden Passus:

»Die größere Besonnenheit der intelligenteren Klassen mag immerhin den materiellen Untergrund der Erhaltung des Besitzes haben; der andere des Strebens nach Erwerb ist nicht weniger berechtigt; aber für die Sicherheit und Fortbildung des Staates ist das Übergewicht derer, die den Besitz vertreten, das nützlichere. Ein Staatswesen, dessen Regiment in den Händen der Begehrlichen, der novarum rerum cupidi und der Redner liegt, welche die Fähigkeit, urteilslose Massen zu belügen, in höherem Maße wie andere besitzen, wird stets zu einer Unruhe der Entwicklung verurteilt sein, der so gewichtige Massen, wie staatliche Gemeinwesen sind, nicht folgen können, ohne in ihrem Organismus geschädigt zu werden.«

In der Tradition konservativer Staatslehre versteht man in Deutschland unter ›Staat‹ die ursprüngliche, nicht ableitbare Herrschaft einer juristischen Person oder einer Verbandseinheit. Die Souveränität des Staates wird unabhängig vom Volk gedacht und gerät deshalb mit der demokratischen Volkssouveränitätslehre leicht in Konflikt: Entweder hat die juristische Person ›Staat‹ die ursprüngliche Herrschaft, oder die Herrschaft geht vom Volk aus. In der deutschen Staatslehre werden die

Begriffe ›Staat‹ und ›Recht‹ verwandt, als ob beide selbständige Substanzen seien. Gesetze und Urteile sind Willensbekundungen ›des Staates‹, nicht Ergebnisse eines Willensbildungs- und Entscheidungsprozesses in pluralen gesellschaftlichen Gruppen.

Die deutsche Staatslehre hat auch nach 1945 die strikte Unterscheidung von Staat und Gesellschaft beibehalten und kann sich bis heute nicht entschließen, der Vorstellung eines demokratischer Willensbildung und demokratischer Volkssouveränität vorausliegenden Staatsbegriffes zu entsagen. Kriterien dieses Staatsbegriffes sind Souveränität, Einheit, Rechtsperson. Der ontologische und organologische Charakter solcher wörtlich verstandener ›Staatslehre‹ zwingt zu einer formalen Unterordnung des demokratischen Verfassungsmodells unter den Begriffsapparat des bestehenden Staatsrechts. Daraus ergibt sich eine Spannung zur Demokratietheorie: Das Prinzip der Gewaltentrennung, der Hemmung und des Ausgleichs der Macht, verbietet es, Institutionen als Teile einer Ganzheit zu interpretieren. Verfassungsorgane als Organe ›des Staates‹ zu betrachten grenzt meiner Meinung nach an eine verfassungswidrige Grundgesetzinterpretation. Die konservative Staatsrechtslehre weigert sich bezeichnenderweise bis heute, von Gewaltenteilung oder -hemmung zu sprechen. Sie spricht von Gewalten›unterscheidung‹. Immer noch wird bei uns unter ›Staat‹ nicht die Summe demokratischer Institutionen und Entscheidungen verstanden, sondern ein Etwas, das, getrennt von Volkssouveränität, Parteien und Parlamenten, vor ihnen existiert, mit eigenem Willen, eigener Sittlichkeit und Würde. Wer so vom Staat denkt und redet, rückt die demokratische Willensbildung, nach dem Grundgesetz die Quelle des Staates, an die zweite Stelle, ordnet sie einem staatlichen Willen nach, der hoch über dem Parteienkampf plaziert wird. Der Staat wird dem, wie es dann heißt, schwankenden Volkswillen gegenübergestellt, als etwas Festes und Festgeschriebenes. Dieses ›Staat‹ und ›Demokratie‹ unterscheidende Politikverständnis ist durch die Verfassung in keiner Weise geschützt und demokratie-theoretisch nicht zu halten.

Das konservative Staatsverständnis führt mit seiner strikten Unterscheidung von ›Staat‹ und ›Gesellschaft‹ zur Abweisung aller Demokratisierungstendenzen oder -forderungen, die sich auf den gesellschaftlichen Bereich beziehen. Man will die Demokratie und ihre Gleichheitsprinzipien im Staate, aber auch nur da, also als gleiches Stimmrecht und als Rechtsgleichheit etwa, gelten lassen. In gesellschaftlichen Bereichen sollen andere Gesetze gelten. Auch wird die Politisierung solcher Bereiche abgelehnt. Die Konservativen übersehen dabei die Tatsache, daß unser aller Leben, auch die persönlichsten und intimsten Bereiche, von politischen Entscheidungen betroffen werden und die von ihnen zu Recht verteidigte Freiheit solcher Bereiche nur durch Politik offengehalten werden kann.

Das Thema Freiheit und Gleichheit wird von Konservativen meist im Sinne einer Alternative gestellt: Der Bürger müsse sich entscheiden für entweder mehr Gleichheit oder mehr Freiheit, beides zusammen könne er nicht haben. Hinter dieser Auffassung steckt die Meinung, soziale Gleichheit führe notwendig zur Gleichmacherei, womöglich gar zum totalitären Staat. Das Bild von den beiden Waagschalen, in deren einer die Freiheit und in deren anderer die Gleichheit das Gewicht ausmachen, ist verführerisch, aber falsch. Der Gegensatz zu Freiheit bleibt Unfreiheit, und das Gegenteil von Gleichheit ist nicht Freiheit, sondern Ungleichheit.

Soziologisch bedeutet Gleichheit soziale Homogenität. Nun ist aber keine Gesellschaft absolut und in jeder Hinsicht homogen, sondern immer nur in bezug auf bestimmte Verhaltensweisen, Lebensweisen, Glaubensweisen. Wir kennen in der Geschichte menschlicher Sozietät eine Fülle von Homogenitätsmedien: Gleichförmigkeiten der Eßgewohnheiten, der Tages- und Arbeitseinteilung, der religiösen Vorstellungen, der sexuellen Sitten. Es scheint so, als ob die ökonomische Ausstattung und die soziale Sicherheit das wichtigste Homogenitätsmedium moderner Industriegesellschaften sind oder doch werden. Wenn diese Vermutung stimmt, garantiert allein eine stärkere Gleichheit der Vermögens- und Einkommensverhältnisse auf die Dauer den Frieden unserer Gesellschaft. Soziale Sicherheit ist dann einer der wichtigsten Garanten für die Freiheit, auf die sich Konservative gern berufen: Freiheit ist immer die Freiheit unter meinesgleichen, d. h. einer Gruppe von Menschen, die gleiche Rechte, gleiche Bedürfnisse und gleiche Möglichkeiten haben, diese zu befriedigen.

In Deutschland haben Adel und Bürgertum sehr lange erfolgreich versucht, soziale Gleichheit durch nationale Gleichheit zu ersetzen. Der Gleichschritt uniformierter Kolonnen wurde auf diese Weise zum cantus firmus der deutschen Gesellschaft. Immer waren es Kriege, die die abhängigen Schichten in die Nationen integrierten. 1914 gingen deutsche Sozialdemokraten für die deutsche Sache ins Feld und freuten sich darüber, daß zum ersten Mal der Kaiser keine Parteien, sondern nur noch Deutsche kannte. Bisher galten Sozialdemokraten für vaterlandslose Gesellen. Später war es dann Hitler, der auch keine Parteien mehr kannte, sondern nur noch Übermenschen und Untermenschen. Der deutsche Arbeiter durfte sich den Übermenschen zurechnen und vergaß darüber, daß seine Lohnquote während des Dritten Reiches fiel.

Ähnliches gilt für die konservative Beurteilung des Wohlfahrtsstaates. Die Kritik an den wachsenden Staatsaufgaben und -ausgaben ist unter Konservativen sehr populär. Nicht nur in rechtskonservativen Zonen, sondern auch in liberalen Blättern wie der ›Zeit‹ findet sich eine zunehmende kritische Beurteilung des ›schwedischen Experiments‹. Roland Huntfords Buch ›The new Totalitarians‹ (1972), das im schwedischen Wohlfahrtsstaat totalitäre Tendenzen entdecken will, fand sogleich breite Zustimmung. Die konservative Anwendung des Begriffes ›totalitär‹ auf westliche Gesellschaften ist die Umkehrung des linken Generalangriffs auf eben diese Gesellschaft: Wollen die Linken mit dem Begriff ›totalitär‹ die vermuteten kapitalistischen Strategien zur politischen Gleichrichtung einer Konsumgesellschaft treffen, so meinen die Konservativen mit dem Begriff alle jene Tendenzen zur sozialen Gleichheit, die sozialdemokratische Regime zeitigen. In der Nachfolge Helmut Schelskys, des Chefideologen einer konservativen Unterscheidung von Freiheit und Gleichheit, behauptet man, ein wohlfahrtsstaatlich verstandenes Gleichheitsprinzip verbaue die Möglichkeit individueller Freiheit. Eine ›Gesellschaft der Verwantwortungslosen‹ führe zu Faulheit, Kulturlosigkeit und moralischem Verfall. Hinter dieser Kritik zeichnen sich die Umrisse verschiedener Elitetheorien ab, und es ist wohl kein Zufall, daß der präfaschistische Theoretiker Pareto unter Konservativen neuerliches Interesse findet.

Nun wird kein vernünftiger Mensch gewisse Schäden und Schwächen leugnen wollen, die sich als nicht beabsichtigte Folge wohlfahrtsstaatlicher Politik und Verwaltung eingestellt haben. Niemand wird verkennen wollen, daß ein nie erfahrenes Maß an sozialer Sicherheit, Bildungschancen und Freizeit psychologische Probleme mit sich bringt, die bisher überhaupt nicht oder nur in dünnen Oberschichten erfahren wurden (aus denen Freud bekanntlich seine Patienten und seine psychoanalytischen Einblicke gewann). Das eigentlich Konservative an der Kritik des Wohlfahrtsstaates liegt in der verdeckten, in der Weise der Argumentation aber nahegelegten Vermutung, es wäre vielleicht besser, den

Weg demokratischer Gleichheit und wohlfahrtsstaatlicher Politik überhaupt nie zu beschreiten. Die nur noch als Kritik vorgetragene Frage, wohin denn der soziale Fortschritt am Ende geführt habe, will vergessen machen, daß noch vor wenigen Jahrzehnten Millionen von Europäern unter Verhältnissen lebten, welche selbst nach der konservativen Bedürfnismaxime ›Jedem das Seine‹ zu rechtfertigen viel Zynismus erfordert. Wie man weiß, sind wir nicht einmal in den europäischen Staaten so weit, Armut wirklich getilgt zu haben, und es ist ein billiges Argument, wenn Erwin K. Scheuch auf die internationale Relativität des Begriffs Armut hinweist und unsere sozialen Verhältnisse im Vergleich mit denen in Kalkutta erfreulich nennt. Die Bundesrepublik ist weit davon entfernt, in ihren öffentlichen Einrichtungen, Schulen und Krankenhäusern bereits einen angemessenen Gegenstand für konservatives Wohlstandslamento abzugeben. Freiheit von Not ist eine der ersten und elementaren Freiheiten, die es zu erringen galt und heute noch gilt. Diese Freiheit kann in einer Massengesellschaft nur der Staat garantieren, sie muß geplant und als Bestandteil des gesamten sozioökonomischen Systems mit in Rechnung gestellt werden.

4. Reformkonservatismus?

Diese konservative Position ist die schwierigste, aber wohl auch die interessanteste. Man findet sie in Kreisen der CDU ebenso wie in der FDP und SPD vertreten. Eine gute Beschreibung des Reformkonservativen gibt Klaus Epstein in seinem Buch über ›Die Ursprünge des Konservativismus in Deutschland‹:

»Er hat ein gewisses Verständnis für den Lauf der Dinge und akzeptiert die Unvermeidlichkeit bestimmter Veränderungen, obgleich er keine Begeisterung für sie vorschützt. Er steht vielmehr unter dem Eindruck ihrer Unvermeidlichkeit und sieht deswegen nur die folgende Alternative: Veränderungen werden eintreten, entweder mit tätiger Unterstützung durch Männer seiner Art, die bewahren, was immer von der Vergangenheit erhalten werden kann, oder durch Radikale, die nur allzu oft die Zerstörung des ancien régime weitertreiben werden als unbedingt nötig und sich nicht im geringsten um eine größtmögliche historische Kontinuität bemühen. Das Los des konservativen Reformers ist hart: Führer der Bewegungspartei klagen ihn an, das Ziel einer ›guten Gesellschaft‹ nur halbherzig zu verfolgen; andere Konservative verdächtigen ihn, schlafende Hunde zu wecken, und wenn er aus der Oberschicht kommt, wird er als ›Klassenverräter‹ mit besonders bitterem Haß verfolgt. Häufig wird er in ein ad hoc-Bündnis mit Radikalen seiner Zeit gedrängt, bei dem nicht immer ersichtlich ist, wer wem Nutzen bringt. Der Reformkonservative kann (jedenfalls in der Theorie, in der Praxis nicht immer) vom radikalen Reformer sowohl in der Wahl seiner Mittel wie in seinen letzten Zielsetzungen unterschieden werden. Eine schrittweise Reform, sofern sie innerhalb des bestehenden konstitutionellen Rahmens möglich ist, zieht er gewaltsamem und überstürztem Wandel vor. Er reformiert nur, was und wenn es unbedingt notwendig ist, anstatt einen theoretischen Entwurf in toto realisieren zu wollen; vor allem aber geht es ihm darum, die Kontinuität in Institutionen und Ideen möglichst weitgehend zu sichern.«

Ähnlich wie Epstein argumentiert Christian Graf Krockow in seinem Buch ›Reform als politisches Prinzip‹. Auch Krockow hat den Radikalen, den Revolutionär und Utopisten im Auge, wenn er seinen Typ von Reform definiert. Er fragt:

»Soll man kompromißlos ein Maximalprogramm verkünden und verfechten, oder soll man Verbündete suchen, wo immer man sie finden kann, und Kompromisse schließen, um schrittweise ein Programm der Veränderungen und Verbesserungen bestehender Verhältnisse durchzusetzen, selbst auf die Gefahr hin, daß dabei die revolutionäre Kraft der ›reinen Lehre‹ Schaden leidet? Radikalismus oder Reform? ... Der Reformer will vermitteln, das Gegenwärtige mit dem Kommenden verbinden; er will das Bestehende verändern, um es zu erhalten. Erstarrung dagegen führt ins Verderben.«

Krockows Verständnis von Reform trifft ihren Sprachsinn präzis: Etwas, das in seinem Wesen als durch die Zeiten Dauerndes festgehalten werden soll, wird in seiner Gestalt verändert, damit es bleiben kann, was es – im Kern – immer war. Dieses Reformverständnis ist deshalb prinzipiell, d. h. im Blick auf Ursprung und Wesen, rückwärts gewandt. Zwar nicht Vergangenheit als perfekte Abgeschlossenheit, aber doch Herkunft als verpflichtende Tradition liefert die Maßstäbe, nach denen sich Maß und Richtung des notwendigen Wandels bemessen.

Maßstab für dieses konservative Reformprinzip ist die sogenannte ›Beweislastverteilungsregel‹, für deren Beachtung sich heute besonders

Hermann Lübbe einsetzt: Die Beweislast seiner Vernünftigkeit und Praktikabilität hat stets das Neue und der Neuerer, nicht das Alte und der Bewahrer. Die faktische Existenz bestehender Verhältnisse enthält die Vermutung ihrer Vernünftigkeit und also den Hinweis, den Status quo so lange zu behalten, bis seine Unhaltbarkeit offenbar wird.

Die Beweislastverteilungsregel galt und gilt mit gutem Sinn in statischen Gesellschaften, deren Stabilität durch die Kontinuität der bestehenden Ordnung garantiert war: Herkunft lieferte die Maßstäbe für Zukunft. Wer die Tradition überkommener Institutionen und Werthaltungen verlassen wollte, war beweispflichtig, weil er Unsicherheit brachte. Ein gutes Beispiel dafür lieferte Justus Möser gegen Ende des 18. Jahrhunderts, als er dringend vor den Folgen des zu seiner Zeit beginnenden Impfens warnte: Die Konsequenz dieser medizinischen Reform werde Rückgang der Kindersterblichkeit und damit Hungersnot sein. Er schrieb an eine Mutter:

»Nun, mein liebes Kind! ich will nichts mehr dagegen sagen; laß deinem Dutzend Kinderchen je eher je lieber die Blattern geben; alle meine Wünsche stehen dir dabei zu Dienste, und zwar von ganzem Herzen. Aber siehe auch hernach zu, wie du deine acht Mädchen an den Mann bringest. Denn das will ich dir wohl im voraus sagen, daß kein einziges davon sterben werde; unsre Ärzte verstehen das Ding viel zu gut, und sind viel zu glücklich, um dir auch nur eine einzige Aussteuer zu ersparen.«

Seit den Tagen des Justus Möser wird der Rückgriff auf Herkunft als verpflichtende Leitlinie zur Gestaltung der Zukunft immer problematischer. Wer sich auf Tradition beruft, sieht sich einer Vielfalt von Traditionen konfrontiert, unter denen die Tradition radikaler Veränderungen selber einen wichtigen Platz einnimmt. Fortschritt (einerlei, ob als Verheißung oder als Verhängnis bewertet) hat die Sicherheit des Alten Wahren verdrängt, und unser aller Existenz ist durch Planung eher als durch starres Festhalten an vergangenen Verhaltensmustern und Existenzweisen gesichert.

Erhard Eppler gab einmal ein gutes Beispiel dafür, daß die alte konservative Beweislastverteilungsregel nicht mehr in jedem Falle gilt, sondern auch die Tradition sich heute rechtfertigen muß:

»Wenn ich als Entwicklungsminister feststelle, daß die traditionelle Struktur des Welthandels dazu führt, daß Millionen von Menschen verrecken, dann hat natürlich diese gewordene Tradition des Welthandels aus Kolonialismus mindestens ebenso den Zwang, sich zu begründen, und von mir aus besteht das Recht, sie anzufechten, wie das beim Fortschritt der Fall ist.«

Die Abweisung oder doch Relativierung der alten Beweislastverteilungsregel muß aber nicht bedeuten, daß Traditionen überhaupt nichts mehr gelten. Wir alle leben aus Traditionen und ziehen sogar aus geschichtlichen Epochen noch Lebenskraft, die wir inzwischen kritisch sehen. Wie der Mensch auch im Blick auf seine persönliche Lebensgeschichte nicht alles durchstreichen kann, was er erlebt hat, so kann ein Volk auch in bezug auf seine nationale Geschichte nicht einen völlig neuen Anfang riskieren. Es kommt darauf an, die Traditionen daraufhin zu prüfen, was sie der Gegenwart und der Zukunft an Nützlichem und Wertvollem zuzuführen vermögen. Man kann also in bezug auf solche traditionalen Werte durchaus konservativ sein, ohne deshalb gleichzeitig den ganzen geschichtlichen Weg eines Volkes gut zu finden und die gegenwärtige Gesellschaftsstruktur mit all ihren Institutionen um jeden Preis erhalten zu wollen. Das hat Erhard Eppler in seinem Buch ›Ende oder Wende?‹ klargemacht, indem er zwei Typen von Konservatismus unterscheidet, den Strukturkonservatismus und den Wertkonservatismus. Er gibt selber ein Beispiel dafür:

»Wenn die gegenwärtigen Trends in unseren großen Stadtkernen so weitergehen, dann haben wir in unseren Städten in zehn, fünfzehn Jahren die Zustände, die man heute in Boston oder Philadelphia hat. Nachts eine leere Großstadt mit einem Unmaß von Kriminalität; außen Ballungsränder, in denen man nur Verkehrsstauungen hat. Wenn Sie also nur wollen, daß eine Stadt bleibt, dann geht es, ob es Ihnen gefällt oder nicht, erst einmal von Hause aus um ein konservatives Anliegen, dann müssen Sie heute sogar eine Gesamtstrategie machen aus Kommunal-, Verkehrs-, Bodenpolitik, Planungspolitik, Wohnungsbaupolitik, Wohnungsmodernisierungspolitik und so fort, Ansiedlung von Dienstleistungsbetrieben ... Sie müssen eine Menge Gesetze ändern, Strukturen ändern, nur, damit Stuttgart Stuttgart bleibt und Nürnberg Nürnberg bleibt und nicht eine Anhäufung von Slums wird.«

Die Unterscheidung zwischen Wert- und Strukturkonservatismus besticht auf den ersten Blick. Trotzdem läßt sie sich, wie mir scheint, nicht aufrechterhalten, aus folgenden Gründen: Die Geschichte der Menschheit zeigt uns, daß mit dem Wandel gesellschaftlicher Strukturen ein Wandel gesellschaftlicher Werte einhergeht. Das zeigt sich nirgends deutlicher als bei den ausgesprochen konservativen Werten, wie zum Beispiel Autorität, Ehre, Opfer. Dies sind Werte, die erkennbar in eine vergangene oder doch vergehende Epoche der politischen Geschichte gehören. Autorität bedeutet heute auf immer zahlreicheren Feldern nur noch eine funktionale Anweisungsbefugnis: Ich habe Kompetenz als Automechaniker oder als Französischlehrer, aber meine Autorität beschränkt sich auf diese Felder meines Wissens und Könnens. Der Doktortitel kann darauf hindeuten, daß ich als Physiker mich wissenschaftlich ausgewiesen habe, gegenüber meinem Hausnachbarn oder meinem Friseur aber spielt er keine Rolle, oder sollte er keine Rolle mehr spielen. Der Begriff der Ehre hat ebenfalls einen erheblichen Wandel durchgemacht, wenn man seine Entwicklung vom feudalen Standesbegriff über den ›ehrbaren Kaufmann‹ und die ›ehrbare Jungfrau‹ bis in die heutige Zeit verfolgt, wo er kaum noch auftaucht, wennschon man nicht leugnen muß, daß es auch heute noch so etwas wie die Ehre einer Familie oder einer Nation gibt. Und doch ist das Schicksal eines Menschen heute nicht mehr in dem Maße von seiner Familie und ihrer Ehre abhängig wie in früheren Zeiten, wo der Bankerott des Vaters die Karriere des Sohnes, der leichtfüßige Lebenswandel der Schwester das berufliche Schicksal des Bruders zerstören konnte.

5. ›Posthistoire‹ und ›Postmoderne‹

Die zuletzt darzustellenden Aspekte des Konservatismus betreffen jüngste Entwicklungen, deren Konturen und Perspektiven gegenwärtig noch zu undeutlich sind, um den Namen ›Theorie‹ zu rechtfertigen. Immerhin lassen sich einige Punkte und Linien erkennen, die sich möglicherweise später zu einer konservativen Position zusammenschließen, welche dem jetzt schon verwandten Namen ›Neokonservatismus‹ Sinn gibt.

Ausgangspunkt dieser neuen Tendenzen ist – darin bleibt konservatives Denken sich treu – wiederum die Kritik an progressiven Entwicklungen. Der technokratische Konservatismus hatte gemeint, die moderne Industriegesellschaft sei in ein nicht mehr veränderbares Stadium der ›Kristallisation‹ von Technostrukturen in Wirtschaft und Politik eingetreten. Er hatte ferner gedacht, Sinnfragen erledigten sich durch den

Hinweis auf ›Sachgesetzlichkeiten‹, deren Evidenz in ihrer rein technischen Notwendigkeit und Effektivität liege. Demgegenüber zeigten die politischen Turbulenzen der sechziger und frühen siebziger Jahre, daß man keineswegs in ein solches ›Posthistoire‹ allgemeiner Windstille eingetreten war. Neue emanzipative Forderungen wurden mit Entschiedenheit vorgetragen, zunächst an den Rändern des politischen Establishments, dann auch in etablierten Parteien und in Wählerschichten, die sich bisher innerhalb traditionaler politischer ›Rahmenbedingungen‹ orientiert hatten. Die demokratische Idee erwies aufs neue ihre Dynamik. Neue soziale Bewegungen forderten die Verwirklichung des Gleichheitsgebotes, demokratischer Willensbildung, radikaler Basislegitimation, Einlösung der Brüderlichkeits- und Friedensphilosophie. Die tradierten Strukturen der kapitalistischen Ökonomie und des bürgerlichen Staates sollten zugunsten von ›Alternativen‹ aufgebrochen werden. Kein Politikfeld blieb von solchen Forderungen verschont. ›Wertewandel‹ sollte die Skala einer ›materialistischen‹ Bedürfnisorientierung zugunsten einer ›postmaterialistischen‹ verändern. Die Anführer dieser politischen, moralischen und ästhetischen Revolution stammen aus jüngeren Jahrgängen der gebildeten Mittelschichten.

Hatte der Konservatismus zunächst gehofft, es handele sich bei diesen Gruppen um sehr kleine radikale ›Subkulturen‹, derer man sich mit Repression, vor allem einer entschlossenen Konfrontation gegenüber allen ›Linksintellektuellen‹ erwehren könne, so mußte er bald einsehen, daß das Problem ernster war: Die gesamte Industriekultur gerät offenbar in eine Krise, das elitedemokratische Politikverständnis wird brüchig, die überkommenen Legitimitätsformen fragwürdig, ökonomische Positionen und militärische Strategien geraten in unerwarteten Rechtfertigungszwang.

Im Zuge dieser dramatischen Entwicklungen gewinnt eine Einsicht an Boden, der auch Konservative sich nicht verschließen können: Die über ein Vierteljahrtausend geltende moralische Legitimation der kapitalistischen Industriekultur zerfällt. Schuld daran ist paradoxerweise diese Kultur selber: Kapitalistische Wirtschaftsethik versprach als Lohn für asketische Leistung, Fleiß und Planungsenergie am Ende ein Leben in Freiheit von gerade diesen Zwängen, mindestens in den immer wachsenden Bereichen von Freizeit und Muße. ›Selbstverwirklichung‹ wird gegenwärtig von immer mehr Alters- und Berufsgruppen eingeklagt, Ar-

beit immer weniger ›um ihrer selbst willen‹ geschätzt. Statt Identifizierung mit dem Betrieb, dem Staat, dem Allgemeinwohl, moralischen
Normen und anderen traditionellen ›Überichs‹ tritt jetzt der narzißtische
Typ eines nur noch an sich selbst und seiner Selbstdarstellung interessierten Menschen auf den Plan.

Angesichts dieser »kulturellen Widersprüche des Kapitalismus« (Daniel Bell) entwickeln Konservative unterschiedliche Strategien. Gemeinsam gilt allen weiter der Kampf gegen liberale Intellektuelle und Publizisten für vordringlich: als gefährlichen Verstärkern des Bruches zwischen
Industriesystem und postmaterialistischer Kultur. Manche Konservative sehen in den Intellektuellen überhaupt die Ursache einer Misere, die
ihnen einzig als ›Kulturkrise‹ erscheint.

Gleichzeitig werden Intellektuelle aber auf neue Weise gebraucht und
von Konservativen umworben: als Gegensteurer und Ideologienprodu-
zenten von Rückgriffen auf alte Kulturinhalte, von denen man sich Rettung, zumindest Linderung verspricht. Diese Inhalte wechseln nach
Land und Lage: Religion, Heimat, Nation, Geschichtsbewußtsein, sekundäre Tugenden, Dichtung von bewährter Klassik etc. Wichtig ist
allein, daß solche Rückgriffe dazu taugen, die Irritationen und die Sinnlosigkeit moderner Technostrukturen zu konterkarieren und auf diese
Weise unsere Zivilisation »kompensatorisch zu befrieden« (Jürgen
Habermas).

Bei solchen Rückgriffen auf traditionelle Kulturinhalte geht es ihren
Verfechtern in den wenigsten Fällen um diese selbst, sondern stets um
ihre ›therapeutische‹ Kraft. Das gesamte ›Kulturgut‹ wird unter diesem
Gesichtspunkt gewertet, entsprechend selektiert und auf diese Weise
häufig aus seinem historischen Kontext gerissen. Im Blick auf Religion
heißt das zum Beispiel: Eine Konfession, ein Glaubenssatz, ein Ritus
soll ›als Religion der Väter‹ wieder in alte Rechte eingesetzt werden,
ungeachtet ihres theologischen Zusammenhangs und ihrer Glaubens-
verbindlichkeit. Das ist ein altes konservatives Prinzip: Die soziologische Reflexion tritt an die Stelle der sachlichen, und ›Tradition‹ wird
als solche wichtig, während der Grund ihrer Geltung aus dem Blick
gerät.

Der Neokonservatismus hat sich, wie es scheint, damit abgefunden,
daß solche neu-alten Kulturwerte nur noch in völliger Abkoppelung
vom modernen Industriesystem ›erhalten‹ (d. h. neu eingeführt) werden
können. Da moderne Technostrukturen von sich her keine Sinnperspek

tiven eröffnen, sollen sie nur noch der Produktion dienen, keine Brücke zum kulturellen ›Reproduktionsbereich‹ liefern.

Daß Konservative mit ihrer Analyse des modernen Dilemmas nicht völlig fehlgehen, dafür liefert die ästhetische Richtung der sogenannten ›Postmoderne‹ viele Beispiele. Die Baukunst z. B. hat stets das Nützliche mit dem Schönen zu verbinden versucht. Die Architekturtheorie des Bauhauses ging davon aus, daß eine sich aus technischen Zwängen ergebende Struktur schon deshalb ästhetisch wertvoll sei. Aus der durch diesen Fehlschluß sich heute ergebenden Frustration rettet sich die postmoderne Architektur in eine Verbindung von technischer Perfektion auf der einen und historischen Reminiszenzen und ›Zitaten‹ aus früheren baugeschichtlichen Epochen auf der anderen Seite: ›Heimat‹ durch Erinnerung.

Resignation scheint durchgängig die Signatur neokonservativer Haltung zu sein: Man traut sich nicht mehr zu, die Ebenen von Produktion und Reproduktion, Arbeit und Freizeit, Leistung und Muße, Berufswelt und Lebenssinn zusammenzubringen. Die Linke gibt dagegen trotz enormer Schwierigkeiten und Rückschläge nicht auf: Sie will weiterhin das Industriesystem humanisieren, der Arbeitswelt Sinn abgewinnen, die Technostruktur menschengerecht halten und moralische wie ästhetische Kategorien nicht zu Freizeitwerten verkommen lassen. Deshalb fordert sie Eingriffe und Umbauten überkommener wirtschaftlicher und politischer Strukturen, vor denen der Konservative zurückschreckt. Dabei offenbart die Weise seiner Abwehr häufig eine Ambivalenz zwischen Wirtschaftskonservatismus und Kulturkonservatismus, die seit dem Aufkommen des Kapitalismus den Weg des Konservatismus zu immer neuen Zickzackwegen zwang.

Es ist zu früh, ein generelles Urteil über diese neokonservativen Strömungen zu fällen. Eines läßt sich jedoch schon erkennen: Es geht mit ihnen wie mit anderen konservativen Positionen: Die Aufdeckungen von Schwachstellen und die Errechnung der Kosten des Fortschritts gelingen dem Konservatismus auf zuweilen beeindruckende Weise. Aber er ist weder fähig noch willens, sich an der Ausarbeitung von Konzeptionen für die Bewältigung von längerfristigen Zukunftsaufgaben zu beteiligen. Er will nicht ›zukunftweisend‹ sein, weil dies seiner Grundüberzeugung widerspräche: daß man von der Zukunft nichts Gutes zu erwarten hat, wenn man sie nicht auf Herkunft gründet. Sein Konzept von ›Posthistoire‹ und ›Postmoderne‹ will das Kultursystem von der technischen Fortschrittsbahn abkoppeln und auf das Abstellgleis einer vom Zug der Zeit nicht berührten Geltung von Werten stellen, die ewige Dauer beanspruchen können. Modernität heißt nicht neu, sondern immer-neu. Diese Perspektive hat der Konservative, der selber ein Produkt der Moderne ist, stets abgelehnt. Heute läßt er sie nur noch für das Industriesystem gelten, während er im Kultursystem auf eine ›postmoderne‹ Windstille hofft, in der das ›Alte Wahre‹ wieder zur Geltung kommen kann.

Identität durchs Schweigen?
Unser Umgang mit dem Nationalsozialismus

Man ist es wirklich leid und mag es nicht mehr hören: Vierzig Jahre sind wir nun dabei, die kurze Spanne des NS-Regimes aufzuarbeiten, durchzuarbeiten, zu bewältigen, zu erinnern, zu verschweigen. Aber wir werden das Thema nicht los. Der Gegenstand erweist sich von einer Hartnäckigkeit, die allen Versuchen, es auf diese oder jene Weise loszuwerden, widersteht. Und mehr noch: Die kurze Phase der zwölf Jahre Nationalsozialismus zeigt eine thematische Variationsbreite, die unerschöpflich scheint. Jede neue Generation gewinnt ihr neue Seiten ab, jede innen- oder außenpolitische Turbulenz läßt sich im Lichte jener Erfahrung neu beleuchten. Auf diese Weise mischen sich Gelegenheiten freiwilligen Gedenkens mit Anlässen unfreiwilliger Erinnerung. Der 8. Mai 1985 war für uns eher von der letzteren Art. Die Sieger des Zweiten Weltkrieges zwangen uns durch ihren verständlichen Wunsch nach Gedächtnisfeiern zu diesem Akt der Selbstbesinnung. Entsprechend ambivalent fielen bei uns die Erinnerungszeremonien aus. Wieder gab es Streit um die richtige Deutung. Zusammenbruch, nationale Schmach oder Befreiung und Chance des politischen Neubeginns: Stets sorgt das Thema Nationalsozialismus für parteipolitischen Hader in einem Land, dessen sozialer und ideologischer Befriedungsgrad von anderen Völkern für beneidenswert hoch gehalten wird. Muß denn das sein, soll das ewig so weitergehen, läßt sich das Thema nicht endlich einmal erledigen?

Deutschland ist nicht das einzige Land, das in seiner jüngsten Geschichte Phasen kennt, deren genaue Beschreibung sich in Geschichtsbüchern schlecht ausnehmen würde. Auch andere Völker haben moralische Probleme mit ihrer politischen Vergangenheit. Manche Franzosen meinen, es sei besser, gewisse Augenzeugenberichte aus der Zeit der Resistance oder des Algerien-Krieges blieben unter Verschluß. Sartre war es, der damals eine Parallele zwischen dem Schweigen der französischen Nation zu den Folterberichten während des Algerien-Krieges und dem deutschen Schweigen zu Auschwitz zog. Er schrieb:

»Wir sind nicht ahnungslos, wir sind widerlich ... ›Jeder‹ hat von den Folterungen gehört, trotz allem ist etwas davon in die großen Zeitungen durchgesickert; ehrliche, aber weniger auflagenstarke Zeitungen haben Augenzeugenberichte veröffentlicht, Broschüren sind im Umlauf, Soldaten kehren zurück und sprechen. Es gibt ehrliche, mutige Informanden, die sagen, was sie wissen, jeden Tag oder jede Woche: man sucht sie zu ruinieren oder ins Gefängnis zu bringen, und ihre Zuhörerschaft wird nicht größer.«

Sie wurde doch größer, die Zuhörerschaft, die sich empörte über die Schande, die Frankreich vor aller Augen auf sich zog. Dabei machte es Sartre seinem Publikum nicht leicht. Er zog einen schlimmen Vergleich: »Damals durfte die deutsche Bevölkerung nicht behaupten, von den Konzentrationslagern nichts gewußt zu haben. ›Von wegen!‹ sagten wir. ›Sie wußten alles!‹ Wir hatten recht, sie wußten alles, und erst heute können wir es verstehen: denn auch wir wissen alles. Die meisten hatten Dachau oder Buchenwald niemals gesehen, aber sie kannten Leute, die wieder andere kannten, die den Stacheldraht gesehen oder in einem Ministerium Einblick in vertrauliche Notizen genommen hatten. Sie dachten wie wir, daß diese Informationen nicht zuverlässig seien, sie schwiegen, sie mißtrauten einander. Können wir sie heute noch verurteilen? Können wir uns noch die Hände in Unschuld waschen?«

Die USA haben ihren Vietnam-Krieg, dessen politische Sinnlosigkeit und Inhumanität Stoff genug enthielte für ›Bewältigung‹ und ›Trauerarbeit‹. Großbritannien findet seine jüngste Geschichte durch Taten von Männern beschmutzt, die bis heute als Offiziere, Beamte, Lords und Minister angesehene Positionen bekleiden: Die Londoner ›Times‹ appellierte an das Gewissen der Nation und forderte eine offizielle Untersuchung der Zwangsverschickung von über zwei Millionen Russen und Angehörigen anderer Nationalitäten in die Sowjetunion am Ende des Zweiten Weltkrieges. Auch hier blieben die entsprechenden Dokumente zunächst gesperrt. Dann konnte Nikolaj Graf Tolstoy das Material auswerten und schrieb ein Buch, »das qualvoller ist als alles, was Leo Tolstoi je geschrieben hat« (›The Times‹). Tolstoy weist nach, daß die Zwangsrepatriierung von Menschen, die früher in Rußland gelebt hatten, von Stalin nicht einmal verlangt, sondern ihm von der britischen Regierung aufgeredet wurde. Diese Maßnahme verstieß gegen britische Gesetze, so daß hohe britische Beamte nach einem Hauptkriterium der Anklagen von Nürnberg heute als Kriegsverbrecher gelten müssen. Der ›Sunday

Telegraph‹ meinte, Großbritannien müsse sich nun von dem Letzten trennen, was aus seiner größten Stunde, dem Zweiten Weltkrieg, noch geblieben war: einer ruhmvollen Vergangenheit, an die man sich in der gegenwärtigen Misere klammern könne. Das britische Magazin ›Spectator‹ beneidete die Deutschen um den Kniefall Brandts vor dem Mahnmal im Warschauer Ghetto.

Die Liste solcher Beispiele für Schandphasen in der Geschichte von Nationen ließe sich beliebig verlängern. Grund genug, die Frage ernstzunehmen, warum wir eigentlich über die zwölf Jahre Nationalsozialismus nicht auch den Schleier des Vergessens breiten dürfen. Alfred Grosser stellt diese Frage in seinem jüngsten Buch ausdrücklich:

»Der Begriff der Vergangenheitsbewältigung behält in der Bundesrepublik seine Geltung, während die Vergangenheit woanders mühelos überwunden wurde, weil sie nicht aufgearbeitet worden ist. Etwa in Frankreich, wo man peinlich genau die deutsche Gesetzgebung über die Verjährung von Naziverbrechen verfolgt, die lediglich die Unmöglichkeit nach sich ziehen würde, neue Strafverfolgungen einzuleiten, während die Verbrechen, die im Namen Frankreichs in Indochina, Madagaskar und Algerien begangen wurden, in Vergessenheit geraten, Gegenstand einer Amnestie, d. h. eines Verbots, an Taten und Täter zu erinnern, geworden sind. Und man kann nicht behaupten, daß die Art und das Ausmaß der Mittäterschaft von Franzosen, ihrer Beteiligungen an Verbrechen, die während der deutschen Okkupation begangen wurden, jemals Gegenstand einer umfassenden und aufrichtig geführten Diskussion waren.«

Und fordert man Rechenschaft von der UdSSR, von ihren heutigen Führern und Bürgern, über die Massaker und andere Grausamkeiten, die sich über Jahrzehnte in großem Umfang abgespielt haben? In allen Ländern behaupten die kommunistischen Parteien, daß es wenig ergiebig sei, über diese Vergangenheit zu sprechen, sehen die deutsche Vergangenheit jedoch unablässig als gegenwärtig an. Und als Günter Grass im September 1984 den DDR-Schriftsteller Stephan Hermlin im Fernsehen interviewte und ihm die Frage stellte: »Sie haben Stalin verherrlicht. Sie haben ihn im Gedicht gehuldigt. Sind Sie da mit sich selber im reinen? Schämen Sie sich Ihrer Stalin-Gedichte?« – erwiderte der kommunistische Intellektuelle: »Nicht im mindesten ...«

Noch einmal also die Frage: Sollte es einen Unterschied geben zwischen den dunklen Kapiteln in der Geschichte anderer Völker und unserem finsteren NS-Kapitel? Sollten wir diese kurze Phase nicht aus dem Bestand unserer nationalen Traditionen tilgen dürfen? Schließlich hat kein Volk der Erde seine ganze Vergangenheit als politische Tradition präsent. Auswahlprinzip und Filter für das, was als Tradition im Gedächtnis der Völker bewahrt wird, gibt eine gewisse Stimmigkeit im Interesse von Identität: Was nicht ›paßt‹, innerhalb historischer Selbstdeutung keinen Sinn gibt, muß eliminiert werden. So wie die Person Taten vergißt, mit denen sie sich nicht identifizieren will, weil sie nicht ins Eigenbild oder Fremdbild passen, so sind auch Nationen geneigt, aus der Vergangenheit nur das als ihre Geschichte gelten zu lassen, was zu ihrem Selbstbild oder Fremdbild nicht in krassen Widerspruch gerät. Für die politische Geschichte trifft zu, was für die persönliche Biographie gilt: Man wählt aus, man reinigt, man stilisiert, man tilgt aus der Erinnerung. Raster für dieses Auswahlverfahren liefern natürlich auch die Bedürfnisse der Gegenwart. Zur Gegenwart und ihren Bedürfnissen gehört die Sorge um die Zukunft. Zukunft bewältigt man unter anderem dadurch, daß man die Vergangenheit überwältigt.

Aber wie die Person nicht nur von dem lebt, was sie aus ihrer Vergangenheit gelten lassen möchte, sondern zugleich akzeptieren muß, was ›wirklich gewesen‹ ist und als Bestimmungsfaktor weiterwirkt, so gibt es auch für die Identitätsarbeit einer Nation Grenzen für das, was sie vergessen darf. Die Frage ist also: Wo beginnt die nationale Geschichtsklitterung? Dürfen wir die so kurze Zeitspanne des NS-Regimes für die Ausbildung unseres Geschichtsbewußtseins ›überschlagen‹, weil sie so gar nicht in die Geschichte des Volkes der Dichter und Denker paßt, so gar keinen Reim gibt auf die Tradition bürgerlicher Politikferne mit all ihren Innerlichkeiten, oder bleibt diese Phase für Deutschland eine historische Bestimmungsgröße von großer ›Geschichtsmächtigkeit‹?

Der amerikanische Politologe Sidney Verba war dieser Überzeugung, als er 1965 die folgenden Sätze schrieb: »Die Bedeutung der Erfahrung des Nationalsozialismus wird in der deutschen Politischen Kultur noch zu spüren sein lange nachdem die, die ihn am eigenen Leibe erfahren haben, gestorben sein werden. Ebenso wie die Französische Revolution oder der Amerikanische Bürgerkrieg oder die Mexikanische Revolution eine große Rolle in den Politischen Kulturen der betreffenden Nationen spielen.«

Der Vergleich mit der Französischen Revolution mag auf den ersten Blick bestechen, hält aber einer kritischen Prüfung in vielen Punkten wohl nicht stand. Über das Ausmaß der Schockwirkung wird man erst nach hundert Jahren urteilen können. Andere Gesichtspunkte lassen schon nach einem Dritteljahrhundert ein sicheres Urteil zu. So hat zum Beispiel die Französische Revolution ebenso wie der Amerikanische Bürgerkrieg eine große Literatur hervorgebracht. Vom Nationalsozialismus gibt es praktisch keine Spuren, die von bedeutendem literarischem Wert wären. Wolfgang Koeppen stellt in seiner Rede zum Büchner-Preis diesen Umstand in einem Vergleich zwischen Hitler und Napoleon erleichtert fest: »Ich frage mich, wo ist der Stendhal des Nationalsozialismus, der Mann, der Dichter, der Napoleon liebte und der sich sein Leben lang von der Teilnahme an seinen Feldzügen geadelt fühlte? Wer liebte, von allen, die teilnahmen, Hitler, wer fühlte sich durch den Blick des Führers geadelt, und wer schrieb den Roman dieses Aufbruchs und beschrieb die Leere, den Ekel und die Verzweiflung, die ihn doch überkommen haben müßte, als diese Macht, der er sich verschrieben hatte, zusammenbrach? Dieser Mann, dieser Dichter, würde uns, gäbe es ihn, in Verlegenheit setzen. Aber es gibt ihn nicht. Zum Glück. Und so darf man es wohl als eine Ehre der deutschen Literatur betrachten, daß Hitler und die Seinen von keinem Dichter begleitet wurden!«

Das Lied der Französischen Revolution, die Marseillaise, wird heute noch als Nationalhymne gesungen. Die Revolution ist positiv in die politische Geschichte Frankreichs aufgenommen. Auch wenn es die Besatzungsmächte waren, die alle NS-Symbole verboten, kann man sich kaum vorstellen, daß das Horst-Wessel-Lied je noch einmal den Rang einer deutschen Nationalhymne erreichen wird.

Oder doch? Ist es denkbar, daß der Nationalsozialismus, nachdem alle gestorben sind, die ihn selbst erlebt haben, eine politische Rehabilitierung erfährt? Wenn er fähig wäre, positive Traditionen zu bilden, dann würde der Vergleich zur Französischen Revolution zutreffen.

Wenn wir keinen Anlaß haben, die positive Einvernahme des Nationalsozialismus in deutsche Politiktradition zu erwarten, könnten wir vielleicht mit diesem bedenklichen Abschnitt doch so verfahren wie die Briten, die Amerikaner oder die Franzosen mit ihren durch Verbrechen belasteten Geschichtsphasen? Ein verlockender Gedanke, dem jedoch verschiedene Hindernisse entgegenstehen.

Die zwölf Jahre nationalsozialistischen Führerstaates waren auf eine Weise geschichtsmächtig, die keinen Historiker, der mit Deutschlands neuester Geschichte zu tun hat, an ihm vorbeikommen läßt. Nicht daß diese Wirkungen vom Nationalsozialismus selber als Ziele ins Auge gefaßt wären – die meisten seiner Wirkungen waren sozusagen ›dysfunktional‹ –, aber als Auslöser und Wirkfaktor kommt der Nationalsozialismus für außen- und innenpolitische Entwicklung Deutschlands nach 1945 ständig vor. Auch wenn man wollte, könnte man ihn nicht umgehen, einfach weil das faktische Geschehen in seiner ursächlichen Erklärung ihn ständig ins Spiel bringt. Ich gebe im folgenden eine Liste der Spuren, die der Nationalsozialismus bis heute hinterlassen hat – und dies zunächst getrennt von der später anzustellenden Überlegung, ob und wie weit wir aus Gründen der Moral, der Identitätsarbeit oder welcher Veranlassungen sonst die Beschäftigung mit dem Nationalsozialismus nicht meiden sollten.

Da ist zunächst die Gruppe von Spuren, die man als Korrektur- oder Vorbeugemaßnahmen bezeichnen kann: Narben, die sich in der Verfassung, in gesetzlichen Regelungen finden und nur Sinn geben, wenn man sie im Blick auf den ›definitorischen Gegner‹, den Nationalsozialismus, versteht. Der Verfassungstext des Grundgesetzes weist eine ganze Reihe solcher Narben auf. So findet sich z. B. in keiner anderen Verfassung der Welt diese inhaltliche Ausfüllung des Gleichheitssatzes: »Niemand darf wegen seines Geschlechts, seiner Abstammung, seiner Rasse, seiner Sprache, seiner Heimat und Herkunft, seines Glaubens, seiner religiösen oder politischen Anschauungen benachteiligt oder bevorzugt werden.«

In der Bundesrepublik müssen eine Reihe neuer Institutionen, politischer Verfahrensregeln und Rechtsgarantien als Anwort auf das Dritte Reich verstanden werden. Dazu gehört das Bundesverfassungsgericht, die Fünf-Prozent-Klausel, aber auch das Recht auf Wehrdienstverweigerung. In anderen demokratischen Staaten der Erde ist dieses Recht gesetzlich geregelt. Bei uns hat es Verfassungsrang: Im klassischen Grundrechtskatalog taucht im Zusammenhang mit der Glaubens- und Gewissensfreiheit auf diese Weise das rechtssystematische Kuriosum eines ›antragsbedürftigen‹ Grundrechtes auf.

Große Themen der Innenpolitik, welche die westdeutsche Bevölkerung über Monate bewegten und teilweise schwere Unruhen verursachten, sind ohne den Hintergrund der nationalsozialistischen Vergangenheit nicht zu begreifen. Die Frage der Wiederbewaffnung, die Regelung des politischen Ausnahmezustandes, auch Gesetze ohne verfassungsrechtlichen Rang (etwa das Abtreibungsgesetz) oder der sogenannte Radikalenerlaß wurden häufig im Rückgriff auf nationalsozialistische Ideo-

logien und Praktiken diskutiert. Schon lassen sich die Belastungen absehen, unter denen einmal Vorschläge zur gesetzlichen Regelung einer
Tötung auf Verlangen stehen werden.

Auch das Parteiensystem der Bundesrepublik wurde von der nationalsozialistischen Vergangenheit betroffen. Parteien wurden vom Bundesverfassungsgericht für verfassungswidrig erklärt. Rechte Flügel der
konservativen Parteien müssen den Vorwurf ›faschistisch‹ fürchten.

Am stärksten wurde die Sozialdemokratie vom NS-Regime betroffen,
nämlich gleich dreifach: durch die Diskreditierung des Sozialismus in
der Ideologie und Praxis des Nationalsozialismus, die Dezimierung der
Parteiführung durch Verfolgung, Ermordung und Ausweisung und
schließlich durch die organisatorischen und psychologischen Schwierigkeiten des Neuaufbaus einer Partei, deren Führer aus dem Untergrund,
dem KZ, dem Widerstand oder der Emigration auftauchten. Alle drei
Punkte wurden, wennschon auf völlig unsinnige Weise, im politischen
Kampf gegen die Sozialdemokratie verbunden, nach folgender Melodie:
Während die späteren Führer der bürgerlichen Parteien im Kampf gegen
den bolschewistischen Sozialismus hohe Tapferkeitsauszeichnungen er-
warben, standen die Führer der Sozialdemokratie diesem nationalen
Schicksalskampf fern und reden heute wieder einem Kollektivismus das
Wort, obwohl ihnen der Nationalsozialismus in diesem Punkte eine
Lehre hätte sein können.

Die deutsche Teilung wird stets als Ergebnis der aggressiven Politik
Hitlers gelten. In der weltöffentlichen Meinung ist die DDR nicht mit
der Hypothek des Nationalsozialismus belastet. Die Bundesrepublik hat
dagegen das ambivalente Erbe des Deutschen Reiches ausdrücklich übernommen. Sie hielt durch Wiedergutmachungszahlungen das Thema der
politischen Schuld wach und sorgt heute noch durch eigene strafrechtli-
che Verfolgung von Naziverbrechen dafür, daß der Schatten der NS-
Vergangenheit nicht völlig von dem Bonner Staat getilgt ist.

Eine weitere Folge nationalsozialistischer Politik ist die Neugliede-
rung der Länder, vor allem aber die Auslöschung des preußischen Staates. Anläßlich der Unterzeichnung des Warschauer Vertrages schrieb die
Chefredakteurin der ›Zeit‹ und ehemals preußische Gräfin Marion Dön-
hoff: »Es war Adolf Hitler, dessen Brutalität und Größenwahn 700 Jahre
deutscher Geschichte auslöschten. Nur brachte es bisher niemand übers
Herz, die Todeserklärung zu beantragen oder ihr auch nur zuzustim-
men ...«

Unser nationales Selbstbild hängt unter anderem davon ab, wie das Ausland die Deutschen sieht. Viele Völker Europas haben das national-sozialistische Regime zusammen mit den Armeen Hitlers kennenge-lernt. Wie wir im Innenverhältnis mit der ganzen deutschen Geschichte leben müssen, so müssen wir ertragen, daß das Ausland in der Bundesre-publik ›Deutschland‹ den vollen Erben der deutschen Geschichte sieht und sich nicht auf die Achtung unseres Landes als Wirtschafts- und So-zialstaats, stabiler Demokratie, wichtigen Handelspartners und zuver-lässigen NATO-Mitgliedsstaats beschränkt. Die Frage nach Spuren, welche nicht nur die NS-Vergangenheit, sondern auch andere Epochen deutscher Geschichte im gegenwärtigen deutschen Staat hinterlassen, ist keine Frage westdeutscher Innenpolitik allein, sondern betrifft Hoffnun-gen und Befürchtungen, die das Ausland ebenso angehen.

Handelte es sich bei den bisherigen Spuren des Nationalsozialismus sämtlich um ›dysfunktionale‹, d. h. ungewollte Ergebnisse nationalso-zialistischer Politik, so öffnet der folgende Gesichtspunkt Perspektiven, die teilweise vom Dritten Reich selber gewollt waren. Das jedenfalls ist der Kern der sogenannten Modernisierungsthese: Der Nationalsozialis-mus habe für die deutsche Gesellschaft einen ›Stoß in die Modernität‹ bedeutet, in Grenzen auch eine soziale Revolution. Dieser Tatsache ver-danke die Bundesrepublik, daß sie eine moderne und nicht mehr die wil-helminische Gesellschaft sei. Mit den Worten eines Hauptvertreters die-ser Theorie, Ralf Dahrendorfs: »So, wie die Herren der neuen Länder in unserer Zeit die Stammesloyalitäten der Menschen zerbrechen müssen, um ihre Herrschaft zu etablieren, so mußten die Nationalsozialisten die überlieferten – und in ihrer Wirkung antiliberalen – Loyalitäten zu Re-gion und Religion, Familie und Korporation zerbrechen, um ihren tota-len Machtanspruch durchzusetzen. Hitler brauchte die Modernität, so wenig er sie mochte.«

Soziale Revolution durch totalitäre Gleichschaltung, das ist der Kern der Dahrendorfschen These. Ungeachtet der nationalsozialistischen Ideologie, dieses Gemisches aus romantischer Organologie, Rassenlehre und germanischen Heldensagen, habe Hitler mit der Forderung des ›Volksgenossen‹ die Wiederkehr des wilhelminischen ›Untertanen‹ ver-hindert. (Thomas Mann hatte übrigens schon 1933 die Ambivalenz von nationalsozialistischer Ideologie und Politik bemerkt, als er über Hitlers erste Taten notierte: »Der widerlich modernistische Schmiß, das psychologisch Zeitgemäße darin, in Anbetracht der kulturellen, geistigen und moralischen Rückbildung. Das keß Moderne, Tempomäßige, Futuristische im Dienste der zukunftsfeindlichen Ideenlosigkeit, Mammutreklame für Nichts. Schauderhaft und miserabel.«)

Dahrendorfs These blieb nicht unbestritten. Peter Graf Kielmansegg meint, der Nationalsozialismus sei schwerlich eine angemessene Vorbereitung auf die heute geforderte Staatsbürgerrolle gewesen. Wilhelminische Unmündigkeit sei nur durch eine andere Unmündigkeit abgelöst worden: durch moderne Manipulation. Er sieht eher im Krieg und dem durch ihn hervorgerufenen Zusammenbruch den (also wieder unfreiwilligen) Grund für eine gewisse Modernisierung. Der verlorene Krieg habe den Untergang der alten Eliten und den notwendigen Wandel des politischen Bewußtseins gebracht. Jetzt erst sei der politische Umsturz von 1918 sozial eingelöst. Deutschland habe sich nicht wie andere Völker durch soziale Revolution, sondern durch kriegerische Akte der Selbstzerstörung von seiner Vergangenheit getrennt. Kielmansegg vermutet, der Kontinuitätsbruch sei auf diese Weise gründlicher ausgefallen, als dies in Revolutionen geschehe. Das trifft im Blick auf die Kontinuität der Eliten teilweise zu. Die Frage bleibt aber, ob militärische Niederlagen als solche schon einen Wandel zum demokratischen Bewußtsein bewirken oder ob es noch anderer Beweggründe dafür bedarf.

Handelte es sich bei diesen Punkten, mit Ausnahme des letzten, um Spuren, die sich nachzeichnen lassen und über die es wenig Streit geben kann, so kommen wir mit den folgenden Überlegungen in den Bereich höchst kontroverser Deutung. Es geht um die Frage, in welcher Weise wir mit dem Nationalsozialismus umgegangen sind, hätten umgehen sollen und diese Erfahrung für die politische Kultur der Bundesrepublik genutzt oder versäumt haben. Wir: das sind die Generationen, die seit 1945 unserem Staat nach innen und außen Gestalt gegeben haben, und hier liegt der Kern des Problems. Wie immer man den Generationenbegriff faßt, ob biologisch als Abfolge von Großeltern, Eltern und Kindern oder als Altersgruppen, die durch dieselben einschneidenden Erfahrungen verbunden sind (und dann hätten wir mehr Generationen als die biologischen): in jedem Fall führt die unterschiedliche Weise der Betroffenheit durch das NS-Regime zu unterschiedlichen Einstellungen zum Nationalsozialismus, und mehr: Auch das Verhältnis der Generationen untereinander wird durch unterschiedliche Beurteilungen dieser geschichtlichen Phase geprägt.

Ganz verschiedene zeitliche Schnitte lassen sich hier legen, je nach den sozialisationstheoretischen Annahmen, die man macht, oder auch nach gewissen spektakulären politikgeschichtlichen Phasen und Ereignissen der Bundesrepublik: innenpolitische Auseinandersetzungen, die Studentenrevolte; man kann auch sozialwissenschaftliche Theorien und ihre Abfolge als Kriterien nehmen, in der politischen Didaktik oder in der Entwicklung der Faschismustheorien; schließlich spielen die Medien eine immer wichtigere Rolle. Man denke nur an die Holocaust-Serie.

Ich kann diese unterschiedlichen Perspektiven hier nicht im einzelnen verfolgen, vor allem nicht ihre gegenseitige Bedingtheit entfalten, sondern beschränke mich auf die Diskussion einer sehr einfachen These, die Hermann Lübbe in einem vielbeachteten Aufsatz vorgetragen hat (Historische Zeitschrift, Band 236, 1983, Seite 579 ff.). Unter dem Titel ›Der Nationalsozialismus im deutschen Nachkriegsbewußtsein‹ entwickelt er folgenden Gedanken: Die Generationen, welche dem Nationalsozialismus politisch oder beruflich aktiv verbunden waren, hätten 1945 seine moralische Diskreditierung nie ernsthaft in Frage gestellt, auch wenn sie das Thema Nationalsozialismus nicht thematisiert, sondern eher mit Schweigen übergangen haben. Im Gegenteil, die öffentliche Anerkennung der politischen und moralischen Niederlage der nationalsozialistischen Herrschaft habe zu den zentralen legitimatorischen Elementen der neuen Republik gehört. Im Unterschied zu der sogenannten ›Verdrängungsthese‹, die meint, ein gefordertes Schuldeingeständnis sei aus Uneinsichtigkeit oder Verstocktheit unterblieben, erklärt Lübbe dieses Schweigen als eine Art Therapeutikum: »Diese gewisse Stille war das sozialpsychologisch und politisch nötige Medium der Verwandlung unserer Nachkriegsbevölkerung in die Bürgerschaft der Bundesrepublik Deutschland.« (585) Der neue deutsche Staat sei gegen Ideologie und Politik des Nationalsozialismus eingerichtet worden. Und wenn dies in so überzeugender Weise geschehen sei, könne man doch nicht gleichzeitig annehmen, daß es gegen die Mehrheit des Volkes geschehen sei. »In dieser Diskretion vollzog sich der Wiederaufbau der Institution, der man gemeinsam verbunden war, und nach zehn Jahren war nichts vergessen, aber Einiges schließlich ausgeheilt.« Als Beispiel für die von ihm vorgeschlagene Deutung des politischen Schweigens über den Nationalsozialismus führt Lübbe das sogenannte 131er-Gesetz vom 11. 5. 1951 an: »Dieses ist ja von den in ihre Rechte wieder eingesetzten entnazifizierten Beamten gewöhnlicherweise auch nicht als politische Rehabilitierung brauner Gesinnung gefeiert worden.« (587)

Schweigen also nicht als Verdrängung, sondern als Therapeutikum, verbunden mit einer politischen Aktivität, welche, da sie demokratisch orientiert war, die Kritik an der Vergangenheit in sich enthielt. Die Verdrängungsthese sei dagegen ganz wesentlich im Zusammenhang mit der Studentenrevolte zu sehen und erfülle »die Funktion der Selbsternennung ihrer Repräsentanten zu Angehörigen einer durch bessere politische Moral und größere emanzipatorische Bewußtheit privilegierten Intellektuellen-Elite« (589).

Wesentliches Element der Verdrängungsthese sei die Kritik an der Bundesrepublik Deutschland und ihren kapitalistischen Strukturen. Faschismus verbindet danach drei Phasen deutscher Geschichte: das kaiserliche Deutschland (mit seinen politikgeschichtlichen Bedingungen), den Nationalsozialismus und eine als faschistoid bezeichnete Bundesrepublik. Die Kritik am Schweigen der Väter ziele also in Wahrheit auf Verhältnisse der Bundesrepublik. Die Tatsache, daß die Bundesrepublik von den Generationen aufgebaut wurde, die den Nationalsozialismus trugen oder von ihm geprägt wurden, wird jetzt zum entscheidenden Argument, und das Schweigen wird zur Verdrängung: des Umstandes nämlich, daß es sich in beiden politischen Regimen um allerdings unterschiedliche Erscheinungsformen von Kapitalismus handelt. Die Folge dieser Spätkritik am Nationalsozialismus von Menschen, die ihn gar nicht selber erlebt haben, bedeute eine gefährliche Verunsicherung der neugeformten demokratischen Basis in der Bundesrepublik: »In der zweiten Hälfte der Geschichte der Bundesrepublik Deutschland haben die politisch desintegrativ wirkenden Formen der Auseinandersetzung mit dem Nationalsozialismus zu relativen Ungunsten der integrativen zugenommen.« (596f.)

Die These Lübbes besticht durch ihre Einfachheit. Auch hat ihr erster Teil viel Plausibilität für sich, denn in der Tat: Wie kann man sich den Aufbau eines demokratischen Staates anders vorstellen als dadurch, daß seine Bürger Demokraten werden? Außerdem hat die Vorstellung tätiger Reue anstelle lautstarker Schuldbekenntnisse sogar moralisch etwas für sich, und doch muß man wohl einige Abstriche von diesem so einfachen Bild und Rezept Lübbes vornehmen, wenn man Tatsachen bedenkt, die auf verschiedenen Feldern der These Lübbes widersprechen.

1. Einstellungsforschungen haben gezeigt, daß die Westdeutschen in den fünfziger Jahren schlechte Demokraten waren. Erst im Laufe von

Jahrzehnten hat sich auf beinahe allen Feldern demokratisches Bewußtsein eingestellt. Ich gebe einige besonders hervorstechende Beispiele:

– Die Behauptung, der Nationalsozialismus sei im Grunde eine gute
Idee gewesen, nur schlecht ausgeführt, fand bis in die sechziger Jahre
noch bei fast der Hälfte der westdeutschen Bevölkerung Zustimmung,
heute nur bei einem Viertel.

– Die Zustimmung zu der Meinung, es sei für ein Land besser, *eine*
Partei zu haben, damit möglichst große Einigkeit herrscht, sank in den
zwanzig Jahren von 1952 bis 1972 von 21 Prozent auf 8 Prozent;
ebenso wichtig ist die Tatsache, daß die in dieser Frage Unentschiedenen und Ratlosen von 12 Prozent auf 4 Prozent zurückgingen.

– Die pädagogischen Zielvorstellungen haben sich seit den fünfziger
Jahren erheblich geändert. Damals sprach sich nur ein knappes Drittel
der Bevölkerung für ›Selbständigkeit‹ aus, heute die Hälfte; ›Gehorsam und Unterordnung‹ brachten damals 20 Prozent, heute nur
10 Prozent.

– Auf die Frage ›worauf sind Sie in Ihrem Land am meisten stolz?‹ gaben
in den fünfziger Jahren die Bundesbürger noch zu 36 Prozent ›Volkseigenschaften‹ an, im Vergleich zu 15 Prozent, welche die jüngste Alterskohorte 1978 lieferte. Die politischen Institutionen erhielten damals 7 Prozent und stehen heute, nach dem Stolz auf die Wirtschaft,
an zweiter Stelle (bei der jüngsten Alterskohorte an erster Stelle).

Die übrigen Einstellungen komplettieren dieses Bild, das gar nicht danach aussieht, als ob die Deutschen nach dem militärischen Zusammenbruch 1945 sogleich auch den politischen Grundsätzen des NS-Regimes
den Abschied gegeben hätten.

Nicht nur, daß von einem plötzlichen politischen Bewußtseinswandel
– wie denn auch? – nach 1945 keinesfalls die Rede sein kann; sondern
eine zweite Tatsache ist von viel größerem Gewicht. Der tiefgreifende
Einstellungswandel hin zu Werten und Normen einer liberalen Demokratie westlichen Musters erfolgte weniger durch Bewußtseinsände-
rungen der älteren Generationen als durch das Nachwachsen von jüngeren Alterskohorten, deren demokratische Einstellungen auf allen
Feldern für die Verbesserung der Durchschnittsziffern gesorgt haben. Es
ist also nicht so, wie Lübbe annimmt, daß der Schock über die Verbrechen des NS-Regimes seine Werte und Normen mit einem Schlage aus-
getilgt hätte.

2. Schaut man sich die Praxis der Einstellung und Wiederverwendung

politisch stark belasteter Amtsträger durch die neue Republik an, so hat man nicht den Eindruck, als ob die Inhumanität des NS-Regimes immer deutlich gesehen wurde. Ich erspare mir die Liste solcher skandalöser Vorgänge, die, zusammengenommen, eben doch mehr als die Summe einzelner Fehlgriffe sind. Es gab ein Klima verharmlosender Einschätzung von Mittäterschaft an einem verbrecherischen Regime. Es gab auch und gibt heute noch Fälle und ganze Felder der Weiterführung inhumaner Praktiken. Ich nenne für die Gegenwart nur das Beispiel staatlichen Umgangs mit den Sinti und Roma.

Bundesregierungen sind ihrer Pflicht zur Aufdeckung von NS-Verbrechen nicht immer nachgekommen. Das gilt vor allem für die hartnäckige Weigerung, das sogenannte Document Center in deutsche Verwaltung zu übernehmen. Man hat dieses Archiv ein Wespennest genannt. Einheiten der 7. US-Armee fischten bei Kriegsende in der Nähe von München aus einer Papiermühle unermeßliches Belastungsmaterial heraus: Akten, Mikrofilme und 10,7 Millionen Karteikarten der NSDAP-Zentrale, nach alphabetischen und geographischen Gesichtspunkten sortiert, Unterlagen des Obersten Parteigerichts, des Rasse- und Siedlungshauptamtes, ein Reichsärzteverzeichnis, sogenannte Ariernachweise, zahlreiche Briefwechsel, Mitgliedschaften von SA und SS, Akten über ›Blutrichter‹, über Verfahren am Volksgerichtshof – alles zusammen 100 Millionen Blatt NS-Dokumente.

1967 hatte die US-Botschaft im Auftrag des State Department die Übergabe des Materials in deutsche Hände angeboten. Bis dahin leistete das Document Center den Amerikanern für ihre Politik gegenüber beiden deutschen Staaten unschätzbare Dienste, besonders gegenüber der DDR, wo man mit diesen Kenntnissen manche politische Karriere stoppen konnte. Die US-Regierung verband mit ihrem Übergabeangebot die Bedingung, auch weiterhin Einsicht in die Akten zu nehmen. Dies empfand die Bundesregierung als einen unzumutbaren Souveränitätseingriff und lehnte die Überstellung des Materials ab.

Es gab damals Kritik an dieser Entscheidung. So meinte Eugen Kogon, die Bundesregierung wolle anscheinend dem Schatten der Vergangenheit ausweichen. Er erinnerte daran, »wie lautstark man zehn Jahre darüber klagte, daß der Osten seine NS-Akten nicht herausgab«. Der frühere SPD-Bundestagsabgeordnete Karl-Heinz Hansen bekam auf seine Parlamentarische Anfrage vom damaligen Bundesaußenminister Walter Scheel nur die lapidare Antwort: »Die Besprechungen haben zu keinem

Ergebnis geführt, weil die beiden Regierungen sich über die Bedingungen der Übernahme nicht einigen konnten.« Das war 1970.

1978 kam Hansen in einer Sendung des BBC noch einmal auf das Document Center zu sprechen. Dafür erntete er zu Hause heftige Kritik. Das Wespennest soll offenbar weiterhin gut unter Verschluß bleiben, vermutlich bis zum Jahre 1990. Dann nämlich können die Wespen niemanden mehr stechen, weil der letzte NS-Funktionär tot ist. Das wünscht auch die Mehrheit der westdeutschen Bevölkerung. Die Meinung, ›man solle endlich aufhören, danach zu fragen, ob jemand während des Dritten Reiches einen führenden Posten hatte‹, wurde 1968 von 74 Prozent der Befragten geteilt.

3. Waren die bisherigen Einwände Hinweise darauf, daß die westdeutsche Bevölkerung keineswegs von heute auf morgen aus Nationalsozialisten oder Mitläufern zu überzeugten Demokraten wurden, so zeigt der jetzt zu besprechende Punkt eine Ursache dafür, daß die Westdeutschen sich mit dem neuen Staat, auf den sie in ihren politischen Einstellungen keineswegs vorbereitet waren, doch auf guten Fuß zu stellen allen Grund hatten. Dieser Grund ist aber an sich selbst einer, der beide Regime, das nationalsozialistische und das bundesrepublikanische (und darüber hinaus die ganze neuere Politikgeschichte Deutschlands) verbindet. Ich meine die Vorherrschaft des Gesichtspunktes ökonomischer Effektivität bei der Beurteilung staatlicher Leistung.

Die Frage ›Wäre Hitler ohne den Krieg einer der größten deutschen Staatsmänner gewesen?‹ bejahten noch 1977 die über Dreißigjährigen zu 40 Prozent. Einer der wichtigsten Gründe für diese Hochschätzung Hitlers waren die Leistungen, die man ihm auf wirtschaftlichem Felde zuschrieb, vor allem die Beseitigung der Massenarbeitslosigkeit. Der Faktor wirtschaftlicher Effektivität steht bis heute obenan bei der Frage, worauf man in seinem Lande besonders stolz ist. Als die Westdeutschen merkten, daß die neue Demokratie dem sogenannten Wirtschaftswunder nicht hinderlich, sondern als politische Rahmenbedingung womöglich günstig war, fand man diesen Staat ebenso ›wundervoll‹ wie den wirtschaftlichen Aufschwung. Noch in den späten sechziger Jahren wirkte der in der deutschen Politikgeschichte bekannte Zusammenhang von Wirtschaftskrisen und Rechtsextremismus: Die Kurven der Wirtschaftserwartungen und des Anhängerpotentials der NPD verliefen exakt umgekehrt proportional: Während das Vertrauen der Westdeutschen in eine positive ökonomische Entwicklung sank, stieg das NPD-

Potential. Erst heute und vermutlich durch das erwähnte Nachwachsen von Generationen mit anderen politischen Prioritäten scheint dieser Zusammenhang durchbrochen zu sein. Jedenfalls kann man nicht annehmen, daß die Generationen des wirtschaftlichen Neuaufbaus sich mit derselben Überzeugung für demokratische Werte eingesetzt hätten, wenn sich diese nicht so offensichtlich ›ausgezahlt‹ hätten.

4. Hier ist der Punkt, an dem die Studentenbewegung zur Sprache kommen muß und mit ihr Lübbes Vermutung, die erste leidenschaftliche Diskussion über den Nationalsozialismus als Phase der deutschen Politikgeschichte habe mit der Kritik an dem Weg der Bundesrepublik zu tun, ja mehr: sie sei nichts anderes als eine ›Argumentationshilfe‹ für den politischen Kampf gegen den kapitalistischen Staat in parlamentarischem Gewande.

Die sogenannte Protestbewegung speiste sich bekanntlich aus sehr verschiedenen Quellen und verband höchst unterschiedliche Gruppen und politische Zielsetzungen. Lübbes These, die in jenen Jahren heftig aufbrechende Kritik an der Weise des Umgangs mit dem Nationalsozialismus stehe im Dienste eines wichtigeren Zieles, nämlich der Kritik am kapitalistischen Staat der Gegenwart, trifft mit Sicherheit für den orthodoxen Marxismus zu, der einen wichtigen Bestandteil der Studentenbewegung ausmachte. Sozialistische Faschismustheorien gewannen damals an Boden und beherrschten an einigen Universitäten das Feld.

Aber das war nicht alles. Und hier bedarf Lübbes Analyse entscheidender Ergänzungen. Nach den Kriterien der politischen Einstellungsforschungen, also dem, was man kurz als ›Demokratieskala‹ bezeichnen kann, lieferten die Studenten schon damals sehr gute Werte für Toleranz, Partizipationsbereitschaft, politische Informiertheit, progressive Erziehungsstile, in weitem Abstand von dem Durchschnitt der Bevölkerung. Die Universitäten gehörten zu den reaktionärsten Institutionen der westdeutschen Nachkriegsgesellschaft. Sie waren gleichzeitig diejenigen, die das Leben und Arbeiten der Studenten, auch ihre beruflichen Perspektiven, am stärksten prägten. Kein Wunder, daß der Konflikt sich hier entzündete, politische Forderungen nach Repressionsfreiheit und Partizipation entwickelt wurden, die man dann erst auf andere Felder übertrug und zu einer allgemeinen Forderung nach mehr Demokratie in Staat und Gesellschaft ausweitete. Wer die politischen Forderungen der Studenten als undurchschaute Abreaktionen privater Schwierigkeiten abtun will, macht sich die Sache denn doch zu leicht. Die politischen

Konzepte und Strategien der Studenten hatten vielmehr durchaus reale Anlässe und auch Perspektiven. Einige dieser Ziele sind inzwischen erreicht, andere gerade in diesen Jahren aufs neue in die Diskussion gekommen: Anerkennung der Oder-Neiße-Linie und der DDR als eigenen Staat, Beendigung des Vietnam-Krieges, Änderung autoritärer Strukturen in vielen Bereichen der Gesellschaft, die in einer Großen Koalition liegende Gefahr politischer Unbeweglichkeit (man muß heute daran erinnern, wer damals als Minister gemeinsam in einem Kabinett saß: Gustav Heinemann und Franz Josef Strauß).

In den Katalog von Anfragen an die Gestalt der westdeutschen Demokratie gehörte auch die Frage nach dem Umgang mit dem Nationalsozialismus. Im Unterschied zu den orthodoxen Marxisten wurde allerdings schon damals von einer ganzen Anzahl junger Kritiker die Zeit des NS-Regimes nicht isoliert betrachtet, sondern in politikgeschichtlichen Zusammenhang mit der Tradition deutschen Obrigkeitsstaates gebracht. In dieser Beleuchtung gerieten auch Institutionen und Ereignisse der Bundesrepublik in das Scheinwerferlicht politischer Kritik. Leider wurde das Wort ›faschistisch‹ über seinen engen politiktheoretischen Sinn hinaus häufig auch dann verwandt, wenn man die marxistische These vom ›Grundwiderspruch‹ nicht akzeptierte, sondern nicht mehr und nicht weniger wollte als eine stärkere Liberalisierung und Demokratisierung des bürgerlichen Staates.

Sowie dieser Weg durch die Bildung der sozialliberalen Koalition politisch möglich schien, löste sich die außerparlamentarische Opposition auf, und es gehört zu den großen Verdiensten Willy Brandts, daß er den weitaus größten Teil der APO im etablierten Parteiensystem zu binden vermochte, unter der Devise »Mehr Demokratie wagen«.

Die bisherigen Überlegungen haben gezeigt, daß der Weg, den Hermann Lübbe für den Umgang mit dem NS-Regime vorschlägt, vermutlich nicht gangbar ist. Wir werden das Thema so schnell nicht los. Es scheint vielmehr mit ihm zu gehen wie mit allen bedeutsamen historischen Gegenständen: Mit jeder neuen Generation, im Lichte jeder neuen politischen Erfahrung erscheint das Thema in neuer Perspektive, und seine Geschichte wird ›umgeschrieben‹.

Aufgabe bleibt nach wie vor eine angemessene Einordnung der nationalsozialistischen Phase in den Gang der neueren deutschen Geschichte. Dabei müssen zwei Fehler gleichzeitig vermieden werden: Zum einen, die ganze neuere deutsche Nationalgeschichte lediglich als Vorgeschichte des Nationalsozialismus zu verstehen; zum anderen, diese Geschichte von Verbindungen zum Nationalsozialismus völlig freizusprechen; oder, was dasselbe ist, eine säuberliche Trennung zu versuchen zwischen Männern, Ideen und sozialen Bewegungen, die dem Nationalsozialismus Vorschub leisteten, von denen, die für unbedenklich gelten können. Das NS-Regime war weder eine unausweichliche Folge der historischen Entwicklung noch war es ein unerwarteter Einbruch böser Mächte. Welcher Art aber sind die Verbindungen?

Als die ehemalige Richtertätigkeit des früheren Ministerpräsidenten von Baden Württemberg Hans Filbinger die Diskussion über den politischen Schatten der NS-Vergangenheit wieder einmal aktualisierte, traf der Theologe Heinz Zahrnt in einem offenen Brief an Filbinger einen wichtigen Punkt historischer Verknüpfung: »Daß Sie kein Nazi gewesen sind, nehme ich Ihnen ab. Was ich hinter Ihrem Verhalten damals wie heute wittere, ist das alte deutschnationale Syndrom aus obrigkeitlichem Denken, Eintreten für Zucht und Ordnung, nationalem Ehrgeiz und politischer Kompromißlosigkeit ...« Diese Haltung macht zumindest begreiflich, daß ein ganzes Volk, welches mit Sicherheit weder die sogenannte Weltanschauung noch gar die Verbrechen des Nationalsozialismus billigte, Hitler dennoch folgte. Die Linie, die hier historisch zu verfolgen wäre, verläuft über den deutschen Obrigkeitsstaat, die politische Machtlosigkeit des Bürgertums auch auf die politische Kultur Preußens hin, eine Staatskultur ohne Staatsidee. Theodor Fontane hat den Mangel an historisch-politischen Wertbezügen in Preußen deutlich gesehen. In seiner Jugend, als er sich der republikanischen Sache für kurze Zeit verband, schrieb er, das jetzige Preußen habe keine Geschichte und könne deshalb als einziges Land seine Existenz dem größeren Vaterland Deutschland zum Opfer bringen. Und später, als er längst seinen Frieden mit dem Obrigkeitsstaat gemacht und selber wichtige Stücke zu einer Geschichte Preußens beigetragen hatte, findet sich der Gedanke preußischer Geschichtslosigkeit in verwandelter Gestalt wieder: als Kritik an der Gleichgültigkeit seiner Staatsbürger gegenüber politischen Inhalten, Werten und Ideen. Das Fragment ›Die preußische Idee‹, vermutlich 1894 entstanden, zeigt auf ironische und wohl den eigenen politischen Werdegang ins Auge fassende Weise die Schutzlosigkeit gegenüber wechselnden politischen Inhalten. Der gehorsame Staatsdiener Adalbert Schulze hat als Primaner »auf Kant geschworen, als Student auf Herwegh: Der Assessor ist beglückt, daß die preußische Idee mit der ghibellinischen übereinstimmt. Nach 1848 glaubt er wieder an die Werte des alten Preußen und arbeitet als Polizei-Regierungsrat gegen die Revolution. Er begrüßt sodann die Neue Ära und findet seinen Weg durch die Unsicherheit der Konfliktzeit in das verpreußte Deutschlnad der siegreichen Kriege. Der Kulturkampf erregt ihn, weil er den vormärzlichen Antipathismus wieder aufleben läßt; als der Kanzler aber den Streit abbläst, beruhigt sich Schulze mit der Einsicht: Bismarck hat immer recht.«

Die Verbindung zu einer politischen Haltung von politischer Apathie und unbedingtem Gehorsam zum Nationalsozialismus ist keine direkte, im Sinne derselben Inhalte, sondern sie verläuft indirekt über eine politisch-ethische Orientierungsschwäche, die Ideologien in Deutschland zu einer Wirkung verhalf, die sie in den alten naturrechtlich verankerten Demokratien nicht haben konnten, wennschon sie alle dort auch auftraten (politischer Darwinismus und Rassentheorie wurden ja nicht in Deutschland erfunden).

Der Hinweis auf diese politische Immunschwäche zwingt nun aber nicht zu dem Urteil, die sich aus ihr ergebenden Tendenzen hätten an sich selbst ›präfaschistischen‹ Charakter. Daß Hitler kam, war durch diese politikgeschichtlichen Elemente keineswegs vorgezeichnet. Wer diesem Urteil zustimmt, der kann umgekehrt auch im Blick auf gewisse autoritäre oder technokratische Tendenzen in der Bundesrepublik den Rückgriff auf Parallelen zum NS-Regime vermeiden. Er muß also nicht von ›faschistisch‹ oder ›postfaschistisch‹ sprechen, sondern wird die gesamte neuere Politikgeschichte Deutschlands in den Blick nehmen, wenn er solche Tendenzen erklären oder kritisieren will.

Wie schwierig solche Spurensicherung ist, dafür mag folgendes Beispiel stehen:

In ihrer Studie über Rechtsextremismus hatten die SINUS-Forscher ein Potential erhoben, das unter dem Titel ›Brücken nach rechts‹ ein konservatives Spektrum darstellt: als mögliches Reservoir für rechtsextreme Kräfte. Dieser Teil der Studie erhielt viel Kritik, und in der Tat handelte es sich um eine Gratwanderung. Wie weit zum Beispiel antiindustrie-gesellschaftliche Kultur- und Zivilisationskritik zu einem normalen konservativen Denken zu zählen ist oder bereits eine gefährliche Affinität zum Rechtsextremismus verrät, darüber kann man ebenso streiten wie über die Gefährlichkeit der Meinung, es gebe typisch deutsche Eigenschaften wie Treue, Fleiß und Pflichtbewußtsein, an denen andere Nationen keinen Anteil hätten, auf die es aber ankomme, um ein

Abgleiten unserer Gesellschaft in Konsumsucht, moralischen Verfall und wohlfahrtsstaatliche Bequemlichkeit zu verhindern. Hier bleibt große Sorgfalt geboten, damit nicht das gesamte rechte politische Spektrum in den Verdacht des Rechtsextremismus gerät, wie es in der heißen Phase des westdeutschen Terrorismus mit dem linken geschah.

Aber auch hier gilt, was generell für Rechtstendenzen in der deutschen Politikgeschichte im Horizont der Frage nach dem Nationalsozialismus zu berücksichtigen ist: Der deutsche Konservatismus mußte keineswegs in den Nationalsozialismus münden, hat ihn, als er kam, aber als Bundesgenossen akzeptiert und war sich jedenfalls in der Front, gegen die man kämpfte, einig. Wenn Teile dieser Front heute weiter zum konservativen Glaubensbekenntnis gehören (zum Beispiel, daß der Staat über den Parteien stehen muß, daß der Mensch für gefährlich, aufsässig, andererseits für bequem und schmarotzend gilt und deshalb einer autoritären Führung bedarf, daß Institutionen den Vorrang vor indviduellem Glücksstreben haben müssen, daß sekundäre Tugenden auch ohne inhaltliche Anbindung an Ziele wertvoll sind etc.), dann sind diese Ansichten, obwohl sie nicht faschistisch sind, in Deutschland mit besonderer Vorsicht zu betrachten. Die Auseinandersetzung mit ihnen sollte jedoch als Kampf um Positionen innerhalb unserer politischen Kultur geführt werden, nicht mit dem ständigen Hinweis auf die damalige historische Verstrickung, die für sich genommen kein Argument darstellt.

Es sieht so aus, als ob wir die Zeit des NS-Regimes unserem Geschichtsbewußtsein einfügen bzw. es weiter in ihm lassen müssen: als eine Epoche, die auf vielfältige Weise mit der neueren deutschen Geschichte verbunden ist, nicht im Sinne einer unausweichlichen Folge, aber auch nicht im Sinne eines Verhängnisses, für das es keine Ursachen gäbe. Diese Einordnung des Nationalsozialismus in die deutsche Geschichte wird übrigens, wenn man sie mit der gebotenen Behutsamkeit und Gründlichkeit vornimmt, den zu Recht vorherrschenden Gesichtspunkt der ungeheuerlichen Verbrechen dieses Regimes ergänzen um eine Fülle von Aspekten, welche die ganze Breite der politischen Motivation zur Teilnahme an dieser Massenbewegung oder doch ihrer Duldung vor Augen führt. Darunter befinden sich Antriebskräfte, die mit den Verbrechen in keinem Zusammenhang stehen. Martin Broszat hat diesen Weg einer behutsamen Historisierung des Nationalsozialismus jüngst vorgeschlagen. (Merkur, 39. Jahrgang 1985, Seite 373 ff.)

Die Bundesrepublik ist bald vierzig Jahre alt und hat inzwischen selber eine Geschichte, deren Verlauf bereits Gegenstand politischen Streites ist. Der Schatten des Staates, auf dessen Trümmern sie entstand, liegt immer noch über ihr. Das unterscheidet sie von der DDR, die sich in ihrer offiziellen Geschichtsschreibung eine höchst problematische Identität zusammengeschrieben hat, deren Tragfähigkeit man füglich bezweifeln muß. Wir haben uns dafür entschieden, auch belastende Phasen der deutschen Geschichte nicht auszublenden, sondern, wie man sagt, mit ihnen zu leben. Das braucht Kraft, die vornehmlich aus der Gegenwart und zum Teil auch im Vorgriff auf die Zukunft gewonnen werden kann.

Zweiter Teil
›Geistesgeschichte‹
als Politikgeschichte

Intellektuelle in der deutschen Politik

›Hochstirnler‹, highbrowes, nennt man die Intellektuellen in England. Virginia Woolf hat einmal eine heiter-ironische Verteidigung der Hochstirnler geschrieben. In diesem Plädoyer tritt sie aber zugleich für die Niedrigstirnler, die ›lowbrowes‹ ein, die lebenstüchtigen Praktiker. Sie schreibt:

»Ich sitze in einem Omnibus immer möglichst dicht beim Schaffner und versuche aus ihm herauszubekommen, wie das ist – ein Schaffner zu sein. In welcher Gesellschaft immer ich mich befinde, stets versuche ich zu erfahren, wie das ist – ein Schaffner zu sein, oder eine Frau mit zehn Kindern und fünfunddreißig Schilling die Woche, ein Börsenmakler, ein Admiral, ein Bankbeamter, eine Schneiderin, eine Herzogin, ein Bergmann, eine Köchin ... Alles, was Niedrigstirnler tun, ist für mich von hohem Interesse und ein Wunder, denn weil ich eine Hochstirnlerin bin, kann ich selber nichts tun ... Die Niedrigstirnler sind herrlich und abenteuerlich damit beschäftigt, in vollem Galopp ihrem Lebensunterhalt nachzujagen. Sie können sich aber dabei selbst nicht beobachten und sehen, wie sie das machen. Hochstirnler sind die einzigen, die ihnen das zeigen können. Weil sie die einzigen sind, die selber nichts Praktisches tun, sind sie die einzigen, die sehen können, wie etwas getan wird.«

Was Virginia Woolf hier beschreibt, ist der wichtigste Wesenszug des Intellektuellen: die Distanz zum praktischen Leben. Diese Distanz hat den Intellektuellen, seitdem es sie gibt, den Ruf der Weltfremdheit eingetragen. Schon die alten Griechen erzählten sich die Geschichte von dem Philosophen Thales, der bei Betrachtung des Sternenhimmels nicht auf seinen Weg acht hat und in eine Grube fällt. Eine Magd, die Zeugin des kleinen Unglücks ist, weiß sich vor Lachen nicht zu halten. Der Intellektuelle muß mit dem Spott des lebenstüchtigen Praktikers immer rechnen. Andererseits ist er der einzige, der das tägliche Leben in seinen Zusammenhängen kennt, weil man nur das erkennen kann, was man nicht ganz zu eigen hat und in dem man nicht fraglos sich zu Hause fühlt.

Für diese intellektuelle Distanz zur Praxis lassen sich verschiedene Bedingungen angeben, Ursachen, die man für die Weltfremdheit des Intellektuellen vermutet. Hier gibt es mindestens drei Aspekte: einen soziologischen, einen psychologischen und einen philosophischen.

Die *soziale Situation* der Intellektuellen ist häufig das, was man ›sozial freischwebend‹ genannt hat: Intellektuelle befinden sich in einer Distanz zu der Gesellschaft, innerhalb derer sie leben. Diese Gebrochenheit ihrer sozialen Existenz kann ganz verschiedener Natur sein. Es mag sich, wie zur Zeit der Französischen Revolution, um Emigranten handeln, die sich als vertriebene Aristokraten über Gesellschaft und Politik, Monarchie und Autorität, Stände und Klassen, Konfessionen und Regierungsformen, also genau die Themen Gedanken machen, die der Grund für ihre Ausweisung gewesen sind. Die sozial freischwebende Lage kann aber auch das Ergebnis einer beruflichen Distanz sein. So gehörten zu den ersten Intellektuellen in Deutschland junge Gelehrte und Akademiker, die, aus welchen Gründen immer, kein Pfarramt oder keinen akademischen Beruf antraten, sondern Journalisten wurden. Die junge Intelligenz befand sich im 19. Jahrhundert in einer äußerst labilen Lage, häufig auch in ökonomischer Unsicherheit und jedenfalls in gesellschaftlicher Heimatlosigkeit.

Ein typisches Beispiel für soziale Distanz als Ursache für eine intellektuelle Existenz liefert die Situation des Judentums. Durch die von den Juden zunächst gewollte, ihnen dann aufgezwungene Distanz zu dem Volk, in dessen Gesellschaft sie leben, sind sie in der Lage, gesellschaftliche Strukturen und Prozesse ihrer Umgebung genau zu analysieren. Sie sind nicht ohne weiteres identisch mit der Gesellschaft, in der sie leben. Ihre gesellschaftliche Umwelt zwingt sie, sich über sie Gedanken zu machen. Nicht von ungefähr hat das europäische Judentum einen besonders hohen Anteil an Wissenschaftlern gestellt. Analyse wurde zu ihrem Lebenselement. In neuerer Zeit sind es besonders die Sozialwissenschaften gewesen, die eine starke Anziehungskraft auf Juden ausübten.

Man hat die Sozialwissenschaft eine ›Oppositionswissenschaft‹ genannt. Der Sinn dieses Wortes erschließt sich in doppelter Hinsicht: Sozialwissenschaft ist Oppositionswissenschaft einmal im sozialpolitischen, zum anderen im erkenntnistheoretischen Sinne. Beide Verständnisse von Opposition hängen eng zusammen: Als besitzloser Adliger, als einkommensloser Journalist, als unterprivilegierter jüdischer Mitbürger stehe ich in politischer Opposition zu der herrschenden Staats- und Gesellschaftsordnung. Diese sozialkritische Orientierung treibt mich zur geschichtlichen und soziologischen Analyse des gesamten gesellschaftlichen Gefüges. In der Sozialkritik ist also die Sozialwissenschaft als theoretische Erkenntnisabsicht immer schon eingeschlossen. Der Abstand, den die sozial freischwebende Intelligenz zur Gesellschaft hat, in der sie lebt, führt sie zur Erkenntnis gesellschaftlicher Wandlungsprozesse selbst. Es handelt sich um ein altes Prinzip jeder Erkenntnis, nach dem ich nur das erkennen kann, zu dem ich einen gewissen Abstand habe.

Hier liegt der Grund für den Verdacht, der Sozialwissenschaftler fröne einem ›zersetzenden‹ Denken – mit Recht: Bringt doch seine Analyse die Gesellschaft zum Bewußtsein bestimmter Schwachstellen, und überhaupt, ihres Wandels. Immer da, wo solcher Wandel nicht gesehen, wo Schwachstellen geleugnet werden, gerät der Sozialwissenschaftler als Intellektueller in Gegensatz zu seiner Gesellschaft. In dem Maße, wie die moderne Gesellschaft nicht in selbstverständlicher Ordnung lebt, sondern Probleme aufwirft, fordert sie zur theoretischen Analyse, d. h. zur ›Problematisierung‹ heraus.

Neben der sozialen Distanz, die den Intellektuellen zur Reflexion, zur Analyse und zur Problematisierung zwingt, gibt es auch eine *psychische Bedingung* intellektueller Existenz. Diese ist von der sozialen natürlich nicht immer rein zu trennen, kann aber doch besonders bedacht werden. Bei der psychischen Prädisposition handelt es sich in der Regel um einen Bruch in den primären Sozialbeziehungen, d. h. in den Beziehungen zur Mutter, zum Vater oder zu den Geschwistern. Nach neueren Erkenntnissen scheint es in Deutschland besonders das Vater–Sohn-Verhältnis zu sein, dessen Spannung häufig ein Intellektuellenschicksal bestimmt. Man hat diesen Zusammenhang z. B. für Marx aufgewiesen. In anderen Fällen handelt es sich um eine besonders starke Mutterbindung, die ein Leben lang verarbeitet werden will und zu einer gewissen Entfremdung gegenüber normalen Sozialbeziehungen führt. Natürlich gibt es auch andere psychische Ursachen für solche Entfremdung: Körperliche Fehler oder Benachteiligungen, auch sexuelle Abweichungen scheinen einen nicht geringen Raum dabei einzunehmen.

Der dritte Aspekt für intellektuelle Distanz und Entfremdung von vertrauter Alltäglichkeit ist *philosophischer Natur* und mit dem Begriff Zweifel bezeichnet. Der Zweifel ist ein wichtiger Motor abendländischen

Denkens. Nachdem schon die griechische Aufklärung mit dem Zweifel eines Sokrates an traditionellen Autoritäten den wissenschaftlichen Erkenntniswillen in Gang gebracht hatte, führte der systematische Zweifel eines Descartes in der Neuzeit zu einer großen analytischen, d. h. zersetzenden und auflösenden Bewegung. Ausgehend von der Bibelkritik griff die kritische Überprüfung aller Autoritäten schließlich auch auf die Gebiete des gesellschaftlichen und staatlichen Lebens über. In sozialkritischer Analyse wurden Selbstverständlichkeiten, die für Jahrhunderte gegolten hatten, in Frage gestellt. Nicht zufällig wurde im 17. Jahrhundert der Begriff der ›Anatomie‹ zu einem Schlüsselwort: Der systematischen Einsicht in einen Zusammenhang geht die Zergliederung voraus. Das galt nicht nur für naturwissenschaftliche Einsichten, sondern auch für sozialwissenschaftliche Erkenntnisse.

Dieses neue analytische und zugleich systematische Denken führte zu einer radikalen Bedeutungsänderung des Verständnisses von ›Theorie‹. Der moderne Geist fragt nach der Bedingung der Möglichkeit von etwas, d. h. nach einer möglichen Theorie im Sinne einer Arbeitshypothese. Erst der analytisch-methodische Zugriff bringt die Objekte zum Reden. Man traut den Phänomenen nicht mehr ohne weiteres, sondern will sie ›hinterfragen‹. Die Philosophie wird auf diese Weise zur ›Schule des Mißtrauens‹.

Alle drei Bedingungen intellektueller Existenz, die soziale, die psychische und die philosophische, zeigen, dieselbe Verbindung von Unsicherheit und Mißtrauen, Gebrochenheit und Zweifel, Distanz und Entfremdung, Desorientierung und Sinnsuche. Die Intellektuellen sind das Produkt des geistigen und sozialen Umbruchs, den sie mit ihrer Kritik teilweise selber herbeigeführt oder doch verstärkt haben. Dieser Umbruch ist in verschiedenen Ländern zu verschiedener Zeit und in verschiedener Form geschehen. Die geistige Gestalt des Intellektuellen zeichnet deshalb die soziale und geschichtliche Physiognomie der einzelnen Nationen deutlich ab. Die französischen Intellektuellen unterscheiden sich von den britischen, und beide von den deutschen. Die Rolle, die Intellektuelle in der Politik gespielt haben und spielen, sagt somit eine Menge über die Gesellschaft, in der sie leben und die sie kritisieren, aus. Ein Blick auf die Rolle der deutschen Intellektuellen schließt deshalb einen Blick auf deutsche Geschichte, deutsche Gesellschaft und deutsche Politik ein.

Zur Zeit der Französischen Revolution unterschieden sich deutsche

Intellektuelle wenig von denen anderer europäischer Länder. Man stand in der aufklärerischen Tradition, begrüßte die Durchsetzung des Freiheitsprinzips auf politischem Felde und ließ sich zu Ehrenbürgern der neuen französischen Nation ernennen. Klopstock und Wieland haben der Französischen Revolution in ihrer ersten Phase ebenso zugestimmt wie Görres und Fichte. Die beiden letzten Namen zeigen aber schon den Umschlag an, der innerhalb sehr kurzer Zeit die Epoche der Reaktion einleitete. Mit wenigen Ausnahmen schwenkte die deutsche Intelligenz während der jakobinischen Phase der Revolution auf die Linie der politischen Restauration ein und bildete eine spezifisch deutsche politische Ideologie aus, die man ›Politische Romantik‹ nennt. Die politischen Grundsätze und Inhalte der Politischen Romantik haben das intellektuelle Klima in Deutschland bis zum Ende des Nationalsozialismus stark beeinflußt, weshalb man auch von der ›Deutschen Bewegung‹ spricht.

Diese geistig-politische Strömung speiste sich aus der Kritik am westlichen Verfassungsbegriff und an der beginnenden technischen Revolution. Im Unterschied zum angelsächsischen und französischen Staatsverständnis wurde der Staat nicht als Prozeß verstanden, der nach einem Verfassungsgesetz abläuft, sondern als Organismus. Staat und Gesellschaft erschienen dem deutschen Intellektuellen als verschiedene Bereiche, der Staat wurde als Obrigkeit begriffen und galt für neutral. Die ständische Gesellschaft des Mittelalters gab das Modell für Politik und Wirtschaft ab. Neben der Monarchie pries man das Leben auf dem Lande und die alte Handwerkskunst, die Einheit von Kirche und Gesellschaft. Bezeichnend für die Politische Romantik waren viele Konversionen zum Katholizismus, die meist nicht aus theologischen, sondern aus kulturkritischen Überlegungen heraus vorgenommen wurden.

Die antidemokratische Tendenz der Deutschen Bewegung wurde durch die Ereignisse von 1848 für kurze Zeit unterbrochen, und das Paulskirchenparlament hat eine glänzende Zahl liberaler Geister versammelt. Die nachfolgende Reaktion sorgte aber dafür, daß der Anschluß an die Entwicklung in den westeuropäischen Staaten endgültig verpaßt wurde und das antidemokratische Denken eine spezifisch deutsche Tradition entwickelte.

Der weitere geschichtliche Weg Deutschlands ist dafür verantwortlich, daß die deutschen Intellektuellen sich immer mehr von denen Frankreichs und Englands unterschieden. Die deutsche Nation wurde nicht durch das Bürgertum errungen, sondern durch die politische Genialität Bismarcks zusammengezwungen. Auf diese Art nationaler Einigung reagierten die meisten deutschen Intellektuellen so, wie es in der Tradition obrigkeitlichen Denkens vorgezeichnet war. Man pries mit Bismarck den neuen Machtstaat und entwickelte gleichzeitig eine strikte Trennung von Moral und Politik, Innerlichkeit der Bildung und ›Realpolitik‹. In anderen europäischen Ländern bot die parlamentarische Demokratie den Intellektuellen große Möglichkeiten der politischen Reflexion, der publizistischen Wirksamkeit, auch der persönlichen Karriere. Im Bismarckreich hatten die demokratisch gesonnenen Intellektuellen dagegen kaum Wirkungsmöglichkeiten.

Wer links stand, hatte es schwer. In Deutschland traf der neue Nationalstaat direkt auf das Klassenproblem. Die Sozialdemokratie galt für unzuverlässig in nationalen Dingen und ist den Verdacht, vaterlandslos zu sein, bis heute nicht losgeworden. Da eine demokratische Praxis nicht eingeübt war und das Sozialistengesetz die politische Formierung der Linken auf Jahre unmöglich machte, geriet die Linksintelligenz notwendig in Spannung, ja in Gegensatz zur Nation. Wer sich als Intellektueller links engagierte, konnte kaum anders als international, und d. h. marxistisch votieren. Viele bedeutende marxistische Theoretiker sind deshalb nicht von ungefähr Deutsche.

In Deutschland ist die Identifikation der Linken mit der Nation für lange Zeit nicht gelungen. Das deutsche Proletariat geriet durch seinen Kampf gegen den Obrigkeitsstaat zugleich in Front zum Nationalstaat, den dieser Obrigkeitsstaat durch Kriege geschaffen hatte. In anderen europäischen Ländern war der Nationalstaat das Ergebnis des bürgerlichen Befreiungskampfes gegen den Feudalstaat. Proletariat und Nation standen deshalb in Deutschland in einem Gegensatz, der in den demokratischen Ländern Europas unbekannt war. Dort mußte sich das Bürgertum mit eigener Macht gegen das Proletariat schützen und sehen, wie es ideologisch und parlamentarisch damit zurechtkam, vom Proletariat ständig mit eigenen früheren politischen Forderungen und Werten zitiert und angegriffen zu werden. Die Klassenspannung gehörte zum politischen Bewußtsein der Nation.

Nicht so in Deutschland. Das Bewußtsein des deutschen Arbeiters war gespalten: Einerseits war er durch Volksschule, Armee und Arbeitswelt in obrigkeitlichem Geiste erzogen. Andererseits sorgten seine soziale Lage und die sozialistische Parteischulung dafür, daß seine Kritik am Obrigkeitsstaat wach blieb. Sein revolutionäres Bewußtsein wurde aber durch die politische Loyalität zur Krone und zum Reich stets gebrochen: Er war gleichzeitig kaisertreuer Sozialdemokrat und revolutionärer Marxist, der auf die internationale Solidarität der Arbeiterklasse setzte. Auf diese Weise geriet er notwendig in den Verdacht, ein vaterlandsloser Geselle zu sein.

Die deutsche Staatsgesellschaft wies bis weit in die Weimarer Republik hinein nur *ein* Integrationsmedium auf: das nationale, eingefärbt mit feudal-militaristischen und bildungsbürgerlichen Elementen. Wer Reserveoffizier und Corpsstudent war, galt als ›nationaler Mann‹. Sozialismus galt für antikaiserlich, antinational und antivölkisch.

1914 ging die Sozialdemokratie auf das Angebot des Kaisers ein, keine Parteien mehr, sondern nur noch Deutsche zu kennen. Die SPD bewilligte Kriegskredite, und deutsche Sozialdemokraten gingen für die nationale Sache ins Feld. Aber auch dieser nationale Integrationsversuch brachte nicht die gewünschte Versöhnung. In der Weimarer Republik galt die deutsche Sozialdemokratie in bürgerlichen Kreisen als ›Dolchstoß-Partei‹, als Partei der nationalen Schande, weil sie die Versailler Verträge unterschrieben hatte und territoriale Verzichte hinnahm.

Bis heute ist die Sozialdemokratie den Verdacht nationaler Unzuverlässigkeit nicht losgeworden. Schumachers Versuch einer sozialdemokratischen Nationalpolitik scheiterte. Willy Brandts Außenpolitik galt als Verzichtpolitik, während man Adenauers Bereitschaft, auf das Saarland zu verzichten, als Versöhnungspolitik Frankreich gegenüber gepriesen hatte. In der Sicherheitspolitik muß die SPD den Vorwurf des Ausverkaufs nationaler Interessen ebenso fürchten wie in der Staatsschutzpolitik den Vorwurf der Nachgiebigkeit gegenüber dem internationalen Kommunismus.

Während die Linke es in Deutschland schwer hatte, sich mit der Nation zu identifizieren, haben in Italien und Frankreich die Linksintellektuellen im Pantheon der großen Geister einen festen Platz. Während Marx auswandern mußte und Rosa Luxemburg ermordet wurde, gelten die Revolutionäre Frankreichs als bedeutende Repräsentanten ihrer Nation. Bekannt ist der Ausspruch de Gaulles, als er sich weigerte, Sartre ins Gefängnis zu werfen: Sartre – das sei auch Frankreich.

In dem Maße, in dem die Linksintelligenz bei uns nicht national war, war die Rechtsintelligenz nicht sozial. Dieses Gesetz hat die deutsche Politik bis vor nicht langer Zeit beherrscht, und Außenpolitik galt in Deutschland als die eigentliche Domäne der Rechten. Zu Recht: Es waren die konservativen Schichten, die bis zur Weimarer Zeit Politik machten, das hieß weithin: auch Innenpolitik mit außenpolitischen Argumenten und Strategien betrieben. Da die linke Intelligenz sich in Deutschland nur schwer entwickeln konnte, hat auch die rechte aus Mangel an einem kräftigen Gegner nicht zu einem vernünftigen Selbstverständnis gefunden.

Ob politisch links oder rechts orientiert, das deutsche Bürgertum und mit ihm die Intellektuellen blieben politisch ohnmächtig und machten aus dieser Not die Tugend einer Abkehr von der Politik überhaupt. Im Unterschied zur Bourgeoisie Englands, die vor politischer Aktivität strotzte, verharrte das deutsche Bürgertum in biedermeierlicher Zurückgezogenheit und bewunderte die politisch führende Klasse des Adels. In Britannien war das Bürgertum seit Jahrhunderten eine Verbindung mit dem Adel eingegangen: Der Adel betrieb Geschäfte, und das Bürgertum besaß Landsitze. Familiäre Herkunft bedeutete nicht alles, jedenfalls nicht mehr als Besitz und die Fähigkeiten, die man zum Aufbau eines imperialen Reiches und des Kapitalismus brauchte. In Deutschland reichten dagegen nicht einmal Wissenschaft und Bildung aus, um den Makel bürgerlicher Geburt auszugleichen. Immerhin konnte man mit einer sogenannten ›Allgemeinbildung‹ in die Karriere kommen, die als einzige für respektabel und erstrebenswert galt: eine Laufbahn im Staatsdienst. Der Kaufmann blieb dagegen in Deutschland noch lange ein gering geachteter Beruf. Bei Ricarda Huch kommt ein Romanheld vor, der darüber klagt, daß sein Vater »seine herrlichen Kräfte leider in kaufmännischen Geschäften und Sorgen aufzehren« mußte. Wenn ein Kaufmann in der Familie auftauchte oder man aus finanziellen Gründen die Heirat einer Tochter mit einem Kaufmann förderte, wurde dieser Makel entweder verheimlicht oder mit Titeln beschönigt, die nach preußischem Beamtentum rochen, wie dem ›Königlich Preußischen Kommerzienrat‹. Den aber konnte man kaufen.

Die politische Schwäche des deutschen Bürgertums bedeutete für ihre liberalen Intellektuellen eine bedenkliche soziale Orientierungslosigkeit. Literarische Vorkämpfer bürgerlicher Werte fanden es deshalb schwer, ihre Helden aus der Klasse zu nehmen, für deren Interessen und Ideen sie eintraten. Deshalb riskierten sie manchmal das Mißverständnis militaristischer Gesinnung. So verkehrte Lessing, wie man weiß, gern in militärischen Kreisen und bevorzugte in seinen Dramen soldatische Charaktere: Tellheim in der ›Minna‹, Odoardo in der ›Emilia Galotti‹, den Tempelherrn im ›Nathan‹. »Und setzet Ihr nicht das Leben ein, nie wird Euch das Leben gewonnen sein.« Unter dieser Maxime focht das Bürgertum in Westeuropa seinen revolutionären Kampf gegen Feudalismus und Absolutismus. In Deutschland mußte man sich dagegen an den Soldatenstand halten, wenn man Tapferkeit und menschliche Größe beschreiben wollte: Nur im Felde war der Mann noch was wert.

Während in England und Frankreich die Intellektuellen politische Aufsätze schrieben, Abgeordnete wurden oder Zeitungen herausgaben, blieb den deutschen Intellektuellen als erstrebenswertes Berufsziel nur ein Lehramt, eine Pfarrei oder eine Beamtenstellung. Diese Staatsnähe führte über kurz oder lang zum entsprechenden Staatsbewußtsein mit einer durchaus prekären Identität: Als bürgerlicher Intellektueller diente man einem Staat, der weder vom Bürgertum noch von Intellektuellen etwas hielt. Hier liegt der Keim bürgerlichen Selbsthasses, der noch in der ersten deutschen Demokratie die wunderlichsten Blüten trieb. Was dort gegen die Bourgeoisie von bürgerlichen Intellektuellen geschrieben wurde, das hat noch keine Klasse sich als Schmach selbst angetan. Übrigens macht es keinen Unterschied, ob man das Bürgertum von links oder rechts angriff. Marx unterscheidet sich in seinem bürgerlichen Selbsthaß nicht von Nietzsche, und selbst Nationalökonomen, also Vertreter der bürgerlichsten aller Wissenschaften, machten keine Ausnahme. Werner Sombart hat hier mit seinem Buch ›Händler und Helden‹ wohl das schaurigste Beispiel geliefert.

Für die politische Frustration bürgerlicher Intellektueller gibt es viele Zeugnisse. 1791 schrieb der junge Friedrich Schlegel an seinen Bruder: »Du fragst, ob ich keine Freude am Schreiben habe: Natürlich, ich habe viele Pläne, und ich glaube, daß ich die meisten erfolgreich durchführen werde. Nicht so sehr aus Liebe zum Schaffen, sondern unter dem Druck jenes Gefühls, das mich seit langem bemächtigt. Jenes verzehrenden Bedürfnisses nach Tat, oder wie ich es lieber nennen würde, jenes heißen Verlangens nach Unendlichkeit.«

Britische Bürgerliche erfüllten ihr Verlangen nach Unendlichkeit in der Eroberung von Kontinenten, befriedigten ihren Ehrgeiz im britischen Unterhaus. Ein jüdischer Emporkömmling wie Disraeli konnte Premierminister und einer der bedeutendsten konservativen Politiker der Geschichte Englands werden. In Deutschland wurden Juden, Katholiken und Linksliberale lange Zeit nicht einmal Beamte. Einzig die Welt der Musik, der Natur, der ekstatischen Liebe, der Familie und was solcher Innerlichkeiten mehr sind, gab für geistige Experimente Raum. Alle diese geistigen ›Reiche‹ hatten keine Verbindung zur Politik. Politische Fragen wurden deshalb von vielen Intellektuellen ausdrücklich ausgeklammert, Politik galt als schmutziges Geschäft.

In England und Frankreich schufen Schriftsteller wie Dickens und Balzac eine Literatur, in der die großen gesellschaftlichen und politischen Wandlungen thematisiert wurden. Ein großer Romanstil wurde geboren, Weltliteratur geschaffen. Der Realismus deutscher Dichter überschritt den Rahmen biedermeierlicher Provinzialität nicht, sondern schuf innerhalb dieser kleinen Welt politischer Unmündigkeit eine Fülle poetischer Provinzen, obwohl die literarischen Begabungen denen Britanniens und Frankreichs ebenbürtig waren. Der ungeheure Unterschied zwischen westlicher Weltoffenheit und deutscher Provinzialität wird einem deutlich, wenn man sich klarmacht, daß um die Mitte des 19. Jahrhunderts gleichzeitig Flauberts ›Madame Bovary‹, Whitmans ›Grashalme‹ und im deutschsprachigen Raum Storms ›Immensee‹, Scheffels ›Ekkehard‹, Freytags ›Soll und Haben‹, Mörikes ›Mozart auf der Reise nach Prag‹, Hebbels ›Gyges und sein Ring‹ und Raabes ›Chronik der Sperlingsgasse‹ erschienen.

Aber auch dort, wo politisches Interesse und der Wunsch nach politischer Aktivität ausdrücklich eingestanden wurden, erzwang die Lage des deutschen Bürgertums noch lange politische Enthaltsamkeit. Theodor Mommsen schrieb in seinem ›Politischen Testament‹: »In meinem innersten Wesen, und ich meine, mit dem Besten, was in mir ist, bin ich stets ein animal politicum gewesen und wünschte ein Bürger zu sein. Das ist nicht möglich in unserer Nation, bei der der Einzelne, auch der Beste, über den Dienst im Gliede und politischen Fetischismus nicht hinauskommt. Diese innere Entzweiung mit dem Volke, dem ich angehöre, hat mich durchaus bestimmt, mit meiner Persönlichkeit, soweit mir das irgend möglich war, nicht vor das deutsche Publikum zu treten, vor dem mir die Achtung fehlt.«

Die ökonomische Lage derjenigen Intellektuellen, die keine Pfarrei oder Staatsstelle anstrebten oder bekamen, war verzweifelt. Von wenigen Ausnahmen abgesehen, haben sich alle als Hauslehrer durchgeschlagen. Unzählige junge Theologen, Schriftsteller und spätere Professoren erlitten in ihrer Jugend als Hofmeister bei adligen Familien ein Schicksal, wie es Lenz beschrieben hat.

Ein Symptom der Spannung zwischen Tatendrang und Tatenhemmung ist die Melancholie, Grundstimmung romantischer Reflexion. Heinz Schlaffer hat diesen Zusammenhang für den ›Titan‹, den ›Werther‹, die ›Lucinde‹ und den ›Hyperion‹ aufgewiesen. Er zitiert einen Brief von Kleist, welcher diese historische Erfahrung des deutschen Bildungsbürgers dokumentiert: »Ordentlich ist heute die Welt; sagen Sie mir, ist sie noch schön? Die armen lechzenden Herzen! Schönes und Großes möchten sie tun, aber niemand bedarf ihrer, alles geschieht jetzt ohne ihr Zutun. Denn seitdem man die Ordnung erfunden hat, sind alle großen Tugenden unnötig geworden ... Wenn ein Jüngling gegen den Feind, der sein Vaterland bedroht, mutig zu den Waffen greifen will, so belehrt man ihn, daß der König ein Heer besolde, welches für Geld den Staat beschützt. – Wohl dem Arminius, daß er einen großen Augenblick fand. Denn was bliebe ihm heutzutage übrig, als etwa Lieutenant zu werden in einem preußischen Regiment?«

In der philosophischen Reflexion, nicht im Raum politischen Handelns, fand das deutsche Bürgertum seine Identität, sein ›Reich‹. Auch die Musik lieferte ihm ein Feld melancholischer Selbstversicherung. Eine Mischung von Heroismus und Schwermut beherrschte die romantische Musik, die Friedrich Schlegel in seiner ›Lucinde‹ scharfsinnig als den Ausweg tatendurstiger Männer beschreibt: »Es waren große Gegenstände, nach denen sie mit Ernst strebten. Indessen blieb es bei hohen Worten und vortrefflichen Wünschen. Julius kam nicht weiter und ward nicht klarer, er handelte nicht und er bildete nichts. ... Die wenigen Anwandlungen von Nüchternheit, die ihm noch übrig blieben, erstickte er in Musik, die für ihn ein gefährlicher, bodenloser Abgrund von Sehnsucht und Wehmut war, in den er sich gern und willig versinken sah.«

Wer sich mit Politik beschäftigen wollte, dem blieb nur der Weg der Rechtfertigung herrschender politischer Macht. Das hieß in Deutschland Verteidigung des ›Monarchischen Prinzips‹ und dessen, was man ›Legitimismus‹ nannte. Bürgerliche Intellektuelle haben viel Geist zur Rettung dieses konservativen Versuchs aufgewandt, das Königtum zu einer Zeit zu halten, in der seine religiösen Voraussetzungen längst entfallen waren. Einige taten es aus Überzeugung, wie z. B. Adam Müller oder Friedrich Julius Stahl. Sogar der Sozialist Ferdinand Lassalle war, wie man weiß, zu einer monarchischen Regierung bereit unter der Bedingung, daß sie eine antibürgerliche Politik machte. Bismarck fand die Versuchsanordnung eines ›sozialen Königtums‹ interessant, als Überlebensstrategie seiner Klasse nämlich. Das Bürgertum erschien zum damaligen Zeitpunkt beiden, der Junkerklasse wie dem Proletariat, als die stärkste politische Bedrohung.

Viele Intellektuelle litten darunter, eine Politik rechtfertigen zu müssen, die sie mißbilligten, Theodor Fontane war die reaktionäre Manteuffelsche Politik zuwider. Dennoch stellte er ihr seine Feder, von wirtschaftlicher Not getrieben, zur Verfügung. Am 30. Oktober 1851 schreibt er in einem Brief: »Ich habe mich heute der Reaction für monatlich 30 Silberlinge verkauft.« Und am 3. November heißt es: »Ich kann Dir auf Wort versichern, daß ich dieser 30 rth. nicht froh werde und ein Gefühl im Leibe habe, als hätt' ich gestohlen. Meine Handelsweise entspricht zwar den Diebstählen aus Noth ... aber es ist immer gestohlen. Wie ich's drehen und deuteln mag – es ist und bleibt Lüge, Verrat, Gemeinheit.«

Bezeichnend ist ein Satz, den Fontane zur selben Zeit schrieb. Er zeigt die einzige Ausflucht, die deutschen Intellektuellen angesichts ihrer fatalen politischen Ohnmacht blieb: »Es bleibt einem nichts übrig, als sich mit dem Geist in die Vergangenheit und mit dem Herzen in den Freundes- und Familienkreis zu flüchten ...«

Fontane ist auf diese Weise zum großen Erzähler preußischer Vergangenheit geworden. Seine Haßliebe zu Preußen hat ihn Gestalten erfinden lassen, die bis heute die Ambivalenz preußischer Gesinnung und Tüchtigkeit anschaulich vor Augen führen. Dank hat er damit bei der herrschenden Klasse, die er darstellte und für die er schrieb, nicht gefunden. Sprechend ist das resignierende Gesicht ›An meinem Fünfundsiebzigsten‹:

Hundert Briefe sind angekommen,
Ich war vor Freude wie benommen,
Nur etwas verwundert über die Namen
Und über die Plätze, woher sie kamen.
Ich dachte, von Eitelkeit eingesungen:
Du bist der Mann der »Wanderungen«,
Du bist der Mann der märkschen Geschichte,
Du bist der Mann der märkschen Gedichte,
Du bist der Mann des Alten Fritzen
Und derer, die mit ihm bei Tafel sitzen,
Einige plaudernd, andere stumm,
Erst in Sanssouci, dann in Elysium:

Du bist der Mann der Jagow und Lochow,
Der Stechow und Bredow, der Quitzow und Rochow,
Du kanntest keine größeren Meriten,
Als die von Schwerin und vom alten Zieten,
Du fandst in der Welt nichts so zu rühmen,
Als Oppen und Groeben und Kracht und Thümen,
An der Schlachten und meiner Begeisterung Spitze
Marschieren die Pfuels und Itzenplitze,
Marschierten aus Uckermark, Havelland, Barnim,
Die Ribbecks und Kattes, die Bülow und Arnim,
Marschierten die Treskows und Schlieffen und Schlieben –
Und über alle hab ich geschrieben.

Aber die zum Jubeltag da kamen,
Das waren doch sehr, sehr andre Namen,
Auch »sans peur et reproche«, ohne Furcht und Tadel,
Aber fast schon von prähistorischem Adel:
Die auf »berg« und auf »heim« sind gar nicht zu fassen,
Sie stürmen ein in ganzen Massen,
Meyers kommen in Bataillonen,
Auch Pollacks und die noch östlicher wohnen,
Abram, Isak, Israel,
Alle Patriarchen sind zur Stell,
Stellen mich freundlich an ihre Spitze,
Was sollen mir da noch die Itzenplitze!
Jedem bin ich was gewesen,
Alle haben sie mich gelesen,
Alle kannten mich lange schon,
Und das ist die Hauptsache – – »kommen Sie, Cohn!«

Das Gedicht offenbart die tiefe Widersprüchlichkeit der geistigen
Rechtfertigungsversuche des Adels durch deutsche Bürgerliche. – Die
fehlende politische Identität des deutschen Bürgertums fand außer in
Selbsthaß, Wehleidigkeit und Melancholie ihren Ausdruck auch darin,
daß man sich moralisch über die Politik, von der man ausgeschlossen
war, erhob. Diese Tradition reicht vom postrevolutionären Schiller bis zu
Thomas Manns ›Betrachtungen eines Unpolitischen‹, in denen er aus der
Not bürgerlicher Politikferne die Tugend einer ›deutschen Kultur‹ zu
machen suchte. Der Ökonom Werner Sombart nannte den unpolitischen

Sinn das »teuerste Erbstück, das uns Intellektuellen die Größten und Besten unseres Volkes hinterlassen haben«. Je aggressiver sich die preußisch-deutsche Machtpolitik gebärdete, desto innerlicher, lyrischer, inhaltsleerer und resignierender zeigte sich die Kunst jener Jahre. Thomas Mann hat für diese Einstellung einen guten Ausdruck gefunden: ›machtgeschützte Innerlichkeit‹.

Die dialektische Kehrseite dieser moralisch-ästhetischen Distanzierung von der Politik zeigte sich in ihrer übersteigerten Bejahung als notwendig schmutziges Geschäft: Wenn schon Politik, dann sollte einem selbst und der Welt Hören und Sehen vergehen und die Devise gelten ›Pardon wird nicht gegeben‹.

In immer neuen Anläufen hat das deutsche Bürgertum versucht, eine Verbindung von Imperialismus und aristokratisch-ästhetischem Rückzug in die Kunst zu schaffen. Julius Langbehns Wunsch nach einem ›künstlerischen Bismarck‹, der die Leistungen Bismarcks und Moltkes in den Kriegen 1866 und 1870/71 um entsprechende Kunstleistungen ergänzen sollte, ist nur noch komisch: »Die beiden neuen und doch so alten Seiten unseres Volkscharakters, Kunst und Krieg, werden sich dann endgültig durchdrungen haben; die Griechen hatten ihren musenführenden Herakles, den Deutschen möchte man einen künstlerischen Bismarck wünschen.«

In solchen abstrusen Gedanken offenbart sich die fatale Lage, in der sich das deutsche Bürgertum und mit ihm die deutschen Intellektuellen befanden. Man hat von einer deutschen Sonderentwicklung gesprochen und kann fragen, wie weit diese historisch reicht. Die politische Ungeübtheit der Intellektuellen hat jedenfalls mit dazu beigetragen, daß die Generalprobe der parlamentarischen Demokratie in Deutschland, die Weimarer Republik, mißglückte. Dabei war das politische Engagement der deutschen Intellektuellen zur Zeit der Weimarer Republik ungewöhnlich stark. Dennoch gerieten ihre politischen Äußerungen, gemessen an der Realität des modernen Verfassungsstaates, durchweg zu den schon erwähnten ›Betrachtungen eines Unpolitischen‹ – das war der Titel einer Abrechnung mit dem westlichen Verfassungsbegriff, den der damals noch Rechtsintellektuelle Thomas Mann in einem dicken Buch vortrug. Dieser Widerspruch eines politischen Engagements von im Grunde doch unpolitischen Intellektuellen ist das Ergebnis der Schwäche des deutschen Bürgertums, das sich immer noch mit den Augen des Adels sah und deshalb verachtete. Dieser bürgerliche Selbsthaß betraf auch die bürgerlichen Intellektuellen und führte zu einer Verachtung theoretischer Distanz, wie man sie in den angelsächsischen Ländern und in Frankreich nicht kannte. Indem man sich politisch engagierte, nahm man zugleich Stellung gegen die Politik im westeuropäischen Wortverstand, d. h. gegen das parlamentarische Regierungssystem, gegen die Parteien, gegen die demokratische Gleichheits- und Fortschrittsidee.

In dieser Front gegen westeuropäisches Politikverständnis und damit gegen die verfassungsmäßigen Grundlagen der Weimarer Republik verbanden sich Rechts- und Linksintellektuelle. So stand Ernst Niekisch, ein linker Intellektueller, gleichzeitig in der Tradition der Deutschen Bewegung und empfahl z. B. die Ausrottung der Großstädte. Rechts wie links war man zwar radikal, hatte aber kein Gesamtkonzept des politischen Weges, sondern orientierte sich an deutscher Vergangenheit. Man fühlte sich zwar als Generation des Aufbruchs und wartete auf Entscheidungen, bewegte sich aber mit wenigen Ausnahmen auf den traditionellen Bahnen deutscher Politikgeschichte. So verfocht Ernst Jünger etwa weiterhin eine ästhetische Auffassung der Politik, wie sie in der Zeit der deutschen Romantik von Adam Müller und Novalis vertreten worden war. Krieg, Kampf, Opfer und Tod wurden von ihm als Mythos, nicht als die Leiden Verwundeter, der Schmutz und Jammer sterbender Menschen begriffen. Das tat Erich Maria Remarque in seiner Kriegsbeschreibung ›Im Westen nichts Neues‹ und erntete wenig Dank damit.

Jünger und Remarque bezeichneten die beiden extremen intellektuellen Positionen dem Ersten Wektkrieg gegenüber. Auf seiten Remarques stand nur eine kleine Zahl pazifistischer Intellektueller wie Tucholsky, Ossietzky, Toller. Zu dieser Linken muß man auch Heinrich Mann rechnen, den sein Bruder in dem erwähnten Buch scharf angriff, als Intellektuellen nämlich.

Unmittelbare politische Betätigung haben wenige Intellektuelle in der Weimarer Republik gesucht, und wenn sie sie probierten, scheiterten sie in der Regel. Das galt für das Experiment der Münchener Rätedemokratie, an dem sich Ernst Toller, Erich Mühsam und Gustav Landauer beteiligten. Auch den Parteien schloß man sich nicht gern an, hielt nichts von ihnen. In diesem Sinne feierte der Romancier Wilhelm Herzog 1929 Heinrich Mann mit den Sätzen: »Hier steht ein Kämpfer. Allein. Keiner Partei zugehörig. Aber inmitten der Parteienkorruption – welch ein sauberer, verantwortungsbewußter Geist!«

Parteipolitische Unabhängigkeit wurde mit moralischer Integrität gleichgesetzt. Politik galt, wie früher, als das Bürgertum von ihr ausgeschlossen war, als schmutziges Geschäft, dem sich der ›geistige Mensch‹ fernhalten mußte, um er selbst bleiben zu können. Gleichzeitig beklagte man mangelnden politischen Einfluß. In seiner Preisrede auf Heinrich Mann sagte Herzog:»Dies Gefühl der Ohnmacht, jedenfalls der Machtlosigkeit des geistigen Menschen in Deutschland schmerzt jeden aufrechten Kämpfer am empfindlichsten. Unter der Tatsache, daß man in diesem Lande ins Leere spricht, leidet ein aktiver Geist wie Heinrich Mann am meisten.«

Dennoch war Heinrich Mann im Vergleich zu seinem Bruder der Engagiertere und Entschlossenere. 1931 wurde er Präsident der Preußischen Akademie der Künste in der Sektion für Dichtung. 1933 unterzeichnete er zusammen mit Käthe Kollwitz und Albert Einstein einen Aufruf des ›Internationalen Sozialistischen Kampfbundes‹, der die Einheitsfront von SPD und KPD gegen die drohende Diktatur forderte. Auf den massiven Druck des Kultusministers Rust wurde Heinrich Mann seines Amtes im Februar 1933 enthoben. Er floh zunächst in die Tschechoslowakei und emigrierte dann auf persönlichen Rat von François-Poncet nach Frankreich. 1940 flüchtete er über Spanien und Portugal in die Vereinigten Staaten.

Selbst die radikale Linke fand kaum eine Verbindung zur praktischen Politik. Man erreichte das revolutionäre Proletariat nicht mehr. Tucholsky schrieb 1928 zwar:»Ich halte einen Zusammenschluß der radikalen Intellektuellen mit der KPD für einen Segen und für ein Glück«, beklagte sich aber andererseits über das Verhalten der Funktionäre:

»Die deutschen Kommunisten sehen vielfach die gute Hilfe nicht, die ihnen von den Intellektuellen dargebracht werden kann, und sie haben eine seltsame Auswahl getroffen: Sie sind durchsetzt mit schlechten, verkrachten, viertrangigen Intellektuellen, und die sind es, die gegen den Geistigen und das Geistige in der Partei wettern, die hartgebräunten Arbeitsmänner. Nun will ich mir ja gern von einem Grubenarbeiter, der sein Leben im mitteldeutschen Aufstand aufs Spiel gesetzt hat, sagen lassen, wofür ich tauge und nicht tauge –: Aber jene Zwitter, die zwischen dem Volksschullehrer und dem laufenden Handwerksgesellen stehen, täten gut, fein stille zu sein. Wer zu schwächlich oder zu unfähig zur manuellen Arbeit ist, ist noch kein Intellektueller, und sehr viel mehr stellen viele unter ihnen nicht vor. Es sind gehemmte Maschinenschlosser. Das Motiv für ihr Verhalten ist in den meisten Fällen nichts als eine nur zu begründete Angst vor der Konkurrenz.«

Politisch am meisten hat vermutlich Carl von Ossietzky mit seiner ›Weltbühne‹ bewirkt. Er mußte noch während der Weimarer Republik ein Reichsgerichtsverfahren und Gefängnisstrafen erdulden, weil er eine eklatante Rechts- und Verfassungswidrigkeit ans Licht gebracht hatte. Das oberste deutsche Gericht aber schützte diejenigen, die Gesetz und Verträge gebrochen hatten: die Verantwortlichen des Reichswehrministeriums. Nicht Ossietzkys Artikel in der ›Weltbühne‹, sondern sein Prozeß in Leipzig hat in der Rückschau betrachtet ›dem Wohl des Reiches‹ geschadet. Aber das Urteil wurde nicht aufgehoben, eine Anfrage der SPD-Fraktion im Reichstag von der Regierung nie beantwortet, ein von Thomas Mann unterstütztes Gnadengesuch an den Reichspräsidenten abgelehnt, ein von der Deutschen Liga für Menschenrechte und der deutschen Sektion des internationalen PEN gestellter Antrag, die Gefängnis- in Festungshaft umzuwandeln, vom Justizministerium abschlägig beschieden. Die Nationalsozialisten vollstreckten dann nur den Willen der konservativen Kräfte in der Weimarer Republik. Ossietzky starb im Konzentrationslager.

Ossietzky hatte das Format eines Zola, Dreyfus-Affären gab es genug, er selbst war eine. Und doch hat die Nation seinen Fall kaum beachtet, es kam zu keiner Bewegung, und noch heute führt die Frage, ob man eine Universität nach ihm benennen soll, zu scharfen politischen Konfrontationen.

Die politische Unsicherheit der meisten deutschen Intellektuellen zeigte sich in der Einschätzung des Nationalsozialismus. Den Schriftstellern wurde von der Preußischen Akademie der Künste, nachdem sie 1933 in regimefreundlichem Sinne umbesetzt worden war, folgende Loyalitätserklärung abverlangt: »Sind Sie bereit, unter Anerkennung der veränderten geschichtlichen Lage weiter ihre Person der Preußischen Akademie der Künste zur Verfügung zu stellen? Eine Bejahung dieser Frage schließt die öffentliche politische Betätigung gegen die Regierung aus und verpflichtet Sie zu einer loyalen Mitarbeit an den satzungsgemäß der Akademie zufallenden nationalen kulturellen Aufgaben im Sinne der veränderten geschichtlichen Lage.«

Thomas Mann und Ricarda Huch traten sofort aus. Alfred Döblin bejahte die Erklärung, fügte aber hinzu, er sehe ein, daß er als Mann jüdischer Abstammung unter den heutigen Verhältnissen eine zu schwere Belastung für die Akademie bedeute, und stellte seinen Sitz zur Verfügung. Ebenso fragte Jakob Wassermann vorher beim Präsidenten höflich an, ob er als Jude auch weiter geduldet werden könne. Georg Kaiser hatte die Erklärung unterschrieben, wurde aber kurz danach ausgeschlossen. Eine rühmliche Ausnahme machte der Maler Max Liebermann, der seinen Austritt und die Niederlegung des Ehrenpräsidiums erklärte. Die Begründung allerdings, die er dafür angab, zeigt wieder eine traditionelle Schwäche deutscher Intellektueller im Umgang mit politischer Macht: Er machte eine strikte Trennung zwischen Politik und Kunst:

»Ich habe während meines langen Lebens mit allen meinen Kräften der deutschen Kunst zu dienen gesucht. Nach meiner Überzeugung hat Kunst weder mit Politik noch mit Abstammung etwas zu tun, ich kann daher der Preußischen Akademie der Künste, deren ordentliches Mitglied ich seit mehr als dreißig Jahren und deren Präsident ich durch zwölf Jahre gewesen bin, nicht länger angehören, da dieser mein Standpunkt keine Geltung mehr hat. Zugleich habe ich das mir verliehene Ehrenpräsidium der Akademie niedergelegt.«

Im Vergleich zu anderen faschistischen Ideologien war der Nationalsozialismus primitiv und provinziell. Mussolini war einst Chefredakteur des italienischen ›Vorwärts‹, hatte Lenin studiert, bevor er sich einem Rechtskurs verschrieb, der durch den Einfluß von Geistern wie Sorel und Pareto und durch Dichter wie d'Annunzio ein gewisses Niveau hatte. Hitler hat, glücklicherweise muß man sagen, nie einen Ezra Pound zu ›Cantos‹ inspiriert.

Es will also nicht viel sagen, daß die deutschen Intellektuellen sich in ihrer Mehrzahl dem Nationalsozialismus fernhielten. Begrüßt haben ihn am Anfang eine ganze Reihe, darunter Gottfried Benn und Martin Heidegger. Sogar der junge Theologe Martin Niemöller schickte Hitler ein Glückwunschtelegramm zum Austritt aus dem Völkerbund. ›Innere Emigration‹ nannte man einen Zustand, der zwischen schriftstellerischer und politischer Enthaltung auf der einen und einem unpolitischen Publizieren und politischer Vorsicht auf der anderen Seite schwankte. In jeder geistigen Haltung sei das Politische latent, hat Thomas Mann einmal gesagt. Wenn das stimmt, wird man die innere Emigration der Kollaboration eher zurechnen müssen als ihrem Gegenteil, der Opposition. Was immer etwa Ernst Jünger mit seinen Romanfiguren politisch hat zeigen wollen, zur Opposition wird man ihn nicht zählen können.

Die Linke fiel als Opposition gegen den Nationalsozialismus weitgehend aus, da sie von Hitler inhaftiert, exiliert oder liquidiert worden war. Trotzdem gab es unter den Männern des 20. Juli eine nicht geringe Zahl linker Intellektueller, und es gehört zur Größe der Widerstandsbewegung, daß sie ein für kurze Zeit tragfähiges Bündnis zwischen Links und Rechts herstellte. Dieses Bündnis galt nach dem Kriege als eine Verheißung für ein neues Verhältnis der Intellektuellen zur Politik.

Das geistige Klima unterschied sich denn auch zunächst von dem nach 1918. Statt einer Verherrlichung des Fronterlebnisses empfand man Borcherts ›Draußen vor der Tür‹ als treffende Lagebeschreibung. Statt einer Dolchstoßlegende verfaßten die evangelischen Kirchen in Deutschland das sogenannte Stuttgarter Schuldbekenntnis. Es gab eine Fülle von Zeitschriften, die ›Wandlung‹, ›Sammlung‹, ›Besinnung‹, ›Neubau‹, ›Aufbau‹ versprachen. Trotzdem gab es keine Auseinandersetzung mit dem Nationalsozialismus, die politischer Natur gewesen wäre. Das Dritte Reich wurde als ›historische Katastrophe‹ angesehen. Den Christen galt der Nationalsozialismus als Abfall von Gott, von den Philosophen wurde er als Durchbruch irrationaler, zeitlos-böser Mächte im Menschen gedeutet. Zusammen mit der alten Technik- und Zivilisationskritik setzte man die Tradition neuromantischer Dichtkunst fort. Viele Schriftsteller, die 1933 in die neue Schrifttumskammer gewählt waren, erfreuten sich weiter hoher Auflagen. Deutsche ›Innerlichkeit‹ stand nach wie vor hoch im Kurs. Neben den unter Hitler verbotenen Schriftstellern Brüder Mann, Hesse, Kafka, Hermann Broch erschienen die im Dritten Reich gelesenen Autoren Ernst Wiechert, Hans Carossa, Werner Bergengruen, Reinhold Schneider, Stefan Andres, Ernst Jünger und galten jetzt als ›Apologeten unzerstörter Menschlichkeit‹. Eine Literatur des ›magischen Realismus‹ vernebelte zusammen mit der Existenzphilosophie Martin Heideggers die politische Situation. Die in ihr liegende Chance und Aufgabe einer geistig-politischen Kurskorrektur wurde weder be- noch ergriffen. Die Schubladen der Schriftsteller waren leer, die sogenannte Kahlschlag- und Trümmerliteratur hielt sich an persönliche Erfahrungen des Zusammenbruchs. Man war froh, als der beginnende wirtschaftliche Aufschwung Zeiten der Normalität verhieß. Einzig die von Alfred Andersch zusammen mit Hans Werner Richter 1946 bis zum Verbot durch die Militärregierung herausgegebene Zeitschrift ›Der Ruf‹ versuchte eine politische Bestandsaufnahme und Neuorientierung.

Nach der Währungsreform lieferte Wolfgang Koeppen mit seinem Roman ›Tauben im Gras‹ eine bis heute bedeutsame Schilderung des geistig-politischen Klimas. Gesellschaft erscheint dort insgesamt als ein undurchschaubares Labyrinth von Gewalt und Not, Haß und Angst, Bedrohung und Ohnmacht. Aber auch Koeppen fand über eine kritisch-satirische Darstellung dieser Situation politisch nicht hinaus.

Immerhin stand der Geist in Deutschland politisch zum ersten Mal eher links als rechts. Der Rechtsintellektualismus hatte zunächst keinen Kredit. Das entsprach der praktischen Politik, in der man sich zuerst auch eher links als rechts orientieren wollte. Das Ahlener Programm der CDU vom Jahr 1947 ist ein Zeichen dafür. Zur SPD stießen zum ersten Mal in größerem Umfang Männer, die sich vor 1933 gewiß weiter rechts angesiedelt hätten, z. B. der Intellektuelle und Baudelaire-Übersetzer Carlo Schmid. Im akademischen Leben gewannen einige rückkehrende Emigranten sehr schnell große Bedeutung. Das alte Frankfurter Institut für Sozialforschung kehrte mit so namhaften Männern wie Adorno, Horkheimer, Pollack wieder zurück. Wichtige Philosophen wie Helmuth Plessner und Karl Löwith folgten einem Ruf an deutsche Universitäten, und in der Politikwissenschaft lehrten Ernst Fränkel, Otto Kirchheimer, Richard Löwenthal, Ossip Flechtheim und sorgten für ein liberales Klima.

Um die Wende zu den fünfziger Jahren trat jedoch eine Änderung ein. Die politische Teilung Deutschlands führte zu einer scharfen, von Kurt Schumacher bereits seit 1945 verfolgten ideologischen Abgrenzung der SPD gegenüber dem Kommunismus. Die theoretische Absage an die marxistische Herkunft der deutschen Sozialdemokratie wurde später im Godesberger Programm nachgeliefert. Allein der DGB, besonders die IG Metall, hat noch länger versucht, den Blick nach links außen offenzuhalten. Die marktwirtschaftlich orientierte Investitions- und Steuerpolitik Ludwig Erhards sorgte dafür, daß sich die gesellschaftlichen Verhältnisse der Bundesrepublik auf die alten Strukturen und auf das geistige Wertesystem der Vorkriegszeit einspielten. Großbürgerlich-industrielle Positionen beherrschten das politische Feld und beherrschen es bis heute. Konrad Adenauer repräsentierte diese Tradition in vielfacher Hinsicht. Sein politischer Stil unterstützte die restaurativen Tendenzen, die in das wilhelminische Zeitalter zurückwiesen. Walter Dirks und Eugen Kogon, die beiden Herausgeber der linkskatholischen ›Frankfurter Hefte‹, sprachen besorgt von den restaurativen Tendenzen der Epoche.

Aber gerade im Blick auf diese neu sich bildenden autoritären Tendenzen fällt im Vergleich mit der Weimarer Situation ein entscheidender Unterschied ins Auge: Die Intellektuellen der Bundesrepublik standen fest auf dem Boden der Verfassung. Die Rede von der Schwatzbude hörte man nicht mehr. Es gab keinen Juniclub und keinen Tatkreis, keine Konservative Revolution, und auch die sehnsüchtige Rückwendung zur germanischen Frühzeit fand sich nur noch in nationalistischen Splittergruppen.

Die Intellektuellen der Bundesrepublik unterscheiden sich auch noch in einem anderen Punkt von denen der Weimarer Republik. Sie sind dichter an der Politik angesiedelt und schreiben nur mit wenigen Ausnahmen ›Betrachtungen Unpolitischer‹. Erst in den letzten Jahren haben sie sich, aus Enttäuschung über das Krisenmanagement Helmut Schmidts, bei dem sie politische Perspektiven vermissen, von der Politik zunehmend abgewandt. Die entsprechenden Zeitschriften zeigen jedoch bis heute ein hohes Interesse an politischen Realitäten. Das ›Kursbuch‹ bringt konkrete Fallstudien, Statistiken. Viele Intellektuelle haben sich politischen Parteien angeschlossen und setzen sich im Wahlkampf für sie ein.

Eine Phase der Belebung des Verhältnisses von Geist und Macht bedeutete die Zeit der Kanzlerschaft Willy Brandts. Bis weit in die politische Mitte hinein begrüßten ihn die Intellektuellen. Seine innen- und außenpolitischen Perspektiven sprachen sie an, sein Vorsatz, mehr Demokratie zu wagen, fand besonders in der studentischen Jugend bereitwillige Aufnahme. Brandt hatte schon als Regierender Bürgermeister von Berlin Intellektuelle angezogen und sich im Kreise von Schriftstellern und Publizisten wohlgefühlt. Man kann darüber streiten, ob Brandt selber ein Intellektueller ist. Jedenfalls liebt er weitreichende Perspektiven, läßt moralische Gesichtspunkte in der Politik gelten und schätzt das geistreiche, entspannte Gespräch.

Mit seinem politischen Programm verstand es Brandt, bedeutende deutsche Schriftsteller und Künstler – unter vielen anderen: Böll, Grass, Lenz – sich persönlich zu verbinden und für seine Politik einzusetzen. Das geschah zum Teil in der SPD-Wählerinitiative, durch Wahlreisen von prominenten Künstlern oder Wissenschaftlern. Aber auch diese Intellektuellen blieben meist auf Distanz und kritisierten, wie Günter Grass, auch Willy Brandt selber.

Das gute Verhältnis der Intellektuellen zur politischen Macht änderte sich spätestens, als Helmut Schmidt an die Regierung kam. Doch schon vorher zeigten sich Spuren nachlassenden politischen Interesses, auch schwindender Solidarität mit einer Partei, die viele Hoffnungen nicht erfüllte. Gerade in dem Punkte, in dem die Intellektuellen mit Brandt einig zu sein glaubten, nämlich mehr Demokratie zu wagen, gab es den schlimmen Rückschlag des Extremistenbeschlusses, den Brandt mitverantwortet hatte.

Seit einigen Jahren läßt sich eine deutliche Abkehr der Intellektuellen von der Politik feststellen, jedenfalls auf dem liberalen Sektor. Die konservativen Intellektuellen dagegen gewinnen eher an Aktivität zurück. Der ›Bund Freiheit der Wissenschaft‹, die Initiatoren der Kongresse ›Tendenzwende‹ und ›Mut zur Erziehung‹ haben viel Publizität, so daß die politische Rechte inzwischen über ein beträchtliches intellektuelles Potential verfügt.

Begleitet wurde das schwindende Interesse liberaler Intellektueller an der Politik von der glücklosen Beendigung der Karrieren einiger Männer, die versucht hatten, Geist und Macht in ihrer Person zu verbinden. Signifikant für die veränderte Szene war der Sturz Werner Maihofers. Ursprünglich als linksliberaler Intellektueller in die Politik gelangt, verlor er sein Amt nicht als Linksabweichler, sondern unter dem Vorwurf, Staatsschutzpraktiken zu üben, die einem obrigkeitlichen, nicht aber einem demokratischen Rechtsstaat eigen sind.

Das Verhältnis der politischen Machthaber zu den Intellektuellen war in Deutschland nie besonders eng. Das ist es auch in der Bundesrepublik nicht. Konrad Adenauer hatte kein Verhältnis zur Literatur, zu den Bildenden Künsten, zur Philosophie oder zur Musik, das über einen durchschnittlichen Bildungsstand hinausragte. Dasselbe galt für Ludwig Erhard. Auch Kiesinger hegte kaum intellektuelle Ambitionen. Für diese relative Unbildung unserer Staatsmänner gibt es eine deutsche Tradition. So soll etwa Hindenburg zeitlebens stolz darauf gewesen sein, seit seiner Konfirmation kein schöngeistiges Buch mehr gelesen zu haben. Nur wenige Abgeordnete des Deutschen Bundestages verfügen über die Kunst der parlamentarischen Debatte.

Der Schriftsteller Dieter Lattmann verließ den Bundestag enttäuscht über mangelnde Einflußmöglichkeiten. Schon der Titel seines Buches ›Die Einsamkeit des Politikers‹ verriet eine gewisse Resignation.

Eine in vieler Hinsicht glanzvolle Ausnahme von diesem trüben Bild macht Ralf Dahrendorf: Intellektueller par excellence, renommierter Soziologieprofessor, Landtagsabgeordneter, Staatssekretär zunächst für Bildung, dann für Außenpolitik, EG-Kommissar, Direktor der London School of Economics, diese Stationen zeigen den leidenschaftlichen Ver-

such, Geist und Macht zusammenzubringen. In keiner der rasch aufein-
anderfolgenden Positionen hat der Intellektuelle dem Politiker das Feld
völlig überlassen. Stets bleibt Kritik die Signatur dieser geistig-politischen Existenz. Ähnliches wird man von Peter Glotz sagen, dessen Intellektuellentum ihn offenbar nicht hindert, eine politische Karriere zu
machen.

Ein beträchtliches intellektuelles Potential findet sich heutzutage in
den Bürgerinitiativen und alternativen Bewegungen. Schon früher hat es
in der Bundesrepublik politische Gruppierungen gegeben, die sich zwar
als Parteien empfahlen, diesen Namen aber im vollen Sinne kaum beanspruchen konnten. Man denke an die Gesamtdeutsche Volkspartei Gustav
Heinemanns oder an die Deutsche Friedensunion Renate Riemecks. In
beiden Fällen handelte es sich um oppositionelle Zusammenschlüsse,
die aus bestimmten Anlässen entstanden und auf bestimmte politische
Ziele hin orientiert waren. Man hatte strenggenommen kein Gesamt-
programm, mit dem man das Wahlvolk im Sinne einer modernen Inte-
grationspartei hätte ansprechen können, wollte auch wohl ernstlich die
politische Macht nicht erobern, sondern verstand sich als eine Intellektu-
ellenbewegung, die ein bestimmtes politisches Anliegen ›zur Sprache‹
bringen wollte. Martin Niemöllers merkwürdige Aufforderung vor einer
Bundestagswahl, einen leeren Stimmzettel als Protest gegen alle im Bundestag vertretenen Parteien abzugeben, gehörte auch in den Umkreis
dieser intellektuellen Opposition.

Auch die sich innerhalb der SPD herauskristallisierende Minderheit
der Gegner von Atomkraftwerken, des Waffenexports und der Erhöhung des Verteidigungsetats besteht zumeist aus Intellektuellen, wird
auch schon als Intellektuellenklüngel gebrandmarkt. Man wird sehen,
ob es ihr gelingt, weitere Potentiale der Partei zu sich herüberzuziehen
und eine Politik zu betreiben, die stärker ihren moralischen Maßstäben
entspricht.

In jedem Falle muß nicht nur die Regierung dieser Koalition, sondern
jede Partei auf solche politischen Impulse von Intellektuellen achten,
weil das Verhältnis von Geist und Macht eines der gegenseitigen Ver-
schränkung ist:

Politische Macht, verstanden als Herrschaftswille, bedarf des Geistes,
der sie legitimiert, ihr aber auch Legitimität entziehen kann. Die politische Macht mag dem Geist besonders in seiner kritischen Funktion mißtrauen, bleibt aber stets auf ihn angewiesen. Umgekehrt begnügt sich

der Geist nicht mit seiner kritischen Funktion, sondern er will sich und seine Maßstäbe selber durchsetzen, d. h. er will als Geist Macht haben: herrschen.

Im Kampf zwischen politischem Herrschaftswillen und geistigem Machtanspruch kämpfen zwei im Grunde nicht vergleichbare Gegner. Die Unvergleichbarkeit liegt im unterschiedlichen Freiheitsbegriff beider. Der Geist ist frei, insofern er sich alle Gegenstände seiner Herrschsucht und seiner Machtlust selber beschaffen kann: Die Gedanken sind frei, Utopien kosten nichts. Die politische Macht ist in der Weise frei, daß sie sich Menschen und Sachen verpflichten und über sie verfügen kann. Trotzdem finden beide Positionen an sich selbst kein Genügen. Auf Bajonetten sitzt es sich auf die Dauer schlecht, und Utopie heißt nirgendwo. Geist und Macht bleiben also aufeinander angewiesen. Zwar trifft der Vorwurf der Weltfremdheit den Intellektuellen häufig zu Recht: Er ist meist nicht Fachmann, nicht Sachverständiger und kann folglich die Schwierigkeiten und Gebundenheiten des politischen Geschäftes nicht in Rechnung stellen. Der Intellektuelle sollte deshalb mit dem Spott des politischen Praktikers immer rechnen, so wie der Philosoph das Gelächter der Magd ertragen mußte. Andererseits ist es gerade der Intellektuelle, der die Welt der Politik wie die des täglichen Lebens besser kennt als der Praktiker, ja ihm diese Welt überhaupt erst öffnen und zeigen kann. Wenn es richtig ist, daß man nur das kennt, was man gerade nicht selber tut und nicht selber zu eigen hat, dann hat der Politiker allen Grund, sich der Kritik und der Mitarbeit des Intellektuellen zu versichern.

Das evangelische Pfarrhaus in Deutschland:
Urbild und Vorbild bürgerlichen Lebens

Wer die große Bedeutung des evangelischen Pfarrhauses für die Kultur-
und Sozialgeschichte Deutschlands verstehen will, muß sich einen Ge-
dankengang klarmachen, der zum Kernbestand der reformatorischen
Theologie gehört und für die Praxis der protestantischen Kultur von Bedeutung wurde. Worum es geht, mag durch die beiden Begriffe Verweltlichung und Vergeistlichung bezeichnet werden. Die beiden Worte si-
gnalisieren eine gewisse Dialektik, und genau darum geht es: Luther hat
einerseits die Welt alles heiligen Zaubers entkleidet, der sich in katholi-
scher Religiosität und Kirchenpraxis angesammelt hatte: Die Zustände
und Dinge dieser Welt sind weder aus sich heraus heilig oder geheimnis-
voll, noch müssen sie mit Weihwasser geheiligt werden. Das gilt für Saat
und Ernte, für Beruf und Stand, für Ehe und Staat. Das ist die eine Seite:
Verweltlichung.

Die Kehrseite heißt Vergeistlichung, mit den Worten Luthers:
»Möchte darum die ganze Welt voll Gottesdienstes sein. Nicht allein in
der Kirche, sondern auch im Haus, in der Küche, im Keller, in der Werk-
statt, auf dem Feld, bei Bürgern und Bauern.«

Mit dieser Vergeistlichung der menschlichen Existenz, die in jeder
Tätigkeit eine theologische Dimension eröffnet, erfährt das Leben eine
Intensität, die seither das Kennzeichen protestantischer Kultur gegenüber der katholischen ist. Der evangelische Christ muß seinen Glauben
leben, in jeder Stunde und mit jeder Hantierung. Gott ist stets gegenwärtig mit seiner Frage: Vergeudest du deine Zeit nicht, nutzt du deine
Gaben, gibt dein Leben Sinn im Blick auf das ewige Heil? Und der Inhalt
des evangelischen Gebetes ist dementsprechend die Bitte um rechte Bewährung in dieser Welt, wie es Gesangbuchverse ausdrücken, die in besonderer Weise protestantische Kultur in Deutschland kennzeichnen:

> Gib, daß ich tu mit Fleiß, was mir zu tun gebühret,
> Wozu mich dein Geheiß in meinem Stande führet.
> Gib, daß ich's tue bald, wann ich es tuen soll,
> Und wenn ich's tu, so gib, daß es gerate wohl.

Man hat diese religiöse Beseelung der Welt mit einem guten Begriff als Weltfrömmigkeit bezeichnet (Helmuth Plessner). Dadurch, daß irdische Geschäfte als Felder für die Bewährung christlichen Glaubens gelten, erfahren sie eine ungeheure Intensivierung. Der evangelische Christ ist sozusagen immer im Gottesdienst, gerade weil es keinen abgetrennten Raum der Frömmigkeit mehr gibt. Worauf es ankommt, ist die Heiligung des gesamten Lebens.

Diese protestantische Dialektik von Heiligung und Entheiligung der Welt, ihrer Säkularisierung und der dadurch möglichen Weltfrömmigkeit hat das evangelische Pfarrhaus zuallererst betroffen. »Es ist um das geistliche Amt jetzt ein ander Ding geworden.« Dieser Satz Luthers zeigt zusammen mit der theologischen Revolution im Verständnis des Priesterberufes den Beginn des evangelischen Pfarrhauses an. Luthers Lehre vom allgemeinen Priestertum nimmt dem Pfarrer seine besondere Rolle in der Heilsvermittlung: Sakramente spenden und die Schrift auslegen kann nun jeder. Mit den Worten Luthers: »Wo ein Christ den Glauben hat, so mag er absolvieren, predigen und alle andere Dinge tun, die einem Prediger zustehen.« Aber das ist nur die eine Seite der Sache: die Front gegenüber der katholischen Auffassung des Priesters.

Die andere Front, gegen die Luther seine neue Lehre vom geistlichen Amt entwickelt, ist das Schwärmertum: jene mit dem Protestantismus bis heute gegebene Versuchung, jeden Gläubigen seine Heilserfahrung und -deutung unmittelbar aussprechen und ausleben zu lassen. Diese Tendenz gefährdet und zerstört am Ende jedes Gemeindeleben. Gegen sie verficht Luther den Amtscharakter des Pfarrberufes: »Es ist wahr, alle Christen sind Priester, aber nicht alle Pfarrer. Denn über das, daß er Christ und Priester ist, muß er auch ein Amt und ein befohlen Kirchspiel haben. Der Beruf und Befehl macht Pfarrer und Prediger.«

Das Predigtamt ist der Beruf zur öffentlichen Verkündigung. Dafür reicht die Berufung durch eine innere Stimme nicht aus, sondern die Einsetzung der Prediger geschieht durch die Gemeinde. Wenn schon kein durch besondere Weihe aus dem Kreis der Christen Herausgehobener, macht der Pfarrer doch aus Verkündigung und Sakramentsverwaltung einen besonderen Beruf. Seine Eignung dafür muß er in einer Prüfung der Gemeinde gegenüber nachweisen.

Diese Eignungsprüfung für das öffentliche Amt eines evangelischen Pfarrers schloß von Anbeginn eine Reihe unterschiedlicher Kriterien ein, die in den Jahrhunderten verschiedenes Gewicht hatten. In dem

Maße, in dem die Wortauslegung und Verkündigung zum Mittelpunkt des evangelischen Kirchenverständnisses wurde, legte man auf das hierfür taugliche Rüstzeug von Anbeginn Wert. Vor allem anderen sollten die Pfarrer ›Diener am Wort‹ sein können. Noch heute heißen in manchen Gegenden die Pastoren ›Prediger‹. Ein Prediger soll die Schrift im hebräischen und griechischen Urtext, dazu die Kirchensprache Latein lesen können. Im Laufe der Zeit übernahmen die Universitäten die Prüfung der Gottesgelahrtheit. Der Talar ist kein Priesterkleid, sondern das Zeichen akademischer Würde: Als Doktor oder Magister der Theologie ist der Pfarrer ein Schriftgelehrter, und darüber hinaus überhaupt ein Gebildeter.

Neben theologischer Bildung und dogmatischer Rechtgläubigkeit wurden auch andere Fähigkeiten und Eigenschaften des künftigen Pfarrers geprüft, zum Beispiel charakterliche Zuverlässigkeit, pädagogische Begabung, auch landsmannschaftliches und familiäres Herkommen. In den Kreis dieser Aspekte wurde seine Ehefrau oder Verlobte mit einbezogen: Würde sie dem Pfarrer eine gute Hilfe sein, dazu das Muster einer christlichen Hausfrau und Mutter abgeben, die Kinder zu frommen Christen erziehen, und überhaupt: dafür sorgen, daß das Pfarrhaus ein Vorbild christlichen Lebens ist? Sonst nämlich würde des Pfarrers Predigt unglaubhaft, durch die Praxis des Pfarrhauses widerlegt. Hier liegt der soziale Quell des Themas ›Evangelisches Pfarrhaus‹.

Der katholische Priester übt seinen Beruf allein aus. Das Pfarrhaus wird ihm von einer Haushälterin, früher auch wohl von einer ›Pfarrmaid‹ geführt, mit der er in einem eheähnlichen Verhältnis lebte. Aber diese Frauen haben der Gemeinde gegenüber keine Rolle, sind gesellschaftlich ohne Bedeutung. Das katholische Pfarrhaus beherbergt das Amtszimmer und die Wohnung des Pfarrers, sonst nichts. Die Ehelosigkeit des katholischen Priesters schließt ihn von normaler gesellschaftlicher Existenz auf verschiedene Weise aus: Mit der Familie fehlt ihm auch die Sorge um sie und ihre Ernährung, die Erziehung und Ausbildung der Kinder. Er muß nur für seinen eigenen laufenden Unterhalt sorgen. So wie er aus dem Volke auftaucht, geht er in ihm wieder unter, spurlos, ohne Nachkommen, ohne Erben, im Andenken bewahrt nur von seiner Gemeinde oder seinen Ordensbrüdern.

Der evangelische Geistliche ist dagegen durch seine Familie auch mit der Bürgergemeinde eng verbunden. Er ist nicht nur Pfarrer, sondern immer zugleich Bürger. Luther kannte die Tragweite der Entscheidung, ob ein Geistlicher Familie haben soll oder nicht, sehr genau. Seine Entscheidung zu eigener Ehe und Familie ist ihm nicht leichtgefallen, er hat sie nicht rasch gefällt. Viele Widerstände, auch Mißverständnisse und Unterstellungen waren zu überwinden, bevor er die Nonne Katharina von Bora heiratete und mit ihr eine Familie gründete, die seither als Urbild des evangelischen Pfarrhauses gilt.

Urbild und Vorbild: Stets war das evangelische Pfarrhaus beides zugleich. Einerseits spiegelte es die Normen bürgerlichen Lebens exemplarisch wider, andererseits wirkte es als Trendmacher im Sinne eines nachahmenswerten Vorbildes. Einmal trat die konservative, ein andermal die progressive Funktion stärker hervor. Mit dieser Doppelrolle von Urbild und Vorbild gibt das evangelische Pfarrhaus bis heute ein Muster für die gesamte protestantische Kultur ab, die stets beides gewesen ist: exemplarisches Muster bürgerlichen Lebens und Vorreiter neuer Entwicklungen.

Grundsätzlich war die gesamte Familie wie der Pfarrer selbst zu einem exemplarisch-christlichen Leben verpflichtet. Wenn es nicht gelang, litt die religiöse Autorität des Pfarrers, und dies gleich dreifach: im Blick auf seine eigene religiöse Identität, im Blick auf seine Glaubhaftigkeit in der Familie und gegenüber der Gemeinde. Durch den religiösen Auftrag des Geistlichen bekam somit seine familiale Rolle ein besonderes Gewicht, nach der Devise: Wer als Ehegatte und Vater in seinem eigenen Hause nicht für einen christlichen Lebenswandel sorgen kann, muß sich nicht wundern, wenn die Gemeinde seiner Predigt mißtraut. Die Folge war eine besonders strikte Einhaltung der geltenden Erziehungsnormen, unterstützt von einer strengen religiösen Ritualisierung durch Gebete, Bibellesungen und Andachten, dazu ein Glaubensleben, das von der ständigen Anwesenheit Gottes als Zuschauer und Richter ausging.

Das Pfarrhaus war ein Haus mit gläsernen Wänden. Die ganze Gemeinde hatte freien Zutritt zum Pfarrhaus: um Amtshandlungen anzumelden, seelsorgerlichen Rat zu holen, kirchliche Aktivitäten zu besprechen. Auf diese Weise lag das Leben der Pfarrfamilie der Gemeinde wie ein offenes Buch vor Augen, in dem man auch gern las: aus Neugier darüber, ob und wie sich die christlichen Gebote, die der Pfarrer predigte, in seinem eigenen Hause befolgen ließen.

Das evangelische Pfarrhaus bekam auf diese Weise eine exemplarische Rolle zugeteilt. Es sollte christliches und bürgerliches Leben beispielhaft darstellen. In ihm ist deshalb bis heute die Dialektik von Weltlichkeit und Weltfrömmigkeit erfahrbar, als Chance und Last, als Freiheit und Zwang. Nirgends zeigt sich protestantische Kultur in ihrer Zwiespältigkeit so deutlich wie in ihrer ersten und intensivsten Erscheinungsform, der Familie des Pfarrers.

So merkwürdig es klingt: Am leichtesten war der Zwiespalt zwischen säkularer und geistlicher Existenz für den Pfarrer selbst zu bewältigen. Viele Pfarrer haben ihn überhaupt nicht bemerkt. Er konnte am ehesten nach der Maxime leben, daß man zwar *in* dieser, aber nicht *von* dieser Welt sein solle, hier keine bleibende Statt habe und die Dinge dieser Welt zwar haben solle, aber so, ›als hätte man sie nicht‹. Der Pfarrer blieb Außenseiter, brachte es allerdings als solcher zu hohem Sozialprestige. Er sollte nicht sein wie andere, sollte nicht dem Geld nachjagen, nicht im Wirtshaus sitzen. Auch innerhalb der Familie blieb er der Außenseiter mit seiner Doppelrolle von Mensch und Priester. Der Pfarrer und Schriftsteller Johann Christoph Hampe hat den Rollentausch zwischen Pfarrer und Familienvater beschrieben:

»Am schwersten ist die Situation, wenn er ins Haus tritt nach dem Gottesdienst. Aber dann hat er den Talar abgetan, der heilige Mann ist wieder unsereiner. Er hat Hunger und Durst, vor allem Durst nach dem vielen Sprechen. Er möchte – auch das ist menschlich – hören, ob die Predigt gut war. Eine Woche lang hat er den Text meditiert und dann doch, von den Gesichtern der Gläubigen und vom Geist getrieben, die Sache ein wenig anders dargestellt. Das ist der schwierigste Augenblick in der Wochengeschichte des evangelischen Pfarrhauses. Ein natürliches Wort kann alles zerstören. Und auch den Pfarrer, der nun, wie der Schmetterling aus der Puppe, plötzlich wieder Familienvater sein soll, die Suppe würdigen, und am Jüngsten das Gesetz handhaben soll, das er sich doch auf der Kanzel versagte, auch ihn müssen wir verstehen. In diesem Augenblick erweist sich, daß nicht der Pfarrer, sondern seine Frau, wie in allen Häusern, auch die Seele dieses Hauses ist. Wir hätten unsere Erfahrungen mit dem evangelischen Pfarrhaus an ihr darzustellen, nicht an ihm. Denn er ist der Außenseiter. Er wird sich zurückziehen, wenn das Essen vorbei und die Spielrunde mit den Kindern abgeleistet ist. Er sucht seinen Tempel auf, den Schreibtisch mit dem Kreuz darauf ... Da ist es an der Pfarrfrau, wiederum auf Zehen zu gehen in der Pfarrwohnung mit ihrem knarrenden Riemenparkett, und die Kinder eilen in ihr Vergnügen: Bis er wieder hervortritt aus der Klause, aus dem Tempel in das Haus, das am Abend wieder Haus sein darf und nicht

Kirche sein muß. Beides zugleich sein zu müssen, fällt ihm schwer. Es ist die Quadratur des Zirkels.«

Was die Pfarrfrau und Mutter anging, so war ihre Rolle zwischen partnerschaftlicher Kollegialität und vertrauensvoller Abhängigkeit angesiedelt. Eine prekäre und von ihr viel Sensibilität verlangende Lage. Kein Zweifel: Ohne die Frau Pfarrer lief nichts. Dennoch blieb der Pfarrer der Herr, auch ihr Herr. Und spätestens nach seinem Tode wußte sie, daß ihr ganzes Leben über ihn gelaufen war. Aus dem Bericht einer Pfarrerswitwe: »Als mein Mann tot war, merkte ich, daß ich persönlich den Leuten kaum etwas gegolten habe. Sie hatten kein Interesse an mir, ihr eigentliches Interesse galt meinem Mann und dem Pfarrer. Jetzt erfahre ich, daß die meisten Freunde von früher Freunde meines Mannes waren. Ich habe nicht nur meinen Mann, ich habe meine Persönlichkeit verloren. Ich bin allein.«

Das Pfarrhaus als beispielhafte Verwirklichung christlichen Lebens: dieser Auftrag betraf vor allem die Kinder. Während die Ehefrau als Erwachsene in das Pfarrhaus kam, als Gefährtin des Mannes zugleich an seinem Beruf teilhatte (und das hieß auch an seinem Prestige), waren es einzig die Kinder, die von Anbeginn als Produkte einer Erziehung galten, deren Maßstäbe vom Pfarrer selber in seiner Predigt so hoch angesetzt wurden, daß ihnen kaum Genüge getan werden konnte. Auf diese Weise gerieten Pfarrerskinder, ob sie wollten oder nicht, auf den Präsentierteller. Um sein eigenes Leben mit seiner Verkündigung in Einklang zu bringen, blieb dem Pfarrer kaum ein anderes Feld als das der Kindererziehung. Hier konnte man die innere Stimmigkeit seiner Lehre, die Fruchtbarkeit seines Glaubens messen. Dieses sein berufliches Interesse wurde ungemein verstärkt durch den Umstand, daß das Familienleben für die Gemeinde weithin offen war. Frechheit der Kinder, Unkirchlichkeit des Familienlebens ließen sich nicht verbergen. In Autobiographien von Pfarrerskindern fehlt dieser Gesichtspunkt nie: Die Beziehung zu den Eltern läuft weithin über die Vorbildrolle, auf die man angesprochen wird.

Wie immer die Anteile an der Pfarrhauskultur und ihren Auswirkungen zwischen dem Pfarrer und seiner Familie, dem Vater und seinen Kindern verteilt sein mögen, nützlich und unverzichtbar ist in jedem Falle, sich der Aktivitäten zu erinnern, die in besonderer Weise in Pfarrhäusern gepflegt und den Kindern nahegelegt wurden. Wenn immer das protestantische Pfarrhaus auf die gesamte nationale Kultur Deutschlands einen Einfluß gehabt hat, darf man vermuten, daß sich solche Aktivitäts- und Interessenschwerpunkte in ihr wiederfinden lassen. Das gilt mit Sicherheit und schon auf den ersten Blick erkennbar für alle Bereiche jener ›Innerlichkeit‹, für die das evangelische Pfarrhaus sprichwörtlich geworden ist. Es gilt aber auch für äußere Aktivitäten, die, besonders in ihrer Verbindung mit preußischen Tugenden, für die politische Kultur von Bedeutung wurden. Und schließlich gilt es allgemein für eine Dynamik auf allen Feldern des Lebens, für die transzendente Sinnsuche als ursprüngliche Antriebskraft heute kaum noch erkennbar ist. Ich behandle diese Wirkungen unter den Gesichtspunkten 1. der paradigmatischen Gemeinde, 2. der Wort- und Musikkultur, 3. philosophischer und psychologischer Anstöße, 4. pädagogischer und sozialer Aktivitäten und schließlich 5. unter dem Gesichtspunkt der politischen Kultur.

1. Die Pfarrfamilie galt über Jahrhunderte als Gemeinde im kleinen. Vorbild war Luthers Familie, und der sprichwörtliche Kinderreichtum protestantischer Pfarrfamilien sorgte dafür, daß sie jedenfalls im Blick auf ihre Zahl durchaus als eine Art Kerngemeinde gelten konnte. Der Pfarrer nahm seine geistliche Funktion auf diese Weise doppelt wahr, als Gemeindepfarrer und als Hausvater. Mit Hausandachten, Gebeten und Frömmigkeitsübungen, über deren Einhaltung er wachte, lieferte seine Familie die Maßstäbe für das religiöse Leben der gesamten Kirchengemeinde. Wenn seine Kinder in der Kenntnis von Psalmen, Bibeltexten und Kirchenliedern nachließen, mußte er sich nicht wundern, wenn der Kenntnisstand in den Häusern der Bauern und Bürger sank. In der Kinderlehre, im Konfirmandenunterricht waren seine eigenen Kinder auf diese Weise die Stützen, auf die er immer vertrauen konnte.

Vorbildliche Gemeinde: Das galt nicht nur im Innenraum von Glaubenshaltung und Bibelfestigkeit, sondern auch im Blick auf christliche Praxis. Hilfsbereitschaft, Fürsorglichkeit, Solidarität und alle anderen christlichen Tugenden erwartete man in der Pfarrfamilie vorbildlich gelebt. Keine Flüche, keine ›häßlichen Worte‹, kein Sich-gehen-Lassen, pünktliche Beherrschung bürgerlicher Formen, Gehorchen ›aufs Wort‹ ... Die Pfarrfamilie repräsentierte christlich-bürgerliches Leben und setzte Maßstäbe dafür. In allen Darstellungen der Pfarrfamilie wird die Gastfreundschaft des Pfarrhauses als eine seiner hervorstechendsten Eigenschaften gerühmt: kein Wunder, wenn immer in dieser Tugend sich christliches Liebesgebot auf vielfältige Weise erfüllt.

Die Belastungen, die diese Vorbildrolle für die ganze Familie bedeutete, liegen auf der Hand. Konflikte durften nicht durchgearbeitet werden, sondern wurden meist unterdrückt. Im Pfarrhaus hatte Friede zu herrschen: als Abglanz himmlischen Friedens, gleichzeitig als Urbild bürgerlicher Friedfertigkeit. Konflikte durfte es weder in der Ehe noch mit den Kindern oder unter ihnen geben. Die Kinder hatten ihre Eltern zu lieben, wie es die Bibel vorschreibt, und das Familienleben mußte ein Vorbild christlicher Nächstenliebe sein, wenn es der sonntäglichen Friedenspredigt nicht widersprechen wollte: absolutes Harmoniegebot, wohin man sah.

Dabei waren die Voraussetzungen für solche Friedfertigkeit besonders ungünstig, wenn man auf die sozialpsychologische Situation des Pfarrhauses mit seinen vielen Dienstleistungen schaut. Die Eltern waren in ihrem Beruf eingespannt und hatten wenig Zeit für die Kinder, die zum Teil auch durch Gemeindeaktivitäten in Anspruch genommen waren. Zeiten ungestörten familiären Zusammenseins gab es kaum, weil der Pfarrer und seine Frau stets ›im Dienst‹ waren. Manche Schilderungen von Pfarrhausidyllen werden von einem leisen oder auch deutlichen Zweifel darüber begleitet, ob der behauptete Gemütsreichtum wirklich echt ist, ob man der stets anzutreffenden Fröhlichkeit aller Familienmitglieder trauen darf. Wie hoch immer der Preis für die Vorbildrolle der Pfarrfamilie gewesen sein mag, fest steht, daß sie für die Familienkultur und darüber hinaus für das, was man protestantische Sittlichkeit nennen mag, eine große Bedeutung gehabt hat. Dies gilt um so mehr, wenn man die verschiedenen Formen von Amalgamierung ins Auge faßt, die diese protestantische Form von Solidarität, Disziplin und Selbstkontrolle mit ähnlichen Tugenden eingegangen ist, etwa preußischer Zucht und ›Tapferkeit‹. Protestantische Frömmigkeit stand ja nie allein, sondern war stets eingebunden in eine politische Kultur, die sie einerseits in sich aufnahm, andererseits von sich aus stützte und förderte. Darüber später noch mehr.

2. Die Pfarrfamilie galt bis vor kurzem auch als der Kern der singenden und musizierenden Gemeinde. Mit ihren Instrumenten und Stimmen halfen Ehefrau und Kinder im Gottesdienst, bei Konzerten, zu Weihnachten und all den Festtagen, die durch Kirchenmusik ihren Glanz bekommen. Wie weit die Kinder sich später vom Elternhaus geistig und geistlich entfernen mochten, über die Musik waren sie im-

mer noch am dauerhaftesten mit den Quellen ihrer Kindheit verbunden.

Die Musikkultur Deutschlands ist durch das evangelische Pfarrhaus stark geprägt worden. Musik galt Luther als wichtigste Versinnlichung der Heilsbotschaft. Wenn er nicht Theologe geworden wäre, würde er am liebsten Musiker geworden sein. Für achtunddreißig deutsche und fünf lateinische Gesänge, die er gedichtet hat, schrieb er vierundzwanzig Melodien selbst. Der Kirchengesang galt ihm als hörbare Einheit der im Glauben verbundenen Gemeinde.

Wenn Luther die Frau Musica als Verkünderin und Ausdeuterin des Gotteswortes ausdrücklich anerkannte, so hat er damit der deutschen Musik eine theologische Perspektive eröffnet, die sie bis heute von anderen Musikkulturen unterscheidet. Johann Sebastian Bach nannte man den fünften Evangelisten, weil er wie kein anderer Komponist evangelische Wortkultur in Musik umzusetzen wußte. Diese theologische Dimension deutscher Musik umschließt auch katholische Komponisten wie Beethoven und Bruckner, deren Werke sich nicht mit einer immanenten Klangfülle genug sein lassen, sondern Transzendenz anstreben, über sich hinausweisen und Rätsel lösen wollen, die auf Erden nicht zu lösen sind. Das ist auch das große Thema jener Inkarnation deutschen Wesens, die Thomas Mann in der Gestalt Adrian Leverkühns schuf, der nicht zufällig gleichzeitig Tonsetzer und ein Theologe ist, der vom Teufel so viel weiß, wie Luther vom Teufel wußte.

In ihrer Wirkung kaum zu unterschätzende Anstöße hat das evangelische Pfarrhaus für deutsche Dichtung, Literaturwissenschaft und Philosophie geliefert. Immer wieder wird die lange Kette der Schriftsteller und Geisteswissenschaftler genannt, die aus evangelischen Pfarrhäusern stammten. Um nur die glänzendsten Namen zu nennen: Aus Pfarrershäusern stammen die Dichter Gryphius, Gottsched, Gellert, Claudius, Lessing, Wieland, die Brüder Schlegel, Jean Paul, Gotthelf, Hermann Hesse, Gottfried Benn; die Historiker Pufendorf, Droysen, Mommsen, Jacob Burckhardt, Lamprecht, Haller, Gerhard Ritter; die Philosophen Schelling, Schleiermacher, Nietzsche, Kuno Fischer und Dilthey.

Was Historiker, Literaturwissenschaftler und Philosophen verbindet, ist allgemein ein Sinn für Interpretation, Analyse und Sinndeutung. Reformation bedeutete wesentlich Hinwendung zum Bibeltext, den es in neuer Weise anzueignen und auszulegen galt. Richtiges Verstehen bildet die Voraussetzung richtigen Glaubens und eines Lebens, das den Willen

Gottes kennt. Dieser theologische Impuls hat über eine große Predigt-kultur hinaus auf die deutsche Wort- und Geisteskultur gewirkt. Im Pfarrhaus gehörte immer schon das gemeinsame Lesen nicht nur der Bibel, sondern auch schöngeistiger Texte zu den abendlichen Aktivitäten. Wenn Glaubenssicherheit dem Theologen nur durch die richtige Bibelauslegung zu gewinnen war, so hatten Pfarrerskinder diesen Gesichtspunkt säkularisiert, indem sie ihn zu einem allgemeinen Erkenntnisprinzip ausweiteten. Nicht nur das heilige Wort wartet auf Auslegung, sondern Sprache gilt seither überhaupt als Seele der Dinge, als »Haus des Seins« (Heidegger).

In seinem schönen Essay ›Das Bild des Pfarrhauses in der deutschen Literatur von Jean Paul bis Gottfried Benn‹ verschweigt Robert Minder nicht die Opfer, die das evangelische Pfarrhaus, unterstützt durch das Lutherische Staatschristentum, gefordert hat. Aus dem Tübinger Stift stammen nicht nur große Theologen und Kirchenmänner, sondern eben auch Schriftsteller, die zum Pfarramt nicht zugelassen wurden oder an ihrer geistlichen Berufung verzweifelten. Auf sie wartete ein unsicheres Hauslehrerschicksal oder, wenn sich ihre Glaubenslosigkeit in persönliche Obstinatheit und politische Rebellion kehrte, auch bürgerliche Verfemung und Gefängnis. Hermann Kurz, der große schwäbische Dichter, schrieb als Tübinger Stiftler auf seine Stubentür: »Hier lasset alle Hoffnung fahren.« Sein Roman ›Der Sonnenwirt‹ schildert die Enge, Intoleranz und den Terror einer Frömmigkeit, die den Helden der Geschichte in die Illegalität, immer wieder ins Gefängnis und schließlich aufs Rad bringt.

Wer Kindheit und Jugend Hermann Hesses studiert, seine Briefe aus der Zeit liest, wird sich des Eindrucks nicht erwehren können, daß dieser begabte Pfarrerssohn sich nur mit knapper Not dem lebensbedrohenden Einfluß seines Vaterhauses, das er gleichwohl liebte, hat entziehen können: in eine Freiheit dichterischen Schaffens, das bis ins ›Glasperlenspiel‹ hinein das Thema von Geist und Fleisch, Kirche und Welt in immer neuen Anläufen und Variationen behandelt.

Minder hat darauf hingewiesen, daß die protestantische Kultur Deutschlands keine große antikirchlich-rebellische Literatur hervorgebracht hat, die sich der dänischen oder schwedischen vergleichen ließe. Schrille Kritiker wie Jens Peter Jacobsen oder Ibsen fehlen bei uns.

Dafür hat der Pfarrerssohn Friedrich Nietzsche eine philosophische Kritik des Christentums vorgelegt, die radikaler nicht gedacht werden kann. Aber das Thema seines Lebens hat er sich eben doch von seinem Vater vorgeben lassen. Und wenn man seinen Worten trauen darf, hat er gegen sein Herkommen und das Pfarrhaus nie etwas gehabt: »Es ist aber das beste Stück idealen Lebens, welches ich kennengelernt habe; von Kindesbeinen an bin ich ihm nachgegangen, in viele Winkel, und ich glaube, ich bin nie in meinem Herzen gegen dasselbe gewesen.« Seine Philosophie zeigt die Anstrengung und Überanstrengung seines Kampfes gegen den christlichen Gott und die Unmöglichkeit, christliche Theologie geschichtlich zu hintergehen in Richtung auf ein griechisches Verständnis der Welt in der Gleichgültigkeit von Werden und Vergehen.

3. Die moderne Philosophie trägt seit Descartes darin protestantische Züge, daß sie Transzendenz in der Welt selber aufsucht. Der Pfarrerssohn Walter Schulz hat in seinem Buch ›Der Gott der neuzeitlichen Metaphysik‹ diesen protestantischen Strukturierungs- und Systematisierungszwang aufgewiesen: als Notwendigkeit, Sinn in eine Welt zu bringen, die von sich her nicht ohne weiteres einen Zusammenstand (systema) aufweist. Hier liegt die Motivation der großen philosophischen Systembauer des Idealismus. Angst vor Weltleere und Desorientierung führte einerseits zu Idealismus und Systembau, andererseits aber auch zu großer Skepsis und zum Nihilismus aus System. Die großen philosophischen Destruktionsleistungen des deutschen Positivismus, aber auch des Existentialismus sind ohne Protestantismus nicht denkbar. Das gilt noch für Sartre, dessen Großvater Schweitzer hieß und reformierter Pfarrer war. Jean Paul Sartre und Albert Schweitzer sind nicht nur geistig verwandt.

Die Einflüsse protestantischer Wortkultur wirken bis in die Gegenwart fort, nicht nur in der Prosa-Literatur, sondern ebenso auch im Theater und im Film: Die Pfarrerssöhne Friedrich Dürrenmatt und Ingmar Bergman behandeln in immer neuen Anläufen Fragen, die theologischer Natur sind und transzendente Antworten verlangen.

Gerade bei Schriftstellern, die erklärtermaßen Nihilisten sind, zeigt sich das väterliche Erbe besonders deutlich. Das gilt etwa für Gottfried Benn, einen unter dem Gesichtspunkt protestantischer Wortkultur besonders interessanten Schriftsteller. Er hat versucht, in der Kunst die Transzendenz zu entdecken, die er mit der christlichen Religion verloren hatte. Er schrieb: »Ich sehe die Kunst die Religion dem Range nach verdrängen. Innerhalb des allgemeinen europäischen Nihilismus, innerhalb des Nihilismus aller Werte, erblicke ich keine andere Transzendenz als die Transzendenz der schöpferischen Lust.«

Wie Nietzsche hat Benn nie etwas gegen seine Pfarrersherkunft gesagt, im Gegenteil. Über sein Elternhaus, in dem sein Vater und Großvater Pfarrer waren, schreibt er: »Dort wuchs ich auf, ein Dorf mit 700 Einwohnern in der norddeutschen Ebene, großes Pfarrhaus, großer Garten, drei Stunden östlich der Oder. Das ist auch heute noch meine Heimat, obgleich ich niemanden dort mehr kenne, Kindheitserde, unendlich geliebtes Land ... Eine riesige Linde stand vorm Haus, steht noch heute da, eine kleine Birke wuchs auf dem Haustor, wächst noch heute dort, ein uralter Backofen lag abseits im Garten. Unendlich blühte der Flieder, die Akazien, der Faulbaum.«

Benn hat seine Abhängigkeit von Religion und Theologie deutlich gesehen: »Da meine Väter über hundert Jahre zurück evangelische Geistliche waren, durchdrang das Religiöse meine Jugend ganz ausschließlich. Mein Vater, jetzt emeritiert, war ein ungewöhnlicher Mann: orthodox, vielleicht nicht im Sinne der Kirche, aber als Persönlichkeit; heroisch in der Lehre, heroisch wie ein Prophet des Alten Testaments, von großer individueller Macht wie Pfarrer Sang aus dem Drama von Björnson, das man in meiner Jugend spielte: Über die Kraft. So gewiß ich mich früh von den Problemen des Dogmas, der Lehre der Glaubensgemeinschaft entfernte, da mich nur die Probleme der Gestaltung, des Wortes, des Dichterischen bewegten, so gewiß habe ich die Atmosphäre meines Vaterhauses bis heute nicht verloren: in dem *Fanatismus zur Transzendenz*, in der Unbeirrbarkeit, jeden Materialismus historischer oder psychologischer Art als unzulänglich für die Erfassung und Darstellung des Lebens abzulehnen.«

»Es gibt nur zwei Dinge: die Leere und das gezeichnete Ich.« Diese Zeilen Gottfried Benns weisen über ihre dichterisch-philosophische Intention hinaus in eine Richtung, für die protestantische Interpretationskultur von großem Einfluß gewesen ist: die Psychoanalyse. ›Das gezeichnete Ich‹ war das Thema Augustins, das Thema Luthers, es ist das Thema des Verhältnisses von Mensch und Gott, einem Gott, der die Welt aus der Leere des Nichts geschaffen hat und einzig durch seinen Willen erhält. Augustin hatte zuerst diesen radikalen Rückzug in die Tiefe der eigenen Seele angetreten, um Gott zu begegnen. Luther war ihm auf diesem Wege gefolgt. Die Psychoanalyse erinnert in manchem an dieses radikale Experiment christlicher Selbsterfahrung. C. G. Jung war Pfarrerssohn, und nach ihm sind viele Pfarrerssöhne Psychoanalytiker geworden (häufig nachdem sie als Patienten die erste große Analyse hinter sich gebracht hatten). Die autobiographische Reduktion soll den Schlüssel zum Verständnis des Lebensweges und damit zu neuer Identität liefern. Die Psychoanalyse bietet dem Pfarrerskind beides in einem: die Aufarbeitung seiner religiösen und seiner familialen Probleme. Analyse bringt Sinn, Interpretation schafft Identität, Hermeneutik schließt Selbsterkenntnis und Weltverständnis auf.

Für die Psychoanalyse ist die Gestalt des Vaters konstitutiv. Der Pfarrerssohn C. G. Jung hat Vaterbild und Gottesbild in einer Theorie unterzubringen versucht, die zugleich seelsorgerliche Praxis sein wollte. Inzwischen ist man auch den umgekehrten Weg gegangen, indem man Luthers Kindheit unter psychoanalytischen Gesichtspunkten untersucht hat (Erikson). Die Beziehungen zwischen protestantischer Theologie und Psychoanalyse sind höchst intim, und was Psychologen über verdeckte und verschobene protestantische Psychostrukturen herausgefunden haben, verdient hohes Interesse.

Drei Beispiele:

Psychologen treffen bei Protestanten häufig auf ein unausgewogenes Wechselspiel zwischen Hochmut und Verzagtheit. Diese psychische Figur ist theologisch vorgebildet als die Ambivalenz von Erlösung und Verdammung. Der Wechsel von einer Hochgestimmtheit, die bis zu maßloser Selbstüberschätzung reichen, und einer Depression, die zum Selbstmord führen kann, läßt sich in der protestantischen Kultur auf vielen Feldern beobachten.

Eine weitere psychische Ambivalenz schildern Schriftsteller von Pfarrerssöhnen: lebenslanges Heimweh nach Nestwärme, ein ungewöhnlich starkes Anschmiegungsbedürfnis, eine Sehnsucht nach heiler Welt und Vaterhaus auf der einen Seite; dagegen ein außergewöhnlicher Drang nach möglichst radikaler Entfremdung, ein Fernweh, das nicht zu stillen ist, auf der anderen Seite.

Eine dritte psychische Besonderheit ist das, was man »Arbeitszwang aus depressiver Motivation« (Gerhard Schmidtchen) genannt hat. Durch Arbeit versuchen Protestanten, das Heil ihrer Seele auch dort zu schaffen, wo transzendente Inhalte nicht mehr als solche auftreten. Auf diese Weise erfährt ihr Leben eine Intensität, häufig auch Überanstrengung, deren Quell in jugendlichen Identitätskämpfen längst vergessen ist. Jedenfalls liegt ihr Aktivitätsniveau höher als bei Katholiken. Auch hier darf man annehmen, daß das evangelische Pfarrhaus noch wieder einen höheren Prozentsatz liefert.

4. Von großer Tragweite sind die sozialen und pädagogischen Impulse, die von dem evangelischen Pfarrhaus ausgingen. Seit Luthers Zeiten gilt die Pfarrfamilie als Ort sozialen Ausgleichs, auch Auffangs. Die Pfarrfamilie hat diese Funktion durch die Jahrhunderte wahrgenommen, und noch heute wissen Penner und Bettler, daß das Pfarrhaus aus seinem geistlichen Auftrag heraus zur sozialen Hilfe verpflichtet ist. Besonders in den Wirren von Kriegs- und Nachkriegszeiten galt das Pfarrhaus als Asyl von Vertriebenen, als Zuflucht elternloser Kinder, als Versteck politisch Verfolgter.

Bis heute ist das Pfarrhaus ein Zentrum sozialer Dienste. Fürsorge als Verwirklichung des christlichen Liebesgebotes galt nicht nur dem Pfarrer, sondern in gleicher Weise seiner Familie als göttlicher Auftrag.

Ähnliches gilt auch für die pädagogische Rolle des Pfarrhauses. Luthers Schrift- und Kirchenverständnis schließt ein großes Volkserziehungsprogramm ein. Das Wort Gottes will gelesen, gedeutet, verstanden, gelehrt und auswendig gewußt sein. Der Katechismus Luthers ist ein pädagogisches Meisterstück mit seiner Eingangsfrage: »Was ist das?« Anstelle von Papst und Konzilien wurden die theologischen Fakultäten für die Auslegung der Schrift zuständig. Wer die Bibel verstehen will, muß die Kunst der Hermeneutik beherrschen, vor allem aber Sprachen können. In einem Brief ›An die Ratsherren aller Städte deutschen Landes, daß sie christliche Schulen aufrichten und halten sollen‹, schrieb Luther: »Und laßt uns das gesagt sein, daß wir das Evangelium nicht wohl werden erhalten ohn die Sprachen ... ja, wo wirs versehen, daß wir (da Gott vor sei) die Sprachen fahren lassen, so werden wir nicht allein das Evangelium verlieren, sondern wird auch endlich dahin geraten, daß wir weder Lateinisch noch Deutsch recht reden oder schreiben könnten.«

Von diesem Quell lernenden Umgangs mit der Schrift gingen intensive Anstöße in alle Richtungen der Bildung, des Unterrichts und der Pädagogik aus: »Wer immer strebend sich bemüht ...«; oder die Entscheidung Lessings, das Streben nach der Wahrheit dieser selbst vorzuziehen; die Lehre vom guten Willen bei Kant: alles Resultate protestantischen Bildungsverständnisses.

Was haben evangelische Pfarrer nicht alles gelehrt: Landbau und Staatsbürgerkunde, medizinische Vorsorge und Kindererziehung, dazu das gesamte Bildungsgut der Nation. Das geschah vor allem in der sonntäglichen Predigt, der einzigen Bildungsveranstaltung auf dem Lande. »Der Mensch lebt nicht vom Brot allein«, das wurde zur Maxime auf allen Gebieten. Der Bücherschrank im Pfarrhaus versammelte das Bildungsgut der Zeit, allerdings meist ohne die fortschrittliche oder gar avantgardistische Literatur. An Gesellschaftsspielen wurden jene bevorzugt, die den Wissensschatz erweiterten. Dabei verstand man unter Bildung selten die Naturwissenschaften, sondern vornehmlich Dichtung: Das Zitatenquartett gehörte zu den beliebtesten Spielen. Im übrigen las man die deutschen Klassiker mit verteilten Rollen, oder der Hausvater las aus den großen Bildungsromanen vor.

Viele Pfarrer sind in Deutschland durch ein meist unfreiwilliges pädagogisches Praktikum gegangen, als Hauslehrer oder Hofmeister. Dieses Kapitel deutscher Kultur- und Sozialgeschichte ist nicht ohne Schattenseiten. Der unglückliche Lenz hat in seinem ›Hofmeister‹ ein einzigartiges Denkmal jenes Hauslehrerschicksals geschaffen, das viele erlitten haben. Besonders diejenigen, die versuchten, sich ohne Wunsch nach einem Pfarramt oder Aussicht darauf durchzuschlagen, waren häufig schlecht dran. Durch die Hofmeisterstellen wurden sie auf die Landgüter des Adels verschlagen und konnten nur ausnahmsweise in den Städten leben. Solchermaßen isoliert, deklassiert, gesellschaftlich unsicher und mit schlechten Manieren zogen sie sich immer mehr in Geisterreiche, in die Welt der Dichtung und in ihr Inneres zurück, lebten ihren unerfüllten Amouren mit adligen Frauen, wurden schwermütig und nervenkrank. Die guten Stellen waren selten, die Plätze an den Universitäten und in den wenigen Zeitschriften hart umkämpft. Die Gunst der Fürsten oder des Dichterfürsten galt alles. Aus einem Bericht jener Zeit: »Sie laufen den ganzen Tag aus einem Hause in das andere, und verdienen mit ihren Lektionen kaum soviel als hinreicht, ein dürftiges Leben durchzuschleppen. Sie sind alle (man komme und sehe selbst) dürr, blaß und kränklich, und werden bis vierzig Jahre alt, ehe sich das Consistorium ihrer erbarmt und ihnen eine Pfarre giebt.«

5. Die Geschichte des deutschen Pfarrhauses ist auf weite Strecken hin die Geschichte der deutschen Intelligenz, und diese ist wiederum die Geschichte des deutschen Bürgertums, eine Geschichte politischer Ohnmacht und sozialer Frustration. Für die deutsche Politikgeschichte hat das evangelische Pfarrhaus seine beiden Rollen, die des Urbildes und des

Vorbildes, gespielt. Es war das Urbild bürgerlicher Apathie und lieferte eine vorbildliche Rechtfertigungsideologie für diesen biedermeierlichen Rückzug aus der Politik. Konfliktfreiheit war die politische Losung, für die das christliche Friedensgebot die theologische Begründung lieferte.

Seine gesellschaftliche Stellung verband den Pfarrer mit dem Staatsbeamten, der auch keinem bürgerlichen Beruf nachging. Wie der Beamte bekam er ein Gehalt und war dem kommerziellen Leben weit entrückt. Die Orientierung des evangelischen Pfarrhauses am Beamtentum, auch an der Dienstauffassung der Armee hat die politische Verspätung des deutschen Bürgertums begünstigt und seinem Selbsthaß Nahrung gegeben.

Es gab noch einen Stand, mit dem das evangelische Pfarrhaus auf gutem Fuß stand, den Adel. Die Ethik der Fürsorge und des Dienstes verband das Pfarrhaus mit dem Gutshaus, beide waren Zentren sozialer Dienste. Was beide, Gutshaus und Pfarrhaus, weiterhin verband, war eine Auffassung von ›Dienst‹, die besonders in den preußischen Teilen Deutschlands zu einer eigenständigen Kultur führte. Der preußische Adel war nicht reich, vielfach nicht einmal wohlhabend. Sparsamkeit, Fleiß, Sinn für karge Lebensführung verbanden sich leicht mit einer Auffassung von Frömmigkeit und christlicher Lebensführung, für die Aufklärung und Pietismus die geistigen und institutionellen Formen fanden.

Der deutsche Protestantismus hat sich, von wenigen Ausnahmen abgesehen, bei dem beginnenden Klassenkampf auf die Seite der feudalen Aristokratie und des obrigkeitlichen Staates gestellt. Hatte man sich früher zusammen mit dem adligen Patron gegenüber den Armen nach den Geboten christlicher Barmherzigkeit verhalten, so war man jetzt wie der Adel dem Proletariat gegenüber ratlos. Das christliche Harmoniegebot ließ sich sozial nicht mehr verwirklichen. Um so mehr hielt man sich an die überlieferten Vorstellungen eines intakten Familienlebens, an die heile Welt der Bildungsgüter, an die Natur und alle jene Innerlichkeiten, für die das evangelische Pfarrhaus sprichwörtlich ist. Auf diese Weise verlor der Protestantismus die Arbeiterschaft, bevor er sie gefunden hatte. Und die christliche Gemeinde verengte sich weiter zu einer bürgerlichen Fluchtburg, die ihre Güter, die Bildungsgüter ebenso wie die nationalen Güter, als christliche verteidigte. Wer sie angriff oder in Frage stellte, galt als gottloser Friedensstörer, als Antichrist.

Die doppelte Autorität des Pfarrers und Hausvaters sorgte dafür, daß das evangelische Pfarrhaus von Anbeginn ein Haus männlichen Geistes war. Der traditionelle Patriarchalismus in Deutschland wurde durch eine Theologie verstärkt, die keine Maria als Himmelskönigin kannte und dem Alten Testament einen ihm theologiegeschichtlich zustehenden Einfluß wieder einräumte. Biographien von Pfarrerskindern stimmen darin überein, daß der Vater und die Söhne den Ton angaben, bis in die Wahl der Gesellschaftsspiele am Abend hinein. Das evangelische Pfarrhaus hat mit dieser Betonung männlichen Geistes über die protestantische Kultur in Deutschland auch die politische stark beeinflußt. Was man dem deutschen Protestantismus, besonders in seiner preußischen Form, an Härte, Kompromißlosigkeit und Aggressivität nachsagt, das findet seinen Quell nicht zuletzt im protestantischen Pfarrhaus.

Stichwort dieser protestantisch-preußischen Kultur war das Wort Gehorsam. Gestalten wie Jochen Klepper und Gottfried Benn zeigen auf ganz unterschiedliche Weise die Wirksamkeit dieser protestantisch-preußischen Tradition. Klepper meinte, durch seinen Glauben zu einem leidenden Gehorsam verpflichtet zu sein. Benn versuchte, seinen Atheismus mit Hilfe einer ›Tapferkeit‹ durchzustehen, deren Quellen sowohl im Protestantismus als auch in Preußen lagen. Zum Widerstand oder gar zur Revolution taugte solche Tapferkeit allerdings nicht. Von politischer Aktivität hielt man sich fern, und wenn Frustration drohte, flüchtete man in eine jener Innerlichkeiten, für die das evangelische Pfarrhaus ein reiches Reservoir bot. Diese Politikferne hat sich bitter gerächt, und die evangelischen Kirchen haben inzwischen daraus Konsequenzen gezogen. Heute ist das evangelische Pfarrhaus nicht mehr unpolitisch, eher im Gegenteil: Viele Pfarrhäuser wissen sich an der Spitze politischer Reformbestrebungen und bieten auch sehr kämpferischen Versöhnungs- und Friedensbewegungen in ihrem Hause Raum.

Es sieht so aus, als ob das evangelische Pfarrhaus heute in eine neue Phase seiner Geschichte einträte. Dabei mischt sich Funktionsverlust mit einem neuen Verständnis christlicher Praxis. Die Pfarrfrau hat heutzutage meist einen eigenen Beruf. Sie ist Lehrerin, Ärztin, Sozialarbeiterin. Damit entfällt aus rein zeitlichen Gründen ein weiter Bereich ihres früheren ›Berufes‹. Aber davon abgesehen wollen sich viele Pfarrfrauen nicht mehr durch den Beruf ihres Mannes definieren, sondern eine eigene Identität aufbauen. Dieser Wunsch schließt auch die geistliche Existenz ein. Gebet, Kirchgang, Bibellesung und häusliche Andachten verlieren auf diese Weise ihre Selbstverständlichkeit, werden zu religiösen

Aktivitäten, welche die Ehefrau und die Kinder jeweils selber verantworten. Das nimmt dem Pfarrer als Vater und Ehemann viel historische Last, kostet ihn aber auch Autorität in der Familie und in der Gemeinde. Er steht nun stärker für sich, kann die Familie nicht mehr in seinen Beruf einspannen. Andererseits steht er der Gemeinde gegenüber nicht mehr mit seiner ganzen Familie ›im Wort‹ und muß nicht fürchten, daß mangelnder Kirchgang seiner Kinder ihm als eigene Glaubensschwäche oder den Pfarreltern als Mangel an christlicher Erziehung angerechnet wird.

Immer schon befand sich der Protestantismus an der Spitze von gesellschaftlichen Entwicklungen und Veränderungen: sowohl als Trendmacher als auch in seismographisch feinen Reaktionen auf den Zeitgeist. Das zeigt sich heute wieder. Nicht nur Studentenpfarrhäuser, sondern auch Gemeindepfarrhäuser sind häufig der Ort, wo Fragen unserer Zeit in großer Offenheit und manchmal Radikalität erörtert werden. Diese kritische Befragung unserer Zustände macht auch vor den Errungenschaften der Reformation nicht halt. Wie steht es mit der Volkskirche, dem Pfarramt, der Militärseelsorge, der politischen Predigt, der Verbindung mit linksradikalen Gedanken und Gruppen? Da regt sich aufs neue reformatorischer Geist, in seiner Doppelung von Vergeistlichung der Welt und Verweltlichung der Heilsbotschaft. Das kritische Salz evangelischen Protestes nagt an alten Institutionen. Ein Beispiel:

Der ›Pfarrfrauendienst in der Evangelischen Kirche in Deutschland‹ hat 1982 ein Papier zum Thema ›Pfarrersehe – heute‹ verabschiedet, in dem sich folgende Sätze finden: »Wenn wir die Geschichte der Ehe betrachten, stellen wir fest, daß das Netz oft mißbraucht worden ist und immer noch mißbraucht wird. Es dient dann nicht dazu, lebenslang aufzufangen, sondern lebenslänglich gefangenzuhalten ... Wir leiden darunter, daß wir überfordert sind mit Ansprüchen, nach denen unser Haus ein besonderer Ort sein soll, in dem es nur Harmonie geben darf. Wir leiden darunter, daß wir uns gezwungen fühlen, Harmonie vorzuspielen, wo wir Konflikte untereinander und Probleme mit den Kindern benennen und bewältigen wollen ... Wir leiden darunter, daß wir oft nur als Inventar des Pfarrhauses behandelt werden, dann, wenn ein Pfarrer ... in der Ordination versprechen muß, er und sein ganzes Haus werden ein gottgefälliges Leben führen ...«

Protestantische Rebellion, es gibt sie heute wieder als Jugendprotest, als Autoritätskritik, als Zweifel an Tradition und Übereinkunft, als ›Wertewandel‹, als ›Neue Politik‹. Es gibt sie auch als Kritik an Religion, oder andersherum: als Öffnung gegenüber anderen religiösen Erfahrungen, zum Beispiel asiatischer Meditation. Häufig werden dabei Grenzen gestreift, die auch ein evangelisches Verständnis von Christentum kaum überschreiten kann. Jedenfalls wird über den Verlauf solcher Grenzen gestritten.

Das Gedicht ›Pfarrhaus‹ von Reiner Kunze zeigt die dogmatisch manchmal schwer unterzubringende Offenheit reformatorischer Gesinnung und liefert vielleicht eine Perspektive für das zukünftige evangelische Pfarrhaus:

> Wer da bedrängt ist findet
> mauern, ein dach und
> muß nicht beten.

Dritter Teil
Zwei deutsche Politik-
theorien

Der Totalitarismusbegriff
in der Regimenlehre

Der Begriff des Totalitarismus hat sich heute allgemein durchgesetzt. Die Enzyklopädien führen ihn sämtlich auf. In den Fachlexika und Textbüchern der Politikwissenschaft fehlt er nicht. Die Lehrbücher zur Sozialkunde verwenden ihn[1]. Die Kultusministerkonferenz beschloß eigens ›Richtlinien für die Behandlung des Totalitarismus im Unterricht‹[2]. Dieser allgemeinen Verbreitung des Begriffes entspricht jedoch keine eindeutige Definiertheit. Auch fehlt den Theoretikern, die sich mit ihm befassen, das Vertrauen in die Möglichkeit einer solchen definitorischen Klärung. Obwohl es zu Beginn der sechziger Jahre eine Reihe von Ansätzen gab, einen Bezugsrahmen für Gegenstand und Begriff des Totalitarismus zu schaffen, so gilt heute immer noch, was Otto Stammer 1961 schrieb: Es gebe bisher keine geschlossene Theorie des Totalitarismus, und man rücke von einem idealtypischen Modell des Totalitarismus zugunsten von Begriffen im Dienste einer begrenzten Theorie mittlerer Reichweite ab[3]. Auch der von Peter Christian Ludz 1964 unternommene soziologische Versuch einer Begriffsklärung ging von der Feststellung aus, daß der Totalitarismusbegriff bisher nicht ausgereift ist[4].

Inzwischen liegt eine Fülle von Einzeluntersuchungen zum nationalsozialistischen und kommunistischen Herrschaftssystem vor. In allen diesen Untersuchungen wird das Wort ›totalitär‹ verwandt. Und doch gilt immer noch, was Martin Drath schon 1958 in seiner berühmt gewordenen Einleitung zu Ernst Richerts Buch schrieb: »Je mehr die Arbeiten über ein totalitäres System, das unbedenklich als solches betrachtet werden darf, in die Tiefe und in die Breite wachsen, um so dringender wird die ausdrückliche theoretische Klärung der Frage, was als ›totalitär‹ aufzufassen ist.«[5] Ob man (wie Ludz noch 1961[6]) »Bausteine für eine allgemeine Theorie totalitärer Herrschafts- und Gesellschaftssysteme« sucht, ob man die Möglichkeit einer idealtypischen Begriffsbildung skeptisch beurteilt[7], ob man schließlich mehr oder weniger unbekümmert Definitionen aufstellt[8], fest steht bis heute, daß »keine der mehr oder weniger ansatzhaften Theorien des Totalitarismus sich durchgesetzt hat und selbst eine allgemein akzeptierte operationelle Definition fehlt«[9].

Das ist eine mißliche Situation, und zwar aus verschiedenen Gründen. Einmal scheint es innerhalb der Politikwissenschaft unbefriedigend, wenn zur selben Zeit ein so unreflektiertes Buch wie das von Hans Buchheim[10] und eine so kluge Arbeit wie die von Ludz[11] erscheinen. Zum anderen macht die tägliche Rede von Totalitarismus, totalitärem Staat, totalitären Regimen vergessen, daß vielleicht keines der heute in der politischen Realität antreffbaren politischen Systeme mit solchen Begriffen einzufangen ist. Das aber könnte sich auf die praktische Politik verhängnisvoll auswirken. Wer im politischen Alltag inadäquate Begriffe als Kampfparolen verwendet, bindet sich unter Umständen die Hände. Der Totalitarismusbegriff hat jedenfalls bisher den Charakter eines politischen Kampfbegriffes gehabt, und es ist die Frage, ob er diesen polemischen Akzent je verlieren kann.

Ähnliche Überlegungen sind wohl Ursache dafür, daß seit dem Beginn der sechziger Jahre die theoretischen Abhandlungen zum Totalitarismusbegriff immer spärlicher werden. Der Polyzentrismus im Ostblock, die Differenzierung der politischen und sozialen Systeme in den Volksdemokratien lassen heute kaum mehr möglich scheinen, was Ludz noch 1961 als erste Forderung für eine wissenschaftliche Formulierung des Totalitarismusphänomens aufstellte: »Durch die innere Verflochtenheit des Ostblocks wird die Analyse eines totalitären Herrschafts- und Gesellschaftssystems gezwungen, über die Berücksichtigung historisch-nationaler Besonderheiten hinaus stets das Ganze des Ostblocks, seine inneren kausalen und funktionalen Abhängigkeitsverhältnisse zu übersehen und abzuschätzen. Gleichzeitig müssen jedoch auch die historischen, politischen und gesellschaftlichen Besonderheiten des je einzelnen totalitären Herrschafts- und Gesellschaftssystem erkannt werden.«[12] Erwog Karl Loewenstein bereits 1957 die Frage, ob »der integrale Totalitarismus sich nur als ein vorübergehendes historisches Zwischenspiel erweisen wird«[13], so stand dagegen die Vermutung Draths, der Prozeß der vollen inneren Rezeption einer totalitären Herrschaft dürfte Generationen brauchen[14]. Dieser Langfristigkeit des Totalitarismusphänomens entspreche auch die Langfristigkeit, welche die Herausbildung eines zutreffenden Totalitarismusbegriffes erfordern werde.

Es bleibt heute wie damals die Frage, ob wir zu dem in Rede stehenden

146

Phänomen genügend Abstand haben, um überhaupt etwas sagen zu können, was über eine bloße Spiegelung der gegenwärtigen politischen Verhältnisse in Ost und West hinaus theoretischen Wert hätte. Politische Begriffe hinken bekanntlich der politischen Realität nach. Dieses Gesetz will bei dem Totalitarismusbegriff besonders in Rechnung gestellt werden[15]. Wer meint, dieser für die Theoriebildung notwendige Abstand zur politischen Realität sei heute gegeben, hat die Zeit im Auge, die seit dem Beginn der Entstalinisierung verstrichen ist. Die temperamentvolle Totalitarismusdiskussion von 1958 bis 1963 stand stark unter dem Eindruck des Stalinismus. Inzwischen zeichnen sich Möglichkeiten einer pluralen Entwicklung ab und lassen es sinnvoll erscheinen, sich noch einmal mit dem Totalitarismusphänomen zu befassen. Die Skepsis gegenüber dem Versuch, das Phänomen ›des Totalitarismus‹ zu fassen und zu lokalisieren, wird sich allerdings noch verstärken; und man muß heute wie zu Beginn der sechziger Jahre riskieren, nach weiterem zeitlichem Abstand sich eine historische Relationierung seiner definitorischen Vorschläge gefallen zu lassen.

Ziel dieser Arbeit ist zunächst eine Vergegenwärtigung der wichtigsten bisher verwandten Totalitarismusbegriffe. Diese Verdeutlichung geschieht jedoch unter dem Gesichtspunkt, der die Untersuchung im ganzen leitet: der Frage einer möglichen Einordnung des Totalitarismusbegriffes in den Rahmen der überkommenen Regimenlehre, d. h. der Formen und Modelle autokratischer Herrschaft. Wir sind nicht an einer »soziologischen Theorie totalitär verfaßter Gesellschaft«[16] interessiert, sondern meinen, daß der Totalitarismusbegriff (wennschon nur für eine bestimmte Phase und für bestimmte Aspekte politischer Herrschaft) in einer modernen Regimenlehre Verwendung finden könnte. Die Weise dieser Einordnung sollte die Anwendung des Totalitarismusbegriffes auch für zukünftige politische Entwicklungen offenhalten.

1. Fünf Bedeutungen von ›Totalitarismus‹

a) Totalitarismus als historisch durchgängiger Typ extrem autokratischer Herrschaft

Seit dem ersten Auftauchen des Totalitarismusbegriffes hat man versucht, ihn nicht nur für moderne, sondern gleichzeitig für frühere auto-

147

kratische Regime zu verwenden. Diese Absicht führt meist zu einer adjektivischen Verbindung mit Begriffen wie Tyrannis, Despotie, Diktatur. Im Vorwort zu seiner ›Ortsbestimmung der Gegenwart‹ fragt Alexander Rüstow »nach dem spezifischen Wesen und dem geschichtlichen Ursprung jener Tyrannis, die uns heute bedroht . . . «[17]. Sein durchgängiger Gesichtspunkt der »Überlagerung« erlaubt ihm eine Nebenordnung des Totalitarismus zu anderen Formen der Unfreiheit. So begreift er etwa den Absolutismus als Vorläufer von Hegels »totalitärer Vergötzung des Staates«[18]. Die Kultursoziologie liebt es, historische Begriffe in soziologisch-generalisierender Absicht auch auf Zeiten anzuwenden, die diesen Begriff nicht kannten und seine Verwendung, wie Historiker kritisch einwenden, genau gesehen nicht erlauben. Ebenso wie Rüstow vom »Catilinarismus« Hitlers spricht[19], gebraucht er das Wort ›totalitär‹ im Sinne einer jeweils auftretenden krassen Form von Unfreiheit. Pitirim Sorokin verwendet den Begriff für die politischen Regime des alten Ägypten, Chinas und der Inkas[20]. Franz Neumann nennt Sparta und die Herrschaft Diokletians frühe Experimente totalitärer Diktatur[21]. Theoretiker der Macht wie Robert MacIver und Guglielmo Ferrero sind ebenfalls geneigt, den Totalitarismus in einer allgemeinen historisch durchgängigen Theorie des Machtmißbrauchs unterzubringen[22]. Auch fachwissenschaftliche Lexika verstehen den Totalitarismus als »eine äußerste Steigerungsform der Tendenz zur Zentralisierung, Uniformierung und einseitigen Reglementierung des gesamten politischen, gesellschaftlichen und geistigen Lebens«[23]. Das Staatslexikon faßt ihn als eine Begleiterscheinung der Diktatur, der sie »nur allzuoft zur Despotie entarten« läßt[24].

Sehr eindrücklich zeigt sich der Versuch, den Totalitarismus mit den überkommenen Begriffen der Regimenlehre zu fassen, bei Wilhelm Hennis[25]. Ich zitiere die folgende Passage absichtlich in voller Länge, da sie mir am besten den Willen zu dokumentieren scheint, das Totalitarismusphänomen trotz der deutlich erkannten neuartigen Implikationen bewußt in der Tradition politischer Autokratie zu sehen. Die starke Betonung des ethischen Aspektes bringt noch eine neue Nuance in das bereits aufgewiesene Spektrum: »Die verlegene Ratlosigkeit, die die zeitgenössische politische Wissenschaft gegenüber der Tyrannis unserer Tage bewies, hat deutlich gemacht, wie fern die immer mögliche Infragestellung gerechten politischen Zusammenlebens ihrem Bewußtsein entrückt war. Sie hatte keine Begriffe zur Hand, um das, was geschah, angemessen zu bezeichnen; in der Regel war sie außerstande, das eigentlich Böse des Regimes auch nur zu erkennen. Gewiß ist die moderne Tyrannis nicht einfach identisch mit dem, was die ältere politische Theorie darunter verstand: Die moderne Tyrannis, wie jedes moderne Herrschaftssystem, verfügt über ein technisches und ideologisches Instrumentarium, für das der Vergangenheit jeder Begriff fehlte. Aber der Kern ihrer Furchtbarkeit lag nicht im Modus der Willensbildung (worauf die Kennzeichnungen des Regimes als ›autoritär‹ oder ›diktatorisch‹ abstellen) oder im Bereich der Ideologie (›totalitärer Staat‹), sondern im Sittlich-Moralischen: der Mißachtung menschlichen Lebens und menschlicher Würde, der Niedrigkeit der Machthaber selbst, der verlogenen Unwahrhaftigkeit der angeblich von ihnen verfolgten ›Ziele‹, der seelischen Erniedrigung, in die sie die Beherrschten hineinzwangen, dem Allgemeinwerden von Lüge und Furcht, schließlich der Verhinderung selbst des widerstehenden Martyriums durch die Unterbindung aller Öffentlichkeit. Für all diese Erscheinungen hält die ältere politische Theorie präzise Begriffe parat. Das Tyrannis-Kapital im 8. Buch von Platons Staat oder Xenophons ›Hiero‹ läßt mehr Wesentliches am nationalsozialistischen Regime erkennen als die meisten soziologischen oder sozial-psychologischen Erklärungsversuche.«[26]

Steht Hennis in Gefahr, in seiner engen Anlehnung an aristotelische Beurteilungskriterien das Neuartige der totalitären Ideologie als eines wesentlichen Merkmales des Totalitarismusphänomens zu übersehen, so nennt umgekehrt Karl Popper, auf der Suche nach Vorläufern für die totalitäre Ideologie, die Staatsauffassung Platos schlechtweg totalitär[27].

Das Gemeinsame dieser hier nur beispielhaft angeführten Bedeutungen von ›totalitär‹ ist der Versuch, ein in der Moderne sich zeigendes politisches Phänomen mit den Mitteln der Begrifflichkeit und in den Modellen der überkommenen politischen Theorie zu fassen. Auf diese Weise entsteht leicht auch eine Lehre von ›Vorläufern‹ oder ›Ansätzen‹ des modernen Totalitarismus. Totalitär erhält in jedem Falle den superlativischen Sinn einer äußersten Steigerung despotischer, diktatorischer, tyrannischer Herrschaft. Zuweilen wird dabei auf den Wortsinn von ›totalitär‹ rekurriert, indem die Intensität despotischer Herrschaft in qualitativer, alle Bereiche des Lebens durchdringender Weise behauptet wird. Im ganzen aber handelt es sich bei dieser Auffassung des Totalitarismus als eines durchgängigen historischen Phänomens eher um eine quantitative Steigerung von autokratischen Machtexzessen, wie sie in der Geschichte stets zu beobachten waren[28].

b) Totalitarismus als ›Gnosis‹

Den Versuch einer geistesgeschichtlichen Deutung des Totalitarismus-phänomens unternimmt Eric Voegelin[29], wenn er zwischen der geistigen Bewegung der ›Gnosis‹ und den modernen Ideologien linker und rechter Prägung einen Zusammenhang zu entdecken meint, welcher den Totalitarismus geistig ermöglicht habe. Herrschsucht, Systematisierung politischer Gewaltanwendung und philosophisches Frageverbot waren, Voegelin zufolge, die Grundlagen der politischen Philosophien Marxens und Nietzsches[30]. Beide ›Gottesmörder‹ bauten ihre Philosophie auf einem axiomatischen Frageverbot auf, das den Menschen durch die Abweisung der Frage nach seiner Herkunft »an die Stelle Gottes« setzt und ihn so zum allmächtigen Gestalter seiner Welt und zum machtvollsten, alle Lebensbereiche durchdringenden Herrscher der politischen Szene macht. Ihren Ursprung hat die gnostische Lehre in dem Verlust jenes Kosmos, »in dem der hellenische Mensch sich heimisch fühlt«[31]. Die Gnosis erscheint als einer der zahlreichen Versuche, das Erlebnis der Welt als Erfahrung einer Fremde zu deuten und zu ertragen. Dieser Versuch reiche bis Heidegger und habe besonders für die politische Philosophie schwerwiegende Folgen gehabt. Die Flucht der Gnostiker aus der Entfremdung in die Selbsterlösung durch Wissen[32] hat in den Augen Voegelins jene politischen Systeme mit hervorgebracht, in denen ein Totalwissen die Grundlage für totale Herrschaft und totale Planung abgibt.

Hatte Popper in Plato einen ideologischen Vorläufer und Vorbereiter totalitärer Ideologien gesehen, so versucht Voegelin, in der Gnosis totalitäre Elemente zu entdecken. Allerdings weitet Voegelin den überkommenen Begriff der Gnosis so aus, daß sie historisch bis zu den Schöpfern der modernen politischen Philosophien reicht. Die Frage, ob diese Methode hilfreich ist, soll hier nicht entschieden werden. Festzustellen bleibt vielmehr, daß die moderne Erscheinung des Totalitarismus von Voegelin im Rückgriff auf eine alte religiöse Lehre interpretiert wird. Am Schluß bleibt offen, ob die Gnosis den Totalitarismus erklärt oder ob nicht vielmehr der Versuch, die ideologische Gestalt des Totalitarismus zu fassen, zu einem völlig neuen, stark extensiven Verständnis von Gnosis geführt hat[33].

c) Totalitarismus als ›Machiavellismus‹

In Erwin Fauls Buch ›Der moderne Machiavellismus‹[34] begegnet der Versuch, den Totalitarismus im Horizont der neueren Geschichte als System machiavellistischer Politik zu begreifen. Mit Machiavelli setzt ein Verständnis politischen Handelns ein, das Faul zufolge allein den »übersteigerten ›Machiavellismus‹ totalitärer Bewegungen«[35] ermöglichte. Das Menschenbild Machiavellis entspricht seiner Herrschaftspsychologie, und seine technischen Anweisungen geben die historische Grundlage ab für den »Massenmachiavellismus der Gegenwart«[36]. Hitler hat später jene Vorstellungen in die Tat umgesetzt, die andere Machiavellisten vor ihm »bisher nur als geistige Versuchung erlebt haben«[37]. In seiner Parallele faßt Faul vornehmlich gewisse atmosphärische Analogien zwischen der Zeit der sogenannten Machtergreifung und der Renaissance ins Auge: »Die unerfüllten Sehnsüchte – welche nicht nur durch gescheiterte Lebenserwartungen, sondern auch durch die allgemeine ›Entzauberung der Welt‹ hervorgerufen wurden, an der die an romantische Vorstellungen gewöhnten Deutschen besonders zu leiden schienen – machten sich in vielfältigen politischen Sektenbildungen Luft, in denen ein Mythos-Verlangen spürbar wurde, das sich den im modernen Machiavellismus entwickelten Illusionierungsformen geradezu entgegendrängte.«[38]

Faul ist somit geneigt, im modernen Machiavellismus weniger eine politische Theorie als eine politische Situation zu sehen, eine Krisensituation der geistigen und gesellschaftlichen Grundlagen der Politik: »Gesellschaftlich gesehen erscheint uns dieses Geschehen als revolutionärer Durchbruch rein faktischer Gewalten, geistig gesehen als Demaskierung und Ideologienreduktion. Auf solchem zwiefach erschütterten Grunde entfaltet sich der Machiavellismus als autonomer Entwurf einer Technik der Macht und als Machtunterwerfung des Geistes, auch konkret unweigerlich zu Gewalt und Lüge führend, welche hier nicht mehr allein als Produkt der Gelegenheit, sondern als politische Mittel anzusprechen sind, die konstitutionell mit einer Weltvorstellung verbunden sind, die sich nur an den Gegebenheiten des ›nackten Existenzkampfes‹ orientiert.«[39] Der Totalitarismus erscheint als das Ergebnis eines kulturgeschichtlichen Prozesses, der in der Renaissance begann und »mit dem Experiment des modernen Menschseins, seiner aufständischen Größe und seiner großen Angst verbunden« ist[40]. Totalitäre Politik ist eine

»Politik unter dem Anblick des Todes«, weil nach Vernichtung der geistigen und institutionellen Verläßlichkeiten nur die reinen Machtverhältnisse zählen [41]. In der Angst vor Säuberungen und Verhaftungswellen zeigt sich jene »Schlaflosigkeit des Lebenszustandes«, die auf eine tiefere metaphysische Schlaflosigkeit hinweist [42]. Auf diese Weise geraten Cesare Borgia und die totalitären Diktatoren der Moderne in eine kulturgeschichtliche Parallelität. Die Machttechnik solcher machiavellistischen Diktatoren erscheint dann auch über Jahrhunderte hinweg vergleichbar. Da die Legitimitätsprinzipien politischer Herrschaft mit dem Auftreten des Machiavellismus wankend geworden sind [43], ist auch nach dem Zusammenbruch des Nationalsozialismus und der Veränderung kommunistischer Herrschaftssysteme keine Gewähr für das Ende des ›modernen Machiavellismus‹ gegeben.

Im Unterschied zu den beiden vorangegangen Typen eines historisch durchgängigen Totalitarismusbegriffes faßt Faul den Totalitarismus als eine Erscheinung neuzeitlicher Geschichte und Politik. Bestimmte Bewußtseinslagen, welche sich im 15. Jahrhundert zum ersten Male zeigten, reichen in ihrer Wirkung bis in die Gegenwart. Im Unterschied zu universalgeschichtlichen Deutungsversuchen des Totalitarismus hält sich Faul an eine historische Interpretation des Phänomens innerhalb seines Zeitraums. Der Machiavellismus soll den Totalitarismus erklären, nicht umgekehrt.

d) Totalitarismus als ›Rousseauismus‹

Seit Jacob L. Talmons Buch [44] gilt vielen Rousseau als Vater des Totalitarismus. Seine Lehre von der *volonté générale* soll theoretisch jene totalitäre Demokratie vorbereitet haben, die Robespierre als erster totalitärer Diktator in der Praxis erprobte. Die jakobinische Phase der Französischen Revolution hat jenes ›Zeitalter der Revolutionen‹ eingeleitet, in welchem allein totalitäre Herrschaft möglich ist. Diese Meinung ist weithin anerkannt und begegnet in der Literatur auf Schritt und Tritt [45]. Zu Beginn der kommunistischen Bewegung sahen russische Marxisten ihre historische Rolle selber in Analogie zur Französischen Revolution: »Doch diese Vergleiche, die vor 1917 so überzeugend schienen und noch in den zwanziger und dreißiger Jahren die Vorstellungswelt Trotzkis völlig beherrschten, haben im Laufe der Zeit einen zunehmend wirklichkeitsfremden, scholastischen Klang bekommen, und heutzutage würde es keinem sowjetischen Führer und kaum einem ernsthaften kritischen Beobachter mehr einfallen, seine Deutung der sowjetischen Gegenwart und Zukunft auf solche Parallelen zu stützen.«[46] Die Parallele zwischen Rousseau, Robespierre und Babeuf einerseits und dem modernen Totalitarismus andererseits beschränkt sich allerdings, wie Talmon ausdrücklich betont[47], allein auf den Marxismus-Kommunismus. Der Gedanke einer totalen und radikalen Demokratie entstammt der Tradition des europäischen Rationalismus. Fortschritt, Tugend, Gerechtigkeit, klassenlose Gesellschaft, natürliche Ordnung sind Begriffe der Aufklärung. Der Nationalsozialismus verband sich dagegen geistesgeschichtlich mit der romantischen Gegenbewegung und wollte die Aufklärung in Richtung auf ein ›neues Barbarentum‹ hintergehen. Abgesehen von der Beschränkung des totalitären ›Rousseauismus‹ auf die linke Spielart (eine Einengung, unter der die drei vorgenannten Bedeutungen von Totalitarismus nicht leiden) bringt die Theorie, welche den Ursprung des kommunistischen Totalitarismus in der geistigen, ökonomischen und politischen Situation der Französischen Revolution sucht, eine Reihe interessanter Parallelen. Denn nicht nur die ideologischen Implikationen, sondern auch gewisse Machttechniken (die Anwendung des Terrors durch Robespierre, das Prinzip der ›Kritik und Selbstkritik‹, die Funktion der Geheimpolizei, der Versuch einer *religion civile*) können die Vermutung stützen, daß totalitäre Phänomene bereits in jener ersten großen Revolution sich zeigten.

e) Totalitarismus als Phänomen des 20. Jahrhunderts

Das Totalitarismusphänomen hätte nicht so starke Beachtung gefunden, wenn nicht die Mehrheit der Theoretiker eine Meinung verträte, die Gerhard Leibholz mit dem seither oft zitierten Satz ausdrückte: »Der totale Staat ist *das* politische Phänomen des 20. Jahrhunderts.«[48] In seinem Artikel ›Politische Soziologie‹ wehrt Stammer die Vorstellung von Vorläufern und historischen Parallelerscheinungen zum modernen Totalitarismus ab: »Der Totalitarismus als gesellschaftlich-politische Erscheinung des zwanzigsten Jahrhunderts ist dagegen nicht nur eine Steigerung der in den historischen Diktaturen vorhandenen Herrschaftsform. Ungeachtet der inhaltlichen Unterschiede zwischen den verschiedenen Systemen der modernen totalitären Herrschaft kann von dieser nur dann die Rede sein, wenn eine zentralistisch orientierte, auf einem Macht- und Herrschaftsmonopol beruhende, von einer politischen Minderheit autoritär geführte Massenbewegung mit Hilfe eines diktatorisch regierten Staates eine bürokratisch gesicherte Herrschaftsapparatur entwickelt, die in allen Bereichen der Gesellschaft zur Geltung kommt. Totalitäre Herrschaft zielt ... auf eine möglichst vollständige Politisierung der Gesellschaft.«[49] Im Vergleich zu früheren Revolutionen erscheint der Totalitarismus als »Revolution neuen Typs«[50]. Die als völlig neuartig empfundene Dynamik des Totalitarismus tritt in Buchtiteln wie ›Permanent Revolution‹ (Siegmund Neumann) oder ›The Permanent Purge‹ (Zbigniew K. Brzezinski) hervor[51].

Am entschiedensten hat sich Hannah Arendt dafür ausgesprochen, den Totalitarismus als ein völlig neuartiges politisches Phänomen zu verstehen. Totalitäre Politik sei nicht Machtpolitik im alten Sinne, auch nicht im Sinne einer bisher nicht gekannten Radikalisierung des Strebens nach Macht um der Macht willen, sondern »hinter totalitärer Machtpolitik wie hinter totalitärer Realpolitik liegen neue, in der Geschichte bisher unbekannte Vorstellungen von Realität und Macht überhaupt. Auf diese Begriffsverschiebung kommt alles an, denn sie, und nicht bloße Brutalität, bestimmt die außerordentliche Schlagkraft wie die ungeheuren Verbrechen der totalen Herrschaft.«[52]

Die Gründe, die für die These der Neuartigkeit des Totalitarismus angeführt werden, sind verschieden. Faßt der eine die ideologischen Momente ins Auge und spricht von einer »Resakralisierung der Politik«[53], so betonen andere stärker die veränderten technischen Voraussetzungen der politischen Herrschaft[54]. Ein wichtiger Hinweis ist der bei vielen Autoren erscheinende Gesichtspunkt der »Volldemokratisierung«[55]. Alle totalitären Regime, so geht das Argument, brauchen eine zumindest pseudodemokratische Legitimierung.

Die historische Unvergleichlichkeit des Totalitarismus wird nicht zuletzt mit dem Hinweis auf die bisher in der Menschheitsgeschichte nicht bekannten Ungeheuerlichkeiten der nationalsozialistischen Gewaltverbrechen begründet. Unsere sprachlichen Ausdrucksmöglichkeiten reichen nicht hin, diese Verbrechen zu fassen[56].

Die Einzigartigkeit der totalitären Herrschaftsform bedingt für Hannah Arendt auch eine bisher nicht bekannte psychologische Situation: Durch die totalitäre Terrormaschine wird das Individuum in die Situation absoluter Verlassenheit gebracht, eine Situation, die sich von dem bisher bekannten Phänomen der Einsamkeit ihrer Meinung nach grundlegend unterscheidet[57].

Inzwischen haben sich längst jene Kriterien durchgesetzt, die Carl Joachim Friedrich um die Mitte der fünfziger Jahre für die totalitäre Herrschaft aufgestellt hat. Friedrich teilt die Auffassung, »daß die totalitäre Diktatur historisch einzigartig und sui generis ist«[58], und meint, daß »die totalitäre Diktatur eine mit gewissen Zügen der heutigen Industriegesellschaft verknüpfte Entwicklungsform der politischen Ordnung« darstellt[59]. Die inzwischen in das allgemeine Bewußtsein eingegangenen sechs Kriterien (Ideologie, Partei, terroristische Geheimpolizei, Nachrichtenmonopol, Waffenmonopol und zentral gelenkte Wirtschaft) bestimmen, zusammengenommen, den Charakter der »totalitären Diktatur«.

Vergleicht man die hier in paradigmatischer Absicht vorgetragenen Bedeutungen von Totalitarismus[60], so leuchtet ein, daß die beiden letztgenannten, nämlich Totalitarismus als Rousseauismus und als Phänomen des 20. Jahrhunderts, besonders ins Auge zu fassen sind, wenn der Begriff einen politikwissenschaftlich brauchbaren Sinn erhalten und innerhalb einer modernen Regimenlehre verwendet werden soll. Wir untersuchen im folgenden zunächst den Nationalsozialismus mit seiner selbstdarstellenden Theorie des totalen Staates, welche, zusammen mit Mussolinis Theorie des »stato totalitario«, den ersten Anstoß für die Begriffsbildung des Totalitarismus gab.

2. Die Theorie des totalen Staates

Der Begriff des totalen Staates ist als Gegenbegriff zum liberalen Staat entwickelt worden[61]. Diese Kritik beginnt in Deutschland bekanntlich früh. Der Sache nach erscheint der Begriff des totalen Staates bereits bei Adam Müller, der den Staat als »die Totalität der menschlichen Angelegenheiten, ihre Verbindung zu einem lebendigen Ganzen« definiert[62]. Gegenüber dem liberalen Verfassungsbegriff begreift die Theorie des totalen Staates diesen auf eine substanzhaft-organische Weise und unter dem Gesichtspunkt volkhafter Homogenität[63]. Das Politische ist seiner Natur nach immer schon total, insofern der einzelne nicht vom Staat getrennt gedacht werden kann und der Gemeinschaft prinzipiell ein Vorrang gegenüber dem Individuum eingeräumt wird: »Die Totalität des Politischen muß in dem totalen Staat ihre Form finden. Die irrige Auffassung ist heute noch verbreitet, daß der totale Staat erst in die totale Politisierung hineingehöre. Ihr kann nicht scharf genug entgegengetreten werden.«[64] – Die Auffassung des totalen Staates schließt die Vorstellung vom Führerstaat notwendig ein. Die dem totalen Staat entsprechende Form von Herrschaft gewinnt sich allererst durch den Gegensatz zum demokratischen Legitimitätsprinzip. Dieser Punkt kann nicht stark genug betont werden. Wie sich weiter zeigen wird, bedeutet er einen der gewichtigsten Unterschiede zum Kommunismus. Fast alle Theoretiker des Totalitarismus sprechen davon, totalitäre Regime brauchten in unserer Zeit eine demokratische Scheinlegitimierung. Für den Nationalsozialismus trifft dies strenggenommen nicht zu. Die Dichotomie von Führer und Gefolgschaft ist im Nationalsozialismus von Anfang an gewollt. Das Führerprinzip nationalsozialistischer Prägung unterscheidet sich grundlegend von der Vorstellung, die Rousseau von der demokratischen Herrschaft hatte. Forsthoff ist in diesem Punkte eindeutig: »Jede Herrschaftsordnung beruht auf der Unterscheidung von Führung und Geführtsein, von Herrscher und Regierten. Jede Herrschaftsordnung ist darum notwendig undemokratisch, denn die Demokratie ist die Staatsform, die in ihrem Wesen durch die Gleichsetzung von Regierenden und Regierten bestimmt wird. Diese Identität muß notwendig die Autorität der Regierung, die ja nur eine Autorität gegenüber den Regierten sein kann, aufheben. Denn die Autorität kann sich nicht aus der Immanenz des demokratischen Funktionalismus entwickeln. Eine Regierung, die nur darum regiert, weil sie einen Auftrag des Volkes hat, ist keine autoritäre Regierung. Autorität ist nur aus der Transzendenz möglich. Autorität setzt einen Rang voraus, der darum gegenüber dem Volke gilt, weil das Volk ihn nicht verleiht, sondern anerkennt.«[65]

Im Gegensatz zu Rousseaus demokratischer Identitätslehre beharrt Forsthoff auf der Unterscheidung zwischen Regierenden und Regierten, eine Unterscheidung, »die nicht nur eine äußerliche ist, sondern auf ein wirkliches Anderssein zurückgeht und die demokratische Identitätslehre sachlich negiert«[66]. Totale Herrschaft stellt sich soziologisch dar als eine »zur staatlichen Führung privilegierte politische Oberschicht«[67], als eine Aristokratie, innerhalb derer es wiederum keine Gleichheit geben darf. Die »Befehlsförmigkeit ihrer Gliederung« ist das die autoritäre Ordnung auszeichnende Merkmal[68].

Forsthoff gebraucht wohl nicht unabsichtlich die Begriffe ›autoritär‹ und ›total‹ ununterschieden und wechselweise[69]. Der folgende Satz verwendet beide Begriffe in durchaus sinnvoller Weise kumulativ: »Denn nur ein Staat, in dem es eine durch unbegrenzte Verantwortung gezügelte, von der grundsätzlich freien, dem Willen des Führers verpflichteten Initiative getragene persönliche Herrschaft auch in den unteren Instanzen gibt, ist wirklich autoritär und als totaler Staat denkbar.«[70]

Der totale Staat setzt die politische Homogenität des Volkes voraus[71]. Die Homogenitätsmedien sind im Nationalsozialismus stark ursprungsorientiert. In zunehmendem Maße werden rassische Vorstellungen zum Kriterium der Volksgemeinschaft. Forsthoff wehrt sehr deutlich demokratisch-egalitäre Homogenitätsmedien ab: »Volk in diesem Sinne ist nicht die volonté générale, nicht die Mehrheit, nicht die Masse, sondern eine gegliederte Gemeinschaft. Die Demokratie, welche das Volk als volonté générale, als Masse, zur Macht führen wollte, hat das Volk in Wahrheit entmachtet. Denn die Mächtigkeit des Volkes liegt nicht in der Verbindlichkeit des egalitär gewonnenen Gemeinwillens, sondern in der Kraft, die aus den geordneten Lebensbeziehungen der Volksglieder erwächst. Das deutsche Volk muß durch die Überwindung der Demokratie in der Ausprägung Rousseaus aus seiner Ohnmacht befreit werden.«[72]

Daß der Nationalsozialismus sich nicht nur gegen die repräsentative, sondern ebenso gegen die radikale Demokratie wandte, zeigt ein Wort Hitlers, das beide Vorstellungen mit der Rassenlehre vergleicht: »Die Annahme von der Gleichartigkeit der Rassen wird dann zur Grundlage einer gleichen Betrachtungsweise für die Völker und weiterhin für die einzelnen Menschen. Daher ist auch der internationale Marxismus selbst nur die durch den Juden Karl Marx vorgenommene Übertragung einer tatsächlich schon längst vorhandenen weltanschauungsmäßigen Einstellung und Auffassung in die Form eines bestimmten politischen Glaubensbekenntnisses.«[73]

Der totale Staat nationalsozialistischer Prägung ist seinem Willen nach Führerstaat und Rassestaat. Wenn immer es im Nationalsozialismus anfänglich sozialistische und demokratische Vorstellungen gegeben hat, so haben diese später wenig bedeutet. Sie waren auch nicht in der Tradition deutschen Staatsverständnisses angelegt. Die Totalität, die der Staat finden sollte, war volkhaft gedacht. Gleichheit wurde

ideologisch mit »Deutschheit« oder »Rassestolz« begründet. Wiederbe-
lebungsversuche der berufsständischen Ordnung[74] standen im Horizont
der organischen Staatsauffassung.

War die nationalsozialistische Ideologie solchermaßen demokratie-
feindlich und in der Tradition deutschen organologischen Denkens her-
kunftsorientiert, so meinen einige Autoren, das nationalsozialistische
Regime habe in der Praxis dennoch zu einer gewissen Demokratisierung
geführt und jedenfalls den Weg zu einer modernen Industriegesellschaft freigemacht. »Hitler brauchte die Modernität, so wenig er sie
mochte.«[75] Ralf Dahrendorf hebt diesen »Widerspruch zwischen der
nationalsozialistischen Ideologie des Organischen und der Praxis der
mechanischen Gleichschaltung« hervor und sagt, die nationalsozialistischen Führer hätten nur die Wahl gehabt, »wieder abzutreten oder eine
soziale Revolution in Deutschland mit aller Brutalität in die Wege zu
leiten«[76]. In der Tat läßt sich nicht leugnen, daß, in der Rückschau betrachtet, der Nationalsozialismus einen entscheidenden Schritt in die
Moderne bedeutete[77].

Ob Dahrendorfs Behauptung, der Volksgenosse verbiete die Wiederkehr des Untertanen[78], allerdings in einem durchgängigen Sinne richtig
ist, kann man bezweifeln, wenn man sich verdeutlicht, daß die sozioökonomische Struktur des vornationalsozialistischen Deutschlands fast
unangetastet blieb. Dem revolutionären Pathos, mit dem die nationalsozialistische Bewegung ihre Machtergreifung feierte, entsprach auf wirtschaftlichem Felde kein wirklich revolutionärer Umbruch. Der totale
Staat nationalsozialistischer Prägung übernahm vielmehr das kapitalistische Wirtschaftssystem völlig. Hitler hatte mit der Industrie und dem
Bankkapital schon vor der Machtergreifung Absprachen getroffen und
dachte nicht daran, im ökonomischen Bereich eine wirkliche Revolution
einzuleiten, weder in sozialistischer Richtung noch im Sinne einer zivilisationskritischen Rückwendung zu agrarischen Verhältnissen, wie sie
schon in der konservativen Revolution gefordert wurde und eigentlich in
der Logik der NS-Ideologie lag. Die gesellschaftlichen Grundlagen wurden in ihrem Kern nicht angetastet. Diese Tatsache wird im Vergleich
zum Kommunismus häufig übersehen[79]. Für die Ausbildung einer Totalitarismustheorie aber ist sie von entscheidender Bedeutung. Bevor wir
diesen wichtigen Differenzpunkt näher ins Auge fassen, vergegenwärti-
gen wir uns die Problemlage unseres Gegenstandes in definitorischer
Hinsicht.

3. Kriterien des Totalitarismusbegriffes: ›autoritär‹ und ›totalitär‹

Unter allen Definitionen des Totalitarismus ist die diskutabelste und seither am meisten diskutierte die Bestimmung, welche Drath im Sinne eines »Primärphänomens«gibt: »Daß er gegenüber den in der Gesellschaft herrschenden Wertungen ein ganz anderes Wertungssystem durchsetzen will, unterscheidet den Totalitarismus vom Autoritarismus. Er beruft sich hierauf nicht nur nebenher, sondern er tut es, um sich gerade dadurch Anhänger zu verschaffen und zu legitimieren. Die Verwirklichung einer auf diesem neuen Wertungssystem beruhenden und deshalb von den herrschenden gesellschaftlichen Werthaltungen radikal abweichenden Ordnung ist das Ziel des Totalitarismus. Deshalb ist Totalitarismus regelmäßig mit einer neuen sozialen Ideologie verbunden; während der Autoritarismus auch in dieser Hinsicht eher konservativ ist, ist der Totalitarismus in dieser Hinsicht eher betont revolutionär. Das neue Wertungssystem gebiert zunächst nur neue Sollensgebote; es setzt ein System von Werten, die zur Verfolgung oder Verwirklichung aufgegeben werden, entgegen den Wertungen, die real in der Gesellschaft das Verhalten bestimmen.« »Deshalb erscheint das Ziel, ein neues gesellschaftliches Wertungssystem durchzusetzen, das bis in ›Metaphysik‹ hinein fundiert wird, als das Primärphänomen des Totalitarismus, das seine Eigenart bestimmt und ihn bis ins einzelne durchformt.«[80]

Draths Definition gewinnt sich wesentlich durch die Unterscheidung von ›autoritär‹ und ›totalitär‹. Diese Unterscheidung hat sich in der Regimenlehre, besonders seit dem Erscheinen der Verfassungslehre von Loewenstein, durchgesetzt. Während das autoritäre Regime sich mit der politischen Kontrolle des Staates begnügt, »ohne Anspruch darauf zu erheben, das gesamte sozio-ökonomische Leben der Gemeinschaft zu beherrschen oder ihre geistige Haltung nach seinem Ebenbild zu formen«[81], bezieht sich der Begriff Totalitarismus »auf die gesamte politische, gesellschaftliche und moralische Ordnung der Staatsdynamik. Er ist eine Lebensgestaltung und nicht nur Regierungsapparatur. Die Regierungstechniken eines totalitären Regimes sind notwendigerweise autoritär. Aber das Regime erstrebt weit mehr als nur die Ausschaltung der Machtadressaten von ihrem legitimen Anteil an der Bildung des Staatswillens. Es versucht, das Privatleben, die Seele, den Geist und die Sitten der Machtadressaten nach einer herrschenden Ideologie zu formen, einer Ideologie, die denen, die sich ihr nicht aus freien Stücken anpassen wollen, mit den verschiedenen Hilfsmitteln des Machtprozesses aufgezwungen wird. Die geltende Staatsideologie dringt in die letzten Winkel der Staatsgesellschaft ein; ihr Machtanspruch ist ›total‹.«[82] Trotz der weiten Verbreitung und fast unbestrittenen Geltung der Unterscheidung von autoritären und totalitären Regimen bleiben verschiedene Zweifel an ihrer Berechtigung bestehen, die im folgenden kurz genannt seien, ohne daß wir deshalb die begriffliche Trennung aufgeben wollen.

a) So läßt sich zunächst fragen, ob es wirklich stimmt, daß autoritäre Regime nie auf eine Ideologie angewiesen sind[83]. Loewenstein sagt selber, autoritäre Regime besäßen stets auch eine Ideologie, da keine Staatsgesellschaft ohne geistige Selbstrechtfertigung bestehen könne. Diese Ideologie aber sei meist weder einheitlich formuliert, noch werde auf ihrer folgerichtigen Durchführung bestanden[84]. Es gibt eine Reihe von autoritären Regimen in Vergangenheit und Gegenwart, von denen sich leicht zeigen ließe, daß sie an einer ideologischen Fundierung im Interesse der eigenen Herrschaftspositionen interessiert sein müssen.

b) Auch ein anderes immer wieder genanntes Kriterium zur Unterscheidung autoritärer und totalitärer Regime trägt nicht so viel aus, wie man zunächst vermuten möchte. Es handelt sich um die Unterscheidung der in totalitären Systemen geforderten spontanen und dauernden politischen Solidaritätsbekundung von einer in autoritären Staaten angeblich geduldeten politischen Abstinenz. Die Schwelle der geforderten Solidaritätsbekundungen kann, wie wir aus der Kenntnis moderner autoritärer Regime wissen, sehr hoch liegen. In autoritären Staaten mit einer Einheitspartei genügt meist politische Passivität nicht, um einem Konflikt mit der Macht zu entgehen. Auch hängt es von der innen- und außenpolitischen Situation ab, ob und wann das Regime sich mit der politischen Abstinenz der potentiellen Opposition zufrieden gibt.

c) Ein drittes, häufig verwandtes Unterscheidungsmerkmal: die im autoritären System angeblich vorhandene Trennung von Staat und Gesellschaft erscheint im Blick auf die modernen Entwicklungsdiktaturen vollends untauglich. Bei der Aufstellung dieses Kriteriums orientierte man sich wesentlich an Francos Spanien und Salazars Portugal, reaktionären Rechtsregimen also, welche sich darin von den modernen Linksdiktaturen unterscheiden, daß diese für die notwendige Industrialisierung des Landes zu ideologischen Gründen einen stärkeren Umbau der Gesellschaft ins Auge fassen müssen.

Daß die Unterscheidung von autoritär und totalitär immer weniger austrägt, zeigt die jüngste Darstellung der Regierungssysteme von Theo Stammen[85]. Nachdem er in der Nachfolge Loewensteins den überkommenen Unterschied definiert hat[86], nimmt Stammen in der folgenden Darstellung nie wieder Bezug auf ihn, sondern handelt die kommunistische Staatslehre und die Regierungssysteme der UdSSR, der DDR und der Volksrepubliken der Reihe nach ab. Ob und auf welche Weise diese Regierungssysteme die Sammelüberschrift ›Die totalitären kommunistischen Regierungssysteme der Gegenwart‹ rechtfertigen, bleibt offen. Andere Autoren vermeiden die Unterscheidung von autoritär und totalitär ganz. So spricht Maurice Duverger vom »Regime des russischen Typs«[87], Eleonore Sterling von der »Diktatur des Proletariats«, vom »korporativen Staat« (Italien) und vom »Rassestaat«[88].

Trotz dieser Einwände mag die Definition des Totalitarismus im Blick auf autoritäre Regime dann Sinn geben, wenn man, wie Drath es tut, die Verwirklichung eines völlig neuen Wertsystems und einer prinzipiell neuen gesellschaftlichen Ordnung als den entscheidenden Gesichtspunkt und als das Ziel des Totalitarismus herausstellt. In der Tat bedarf es einer die ganze Gesellschaft erfassenden Ideologie, wenn die totalitäre Revolution gerechtfertigt und eine neue gesellschaftliche Homogenität geistig vorbereitet werden soll. Das totalitäre Gesellschaftsmodell beginnt daher gleich im Anfang mit einer die ganze Gesellschaft betreffenden Tafel neuer Sollensgebote.

Das zweite Kennzeichen des Totalitarismus folgt notwendig aus dem politischen Ziel der planmäßigen und kurzfristigen Überführung einer alten Gesellschaft in ein neues sozioökonomisches Fahrwasser, nämlich sein Zwangscharakter: »Erst der Widerstand, der einem totalitären System aus der bestehenden Gesellschaft erwächst oder den es von ihr erwartet, macht das System wirklich total.«[89] Auch Loewenstein will den Begriff totalitär nur auf jene politischen Prozesse beschränkt wissen, »bei denen den Machtadressaten eine herrschende Ideologie von ihren Machthabern aufgezwungen wird«[90]. Wird eine Staatsideologie dagegen von den Machtadressaten widerspruchslos hingenommen, so fehlt das für den Totalitarismus »wesentliche Element des planmäßigen Zwanges«[91]. Das Ägypten der Pharaonen fällt nicht unter den Begriff eines totalitären Regimes, weil sich der politische Zwang so sehr mit den Gemeinschaftsbräuchen verschmolzen hatte, » daß er von den Machtadressaten nicht mehr als solcher empfunden wurde und keinen Widerstand hervorrief«[92].

Damit ist zugleich das dritte bedeutsame Kriterium ins Auge gefaßt: Totalitäre Regime sind stets revolutionäre Regime. Mit der Annahme dieses Gesichtspunktes verbietet sich ein allgemeiner, historisch durchgängiger Gebrauch des Totalitarismusbegriffes.

An die Begriffsbestimmung Draths hat sich eine lebhafte Diskussion darüber angeschlossen, ob und in welcher Weise der Totalitarismus von Drath im Sinne eines Idealtyps definiert sei. Drath selber meint, beim Totalitarismusbegriff handele es sich um einen Fall idealtypischer Begriffsbildung im Sinne Max Webers[93]. Damit ist vorausgesetzt, »daß ein als totalitär bezeichnetes System bedeutsame totalitäre Züge hat, nicht, daß es vollständig totalitär sei«[94]. Mit dem von Drath als Primärphänomen bezeichneten Kriterium der zwangsweisen Durchsetzung eines neuen gesellschaftlichen Wertungssystems hat der Totalitarismusbegriff den entscheidenden inhaltlichen Akzent bekommen, wogegen die »Sekundärphänomene« in der idealtypischen Bezeichnung nicht ausdrücklich erscheinen müssen. Weder die »Vieldimensionalität«[95] noch die spezifische Ausgangssituation[96] sind also für die Herausbildung des Totalitarismusbegriffes als Idealtyp wichtig[97].

In seiner kritischen Erörterung der Drathschen Definition wendet Ludz ein, daß Draths Begriff von Ideologie »noch an der vom Marxismus-Leninismus propagierten Geschlossenheit der Ideologie und an der im Selbstverständnis der Partei behaupteten Homogenität des ideologischen Dogmas orientiert« sei[98]. Die Ideologie aber unterliege selber dem Wandel, so daß man nicht von »der« Ideologie totalitärer Herrschaftssysteme sprechen könne. Auch würden die Entwicklungsprozesse solcher Systeme im Idealtyp nicht gefaßt. Der Wandel der Sozialstruktur führe zu »Schwankungen des Sanktionenvollzugs«[99], die sowohl als Symptom wie als Ursache tiefgreifender struktureller Veränderungen gelten können und damit das Primärphänomen des Totalitarismus im Sinne Draths in Frage stellen[100]. Ludz vermutet deshalb, wie mir scheint zu Recht, daß ein bolschewistisches System, sobald es unter die Gesetze einer modernen Industriegesellschaft fällt, autoritäre Züge annimmt[101].

Der Ludzsche Versuch, eine Soziologie »totalitär verfaßter Gesellschaft« zu entwerfen, kann im Grunde mit einer idealtypischen Definition ›des‹ Totalitarismus nichts anfangen. In eine solche Definition müßten sämtliche möglichen Wandlungen des Regimes aufgenommen werden. Das aber kann der Idealtyp nicht leisten. Keine noch so totalitäre Gesellschaft kann soziologisch alle Merkmale der idealtypischen Definition erfüllen. Dafür liefert Ludz in seinen Arbeiten selber genug Beweise. Es fragt sich, ob eine soziologische Theorie totalitär verfaßter Gesellschaften anzustreben überhaupt sinnvoll ist. Vielleicht ist es kein Zufall, daß der Aufsatz mit solcher Intention bisher der letzte gewesen ist. Auf dem Felde soziologischer Analyse gibt es nur die Einzeluntersuchung dieses oder jenes Phänomens, für das die Bezeichnung totalitär dann zutreffen mag oder nicht. – Anders stellt sich die Frage im Horizont der Regimenlehre. Hier scheint es sinnvoll, in idealtypischer Weise wichtige Merkmale eines Regimes ins Auge zu fassen[102].

Will man den Totalitarismusbegriff für die Regimenlehre überhaupt beibehalten, so bleibt nur ein idealtypisches Verständnis. Damit ist aber deutlich, daß es weder eine totalitär verfaßte Gesellschaft noch einen totalitären Staat in der Realität je gegeben hat. Es kann sich bei der Verwendung des Begriffes ›totalitär‹ also nie um einen im strengen Sinne einhundertprozentig zutreffenden Begriff handeln, sondern der Totalitarismusbegriff meint stets eine bestimmte Tendenz auf Totalität hin[103]. Beschränkt man den Totalitarismus auf die Regimenlehre und hält sich dabei an die von Drath entwickelten Merkmale, so folgt daraus, daß

der Totalitarismusbegriff auf den Nationalsozialismus nur bedingt zutrifft (Abschnitt 4),

daß er auf die Stalinistische Phase des ›demokratischen Zentralismus‹ paßt (Abschnitt 5).

4. Der Nationalsozialismus – ein totalitäres Regime?

Die Frage, ob Nationalsozialismus und Kommunismus gemeinsam in einer Theorie des Totalitarismus einzufangen sind, entscheidet sich allein nach den Kriterien, die für eine solche Totalitarismustheorie gelten sollen. Unbeschadet der Kritik, welche eine durchgängige Identifizierung von Nationalsozialismus und Kommunismus inzwischen gefunden hat[104], bedeutet die Annahme der Drathschen Definition eine prinzipielle Entscheidung gegen jede mögliche Parallelisierung im Horizont einer Totalitarismustheorie. Wenn es das Ziel des Totalitarismus ist, ein von der überkommenen gesellschaftlichen Ordnung abweichendes, völlig neues soziales Wertungssystem unter Einsatz herrschaftlichen Zwanges zu verwirklichen, so kann diese Definition auf den Nationalsozialismus nicht ernsthaft zutreffen. Die völkischen und rassischen Ideen waren in Deutschland lange vor dem Auftauchen des Nationalsozialismus bekannt. Die Nationalsozialisten aber hatten gar nicht vor, mit diesen Ideen die herrschende Gesellschaftsordnung wahrhaft umzustürzen. Das durch die konservative Revolution vorbereitete Führerprinzip hat schon gegen Ende der Weimarer Republik diesem Regime stark autoritäre Akzente verliehen. Das Volk hat in seiner überwiegenden Mehrheit diese autoritäre Herrschaftsform begrüßt und ist Hitler in einen Führerstaat gefolgt, der mangels einer demokratischen Tradition in Deutschland nicht als ein völlig neues System, als eine fremde politische Wertordnung empfunden wurde. Die Frage, wie »die nahezu völlige Abwesenheit des Widerstandes, damit die offenbare Anerkennung des nationalsozialistischen Regimes durch die Bevölkerung möglich« wurde [105], läßt jedoch auch eine andere Antwort zu. Dahrendorf meint, das deutsche Volk sei dem Nationalsozialismus widerstandslos gefolgt, weil er zwar nicht ideologisch, aber faktisch eine Befreiung, einen »Stoß in die Modernität« bedeutet habe [106]. Ich bin in diesem Punkte nicht so sicher, sondern meine eher, daß man sich Hitlers Regime im Sinne autoritärer Herrschaft wünschte, aus Angst vor einer wirklichen Neuordnung der sozioökonomischen Strukturen. Der Ruf nach dem Führer war schon in den zwanziger Jahren laut geworden, und zwar als antiliberales Verlangen nach einer autoritären, nicht totalitären Herrschaft.

Der wichtigste Grund dafür, das nationalsozialistische Regime nicht als totalitäres, sondern als autoritäres Regime zu begreifen, muß darin gesehen werden, daß die nationalsozialistische Bewegung überhaupt »keine Revolution im Sinne eines tiefgreifenden gesellschaftlichen Strukturwandels« [107] gewesen ist. Hitler hat den privatkapitalistischen Charakter der deutschen Wirtschaft nie angetastet, und alle rüstungsorientierten Restriktionen lassen keinerlei Vergleich mit der völligen Umstrukturierung der sozioökonomischen Basis in der Sowjetunion zu. Das Volk hatte deshalb in seiner großen Mehrheit nicht das von der Definition geforderte Gefühl, aus traditionalen Geleisen der Gesellschaftsverfassung unter Androhung oder Anwendung von Zwang in ein neues soziales Wert- und Ordnungsgefüge überführt zu werden. Mit nationalen, imperialistischen, auch rassischen Vorstellungen war das deutsche Volk aus seiner Geschichte durchaus vertraut [108]. Überdies bot die nationalsozialistische Ideologie als das Konglomerat von Ideenfetzen, das sie darstellte, gar keine Möglichkeit, ein Bild angestrebter gesellschaftlicher Veränderung abzugeben. »So blieb nur das sehr vergröberte

Menschen- und Geschichtsbild des spätwilhelminischen Militarismus vom starken Mann und der deutschen Tüchtigkeit übrig.«[109]

Auch Dahrendorf sieht den autoritären Charakter des nationalsozialistischen Regimes:»Noch 1938 trug das nationalsozialistische Deutschland trotz aller Tendenzen zum Totalitären ebenso ausgeprägt autoritäre Züge, zu denen gerade auch die protestlose Nichtteilnahme der Vielen gehörte. Die Gleichschaltung war zwar vorherrschende Tendenz, aber bis zum Beginn der Eroberungskriege sicher nicht durchgängige Realität.«[110] Der Krieg aber hatte in allen an ihm beteiligten Staaten gewisse totalitäre Tendenzen gezeigt, im Sinne einer ›totalen Mobilmachung‹, die zu modernen Kriegen gehört.

Der Nationalsozialismus wäre demnach eher innerhalb einer Theorie autoritärer Regime abzuhandeln. Dem scheint die weitgehende Vergleichbarkeit der Herrschaftsmethoden im kommunistischen und nationalsozialistischen Regime zu widersprechen. Wer immer es, wie etwa Buchheim, für eine nur formale Betrachtung hält,»der Unterscheidung der politischen Bewegungen größere Bedeutung beizumessen als der der Herrschaftsformen«[111], wird beide Herrschaftssysteme weiterhin parallelisieren und damit in gewisser Weise identifizieren. Auch der sozialpsychologische Gesichtspunkt der Situation, in welcher der einzelne sich in diesen Staaten findet, wird eher Vergleichbares als Unterschiede zutage fördern[112].

Legt man jedoch die Friedrichschen Kriterien der Ideologie, der Einpartei, der terroristischen Geheimpolizei, des Nachrichtenmonopols, des Waffenmonopols und der zentralgelenkten Wirtschaft im einzelnen an und fragt sich, ob wirklich beide Regime diese Kriterien in derselben Weise erfüllen, so findet der genaue Beobachter selbst in bezug auf die Herrschaftsmethoden wichtige Unterschiede. Ein Beispiel mag die Einsetzung des Terrors abgeben. Diente der kommunistische Terror den Zielen einer gewaltsamen Umerziehung des ganzen Volkes, so richtete sich der nationalsozialistische Terror vornehmlich gegen die Juden, entbehrte also der Intention, die Verhaltensweise von Menschen zu ändern: ».. . niemand wird die in ihren Ausmaßen und Effekten in beispielloser Weise organisierten Judenverfolgungen das Nationalsozialismus, die einen zweifellos wichtigen Bestandteil seines Terrorsystems bildeten, allen Ernstes mit irgendeinem Phänomen des Sowjetsystems in Beziehung setzen können, das allerdings ebenfalls vor Menschenvernichtung keineswegs Halt macht. Ein Maß des Inhumanen, eines anonymen, satanischen Menschenausrottungswillens trat innerhalb des Nationalsozialismus zutage, das in dem spezifischen Stil bürokratischer Perfektion und seinem entsetzlichen Ergebnis nach eine einsame Beispiellosigkeit behauptet und selbst das Ausmaß der Greuel der chinesischen Kriege oder des spanischen Bürgerkrieges bei weitem übertraf.«[113] Was das Kriterium der zentralgelenkten Wirtschaft angeht, läßt sich eine Identifizierung des privatkapitalistischen NS-Deutschlands mit dem radikalsozialistischen System der UdSSR in keiner Weise vertreten.

Das nationalsozialistische Herrschaftssystem war von einem Pragmatismus beherrscht, der durch neuere Forschungen sich immer neu bestätigt[114]. In dem Maße, wie das Interesse der nationalsozialistischen Führer eher außenpolitischen als innenpolitischen Zielen galt, eignete sich der NS-Staat nicht zu einer totalitären Umwälzung der Gesellschaft. Eine solche Umwälzung war auch ideologisch in keiner Weise zu bewerkstelligen. Da die Homogenität keine auf ein gemeinsames Ziel gerichtete, sondern völkisch-ursprungsorientiert war, konnte es nur darum gehen, die vermeintliche Reinheit des Volkes und Blutes wiederherzustellen, nicht aber, eine prinzipiell neue Form der Gesellschaft zu schaffen. Das Operieren mit historischen, organischen und rassischen Ideen machte den Nationalsozialismus zu einem totalitären Umbau der Gesellschaft im Sinne einer Entfaltung demokratischer Elemente unfähig[115].

Eine Reihe von Autoren vertritt die These, welche Herbert Marcuse in seinem berühmten Essay über Liberalismus und totalitäre Staatsauffassung so formuliert: »Die Wendung vom liberalistischen zum total-autoritären Staate vollzieht sich auf dem Boden derselben Gesellschaftsordnung. Im Hinblick auf diese Einheit der ökonomischen Basis läßt sich sagen: es ist der Liberalismus selbst, der den total-autoritären Staat aus sich ›erzeugt‹: als seine eigene Vollendung auf einer fortgeschrittenen Stufe der Entwicklung. Der total-autoritäre Staat bringt die dem monopolistischen Stadium des Kapitalismus entsprechende Organisation und Theorie der Gesellschaft.«[116] Die These hat viel für sich, unter verschiedenen Gesichtspunkten[117], die uns hier nicht interessieren können. Wichtig in unserem Zusammenhang ist die Einsicht, daß die nationalsozialistische ›Revolution‹ die definitorischen Anforderungen, welche Drath an eine totalitäre Revolution stellt, nicht erfüllt.

5. Totalitarismus als Phase des ›demokratischen Zentralismus‹

Ein herrschaftlich organisierter Umbau der Gesellschaft erfüllt in dem Augenblick die Drathsche Bestimmung des Totalitarismus, in dem solcher forcierter Umbau zugleich die ideologischen und ökonomischen Grundlagen der Gesellschaft betrifft. Die Voraussetzung eines dergestalt totalen Umbaus erfüllt der Kommunismus stets, wenn man auf seine Zielsetzung blickt. In der Vorrede zur englischen Ausgabe des Kommunistischen Manifestes (1888) schreibt Engels: »Derjenige Teil der Arbeiterklasse, der sich von der Unzulänglichkeit bloßer politischer Umwälzungen überzeugt hatte und die *Notwendigkeit einer totalen Umgestaltung der Gesellschaft* forderte, dieser Teil nannte sich damals kommunistisch.«[118] Das bedeutendste historische Beispiel einer solchen totalen Umgestaltung ist bisher der Stalinismus. Alle Autoren sind sich denn auch einig, daß der Stalinismus ein Totalitarismus gewesen ist. Mit Ende der Stalinistischen Epoche überwiegen allerdings die Meinungen, es habe sich bei diesem Totalitarismus um ein »historisches Zwischenspiel«[119] gehandelt. Ludz vermutet überhaupt, die Totalitarismusanalyse, welche den Stalinismus als Objekt vor sich habe, habe historisch-politisch ihre Funktion erfüllt[120]. Die nachlassende Geschlossenheit des Sowjetblocks, die beginnende Liberalisierung auf ökonomischem Felde sowie andere Wandlungen und Dynamiken im Sowjetsystem lassen nach Meinung vieler Autoren nicht zu, weiterhin von ›dem‹ Totalitarismus zu sprechen, oder erzwingen doch eine wesentliche Ausweitung dieser Theorie[121].

Werner Hofmann faßt die Stalinistische Epoche als »das Vierteljahrhundert vom Ende der Neuen Ökonomischen Politik, vom Übergang zur Planära und zur Zwangskollektivierung (gegen Ende der zwanziger Jahre) bis zu Stalins Tod (1953)«[122] und definiert: »Unter Stalinismus soll zunächst verstanden werden eine exzessiv machtorientierte Ordnung der Innen- und Außenbeziehungen einer Gesellschaft des erklärten Übergangs zum Sozialismus.«[123] Als die drei bleibenden historischen Leistungen, welche man trotz der Schrecken der Stalinistischen Epoche gelten lassen muß, nennt Hofmann: »1. die Industrialisierung des ganzen Landes; 2. der ihr entsprechende Umbau der Gesellschaft, der nicht nur Dutzende von Millionen auf halb tierischer Stufe dahinvegetierender Mushiks an das Niveau einer industriellen Zivilisation herangeführt, sondern auch jener doppelt bedrückten Hälfte des Menschengeschlechts, nämlich der Frau, eine neue Welt tätiger Entfaltung eröffnet hat; 3. die kulturelle Revolution, die ein halb analphabetisches Volk in kürzester Zeit zum Träger einer neuen historischen Idee von Bildung erzogen hat.«[124]

Für einen politikwissenschaftlich brauchbaren d. h. möglichst wertfreien Begriff des Totalitarismus ist ein immanentes Verständnis des Totalitarismus dringend geboten[125]. Diese Forderung wird inzwischen mehr und mehr anerkannt. Wenn schon der Totalitarismusbegriff ursprünglich als Gegenbegriff zu einem pluralistischen Demokratiebegriff entwickelt wurde[126], gewinnt er für eine brauchbare moderne Regimenlehre Bedeutung nur, wenn naiv antikommunistische Implikationen wegfallen. Begreift man die geschichtliche Erscheinung des Stalinismus als »ein fundamentales Spannungsverhältnis zwischen der marxistischen Lehre von der Zukunftsgesellschaft und den Bedingungen ihrer Verwirklichung«[127], so ist zugleich ein entscheidendes Kennzeichen des Totalitarismus in den Blick genommen: Der forcierte Einsatz politischer Zwangsmittel steht im Dienste eines politischen Zukunftszieles und ist nicht Selbstzweck. Hier liegt ein wesentlicher Unterschied zum Nationalsozialismus. Seine Zwangsmittel waren ideologisch und praktisch auf Dauer gestellt, hatten weniger die ›Umerziehung‹ des Volkes als vielmehr eine prinzipielle Unterscheidung von Herrschern und Beherrschten zum Ziele. Ein sich auf den Nationalsozialismus beziehender Totalitarismusbegriff bekäme auf diese Weise einen tautologischen Sinn: als Zweck des Totalitarismus würde der Totalitarismus selbst erklärt. »Der Kampf gegen die Freiheit und Würde der Individuen erweist sich dann als substantieller Gehalt, und alle Zwecksetzungen (Befreiung des Volkes oder der Klasse, Ausschaltung kulturzerstörender Einflüsse, Schritthalten mit der Weltentwicklung usw.) enthüllen sich als bloße Vorwände. Dem so verstandenen Totalitarismus kann man jene ›Sympathie‹ versagen, die nach der Lehre der klassischen deutschen Geschichtsschreibung eine unabdingbare Voraussetzung der Objektivität ist, weil sie dem Betrachter im Betrachteten die Fülle und die Identität des Menschlichen zu erkennen gibt. Denn der Gegner ist nicht eigentlich der Wille einiger Menschen, sondern der unerbittliche Zwang eines widermenschlichen Systems.«[128]

Faßt man den Totalitarismusbegriff nicht tautologisch, sondern in einem weiten Sinne zweckrational, so ergibt sich, daß totalitäre Phasen notwendig Übergangsphasen, Entwicklungsepochen, nicht Dauerzustand sind. Es ist deshalb problematisch, von totalitären »Herrschaftssystemen« zu sprechen, wenn man solchen Systemen innerhalb der Regimenlehre zusammen mit dem generellen Charakter eine gewisse Dauer zuspricht. Der Totalitarismus ist im Unterschied zu anderen Diktaturen seinem Wesen nach auf Selbstauflösung gerichtet. Er trägt den Keim der Selbstvernichtung in sich[129]. Unter dem Gesichtspunkt semantischer Vorsicht empfiehlt sich deshalb vielleicht ein restriktiver Gebrauch des Begriffes totalitär, im Sinne von totalitären Phasen, Methoden, Phänomenen und der totalitären Ideologie als dem Inaugurator sowie der totalitären Partei als dem Motor des sozioökonomischen Umbaus.

Faßt man den Totalitarismusbegriff in dieser Weise, so erscheint die Verbindung von Demokratie und Totalitarismus als eine notwendige Beziehung. Stehen in den Augen vieler Demokratie und Totalitarismus auf der Skala politischer Alternativen »an entgegengesetzten Enden«[130], so weisen doch manche Autoren auf die Notwendigkeit einer demokratischen Legitimierung in totalitären Regimen hin[131]. Solche demokratische Legitimierung aber kann nur für sozialistische Regime, nicht für faschistische gelten, die ihren Begriff des totalen Staates in der Kritik an der Demokratie in ihrer bürgerlichen wie in ihrer radikalen Form entwickelt haben. Wer immer heutzutage einen tiefgreifenden Umbau der Gesellschaft sich als politisches Ziel setzt, kann dies nur, indem er dieses Ziel demokratisch, d. h. als ein der Gesellschaft und dem Individuum zugleich dienendes und von der gesamten Staatsgesellschaft intendiertes rechtfertigt. So zeigt sich am Schluß unserer Überlegungen, daß von den eingangs beispielhaft vorgeführten Totalitarismusbegriffen nur der ›Rousseauismus‹ und ›das Phänomen des 20. Jahrhunderts‹ zutreffen, weil nur sie die radikaldemokratischen Implikationen als den entscheidenden Faktor enthalten. Ein konservativer Umbau der Gesellschaft erscheint im ›Zeitalter der Revolutionen‹ als Widerspruch in sich selbst, und das einzig entgegenstehende Beispiel Japans dürfte sich in unseren Tagen so leicht nicht wiederholen. Totale politische Beanspruchung läßt sich angesichts der durch die Informationsdichte wachsenden politischen Aufklärung nur noch demokratisch begründen und nicht ohne Rücksicht auf soziale Ziele der Bevölkerung gegenüber vertreten. Politische Homogenität schließt für absehbare Zukunft stets auch die Idee und Forderung demokratischer Gleichheit ein.

Demokratie und Technokratie

1. Die im Thema genannten Begriffe bezeichnen ein Spannungsverhältnis, das seit dem Ende des Zweiten Weltkrieges von der Politikwissenschaft sowie von den betroffenen Einzeldisziplinen behandelt wird. Auch im Bewußtsein der Gebildeten hat das Thema Technokratie inzwischen seinen Platz. Man sagt, de Gaulles Republik trage technokratische Züge. Für die Vereinigten Staaten vermutet man einen wachsenden Einfluß der Technokraten auf den Regierungsstil, möglicherweise auch auf die politischen Ziele des Präsidenten. Man spricht davon, daß der Einsatz von Datenverarbeitungsmaschinen der Planung im politischen Bereich einen neuen Charakter gegeben habe. Der spektakuläre Erfolg eines so problematischen Buches wie die ›Formeln zur Macht‹ von Wilhelm Fucks[1] läßt manche vermuten, die Politik habe aufgehört, eine Sache der Politiker zu sein, oder soll man sagen: der Politiker ›im engeren Sinne des Wortes‹? Genau hier sitzt das Problem, dem wir uns zuwenden wollen. Wir fragen also nach der Bedeutung des wissenschaftlich-technischen Sachverstandes für die politische Entscheidung. Nun scheint es mit dem Thema Technokratie in Deutschland wie mit anderen politischen Themen zu gehen: Obgleich in der Bundesrepublik von einer Planungsbürokratie, von einflußreichen Sachverständigengremien, von einer Projektwissenschaft ernsthaft noch nicht die Rede sein kann, wird seit Jahren eine lebhafte Diskussion über den, wie man sich verkürzt ausdrückt, ›technischen Staat‹ geführt. Die Ursachen für diesen paradoxen Sachverhalt sind verwickelt und gründen in politischen Theorien, die lange vor dem Auftreten des technologischen Aspektes bei uns entwickelt worden sind. Schon auf den ersten Blick fällt auf, daß es ehemals konservativ gesinnte Sozialwissenschaftler sind, welche das technologische Argument mit besonderer Emphase vortragen. In den USA ist es genau umgekehrt. Wir lassen diese Zusammenhänge zunächst auf sich beruhen und versichern uns der theoretischen Positionen unserer Problemlage.

Der Demokratie als Volksherrschaft steht die Technokratie als Sachherrschaft gegenüber. Und da es Menschen sind, die solche Sachherrschaft ausüben, meint Technokratie im Unterschied zur Demokratie die Herrschaft einer Elite von Fachleuten und Sachverständigen, Technikern also im weitesten Sinne des Wortes. Der mögliche Konflikt zwischen Demokratie und Technokratie liegt damit auf der Hand: Da das ganze Volk unmöglich ein Volk von Fachleuten sein kann, könnte die Herrschaft von Technokraten die Demokratie theoretisch aushöhlen und praktisch unterlaufen. Aber was bedeutet › Volksherrschaft‹ heutzutage? Nach Artikel 20 des Grundgesetzes geht alle Staatsgewalt vom Volke aus, wird von ihm jedoch nur in den Wahlen ausgeübt. Nach den Wahlen ist das Volk Gegenstand der Herrschaft der von ihm gewählten Organe der Gesetzgebung, der vollziehenden Gewalt und der Rechtsprechung. In Theorie und Praxis der repräsentativen Demokratie ist somit das dichotomische Modell von Herrschern und Beherrschten nicht aufgegeben, wie es die demokratische Identitätstheorie will, sondern Parlament und Regierung herrschen für die Zeit ihrer Bestellung über das Volk[2]. Der Artikel 21 spricht den Parteien eine Mitwirkung bei der politischen Willensbildung des Volkes zu. Blickt man auf die politische Praxis, so muß man realistischerweise von einer Formierung dieses Willens sprechen: Die Parteien formieren und formulieren die politischen Positionen, welche das Volk im Wahlakt annimmt oder verwirft. Dieser plebiszitäre Charakter der Wahl beraubt zwar das Volk nicht seiner alle politische Herrschaft legitimierenden Gewalt, schränkt jedoch seine politischen Gestaltungs- und Mitwirkungsmöglichkeiten stark ein. Immerhin leben die politischen Parteien von der weiter wirkenden Macht der öffentlichen Diskussion, der Einwirkung von Interessengruppen und damit einer durch Ideen und Interessen gebundenen Anteilnahme des Volkes am politischen Prozeß. Politische Teilnahme aber ist ohne ein Verständnis der in den Bereichen politischer Planung und Entscheidung auftretenden Fragen nicht vorzustellen. Ungeachtet der Parteienherrschaft traut sich das Volk ein Urteil über politische Programme und Entscheidungen zu und befindet solchermaßen über den politischen Weg der Nation. Trotz aller Modifikationen wäre also der entscheidende Inhalt der demokratischen Ideologie, nämlich die Selbstbestimmung des politischen Schicksals durch die von ihm Betroffenen, gewahrt. Die Souveränität hätte ihren Sitz nicht in einer elitären Spitze, sei es eines absoluten Fürsten, sei es einer aristokratischen Gruppe, sei es einer Partei, sondern sie läge beim Volk, das in öffentlicher Diskussion und geheimer Wahl den politischen Weg berät und festlegt.

2. Genau diese Theorie moderner Volkssouveränität ziehen die Verfechter des technokratischen Staatsmodells in Zweifel. An ihrer Spitze steht bei uns Helmut Schelsky mit einer Position, die er folgendermaßen kennzeichnet: »Für ... (den) Staatsmann des ›technischen Staates‹ ist dieser Staat weder ein Ausdruck des Volkswillens noch die Verkörperung der Nation, weder die Schöpfung Gottes, noch das Gefäß einer weltanschaulichen Mission, weder ein Instrument der Menschlichkeit noch das einer Klasse. Der Sachzwang der technischen Mittel, die unter der Maxime einer optimalen Funktions- und Leistungsfähigkeit bedient sein wollen, enthebt von diesen Sinnfragen nach dem Wesen des Staates. Die moderne Technik bedarf keiner Legitimität; mit ihr ›herrscht‹ man, weil sie funktioniert und solange sie optimal funktioniert. Sie bedarf auch keiner anderen Entscheidungen als der nach technischen Prinzipien: dieser Staatsmann ist daher gar nicht ›Entscheidender‹ oder ›Herrschender‹, sondern Analytiker, Konstrukteur, Planender, Verwirklichender. Politik im Sinne der normativen Willensbildung fällt aus diesem Raume eigentlich prinzipiell aus, sie sinkt auf den Rang eines Hilfsmittels für Unvollkommenheiten des ›technischen Staates‹ herab ...« »Gegenüber dem Staat als einem universalen technischen Körper wird die klassische Auffassung der Demokratie als eines Gemeinwesens, dessen Politik vom Willen des Volkes abhängt, immer mehr zu einer Illusion. Der ›technische Staat‹ entzieht, ohne antidemokratisch zu sein, der Demokratie ihre Substanz.«[3] Schelskys These hat in bezug auf die moderne Demokratietheorie zwei Stoßrichtungen. Einmal entfällt die politische Herrschaft dadurch, daß der Technokrat jenseits aller Normen dessen, was gut oder böse, politisch richtig oder falsch sein möchte, ›das Notwendige‹ tut. Zum anderen entheben solche technologisch notwendigen und mithin notwendig richtigen Maßnahmen das Volk jedes Willensbildungsprozesses, solange die Technokratie, wie Schelsky sich ausdrückt, »optimal funktioniert«. Der politische Begriff des Volkes verschwindet ebenso wie der politische Begriff der Herrschaft und die zwischen beiden in der Demokratietheorie entwickelte Klammer der politischen Legitimität. Sachlogische Zwänge lösen die Politik alten Stiles ab und entmachten Volk, Parteien, Parlament und Regierung, ja sogar die Gerichte. Diese Entmachtung geschähe zum ersten Male nicht, um eine

andere politische Gewalt neu zu inthronisieren, sondern um politische Herrschaft im herkömmlichen Sinne überhaupt abzuschaffen und neu zu ersetzen durch eine optimale und das heißt durchgängig rationale Verwaltung von Sachen.

Die eben verwandte Ausdrucksweise der Aufhebung von politischer Herrschaft durch bloße Verwaltung von Sachen ist bekanntlich marxistische Redeweise, und nicht zufällig setzen sich die Verfechter des technokratischen Argumentes mit diesem Teil der Marxschen Theorie ausführlich auseinander. Schelsky weist darauf hin, daß schon Lenin in seiner Schrift ›Staat und Revolution‹ den Marxschen Gedanken vom Absterben des Staates im Sinne einer sozioökonomisch-technischen Prognose umgedeutet hat: »Wenn der Staat im wesentlichen Teil seiner Funktionen auf ... Rechnungslegung und Kontrolle durch die Arbeiter selbst reduziert wird, hört er auf, ein ›politischer Staat‹ zu sein ...«[4] Nun steckt aber hinter dem Marxschen Theorem ebenso wie hinter den klassischen Utopien einer optimalen Verbindung von Technik und Politik eine Voraussetzung, die Jürgen Habermas in seiner Kritik des technokratischen Modells heraushebt[5]. Man unterstellt nämlich ein Kontinuum der Rationalität in der Behandlung technischer und politischer Fragen, das es nie geben kann. Gerade die Praxis kommunistischer Politik hat gezeigt, daß ein wachsender Grad technischer Verfügung nicht unbedingt konvergieren muß mit einem Absterben dessen, was Marx unter politischer Herrschaft verstand. Aber die Parallele des technokratischen Modells zur utopischen und marxistischen Vorstellung vom Absterben des Staates will noch in anderer Hinsicht bedacht sein. Der technokratische Staat nämlich hat strenggenommen kein politisches Ziel mehr. Er ist reine Funktionalität und enthebt seine Glieder der Frage, was geschehen soll und warum es geschehen soll. In der marxistischen Zukunftsgesellschaft hört deshalb die Geschichte zusammen mit den konkurrierenden Wünschen und Vorstellungen der Menschen von einer erstrebenswerten Zukunft auf.

Die Frage politischer Ziele berührt die Frage der politischen Ideologie, wenn immer Ideologie ein auf Zukunft bezogenes Selbstverständnis der Staatsgemeinschaft einschließt. Die Beziehung der Technokratie zur politischen Ideologie wird verschieden beurteilt. Schelsky glaubt an die entideologisierende Wirkung technokratischer Systeme: »Das technische Argument setzt sich unideologisch durch, wirkt daher unterhalb jeder Ideologie und eliminiert damit die Entscheidungsebene, die früher von den Ideologien getragen wurde.«[6] Ein Ende der Ideologien ist damit allerdings auch für Schelsky nicht notwendig gegeben. Sie behalten im Gegenteil ihren Charakter gesellschaftlicher Rechtfertigung. Sie sind, sagt Schelsky, »Medien der Motivmanipulationen geworden für das, was unter sachlich notwendigen Gesichtspunkten sowieso geschieht. Mit der fortschreitenden Selbstproduktion der wissenschaftlichen Zivilisation, den neuen Sachgesetzlichkeiten des ›technischen Staates‹, sind die Politiker dauernd gezwungen, die Ideen zu manipulieren, zu deuten, anzupassen usw.«[7]

In Konsequenz dieser Argumentation befürchtet Hermann Lübbe, ein anderer Verfechter des technokratischen Argumentes, »daß die technokratische Ordnung, anstatt die Ideologie funktionslos zu machen, ihrem Wachstum im Gegenteil eine bedenkliche Chance gibt«[8]. Gerade die neutrale Sachgesetzlichkeit der industriellen Zivilisation mache diese anfällig für ideologische Prägungen und einen ideologischen Aktivismus, »der ihr das transzendente Ziel steckt, dem sie zu dienen habe«[9]. Mit diesem Gedanken kündigt sich eine Umkehrung der Position Schelskys an: Die Technokraten könnten möglicherweise von Ideologen beansprucht werden.

3. Bevor wir das Verhältnis von Technokratie und Ideologie prüfen können, müssen wir die Hauptthese Schelskys und seiner Mitstreiter diskutieren. Die These lautet, auf ihren Kern gebracht: Politische Entscheidungen nehmen die Form sachlogischer, das heißt von Fachleuten vorbereiteter und vom Sachverstand als notwendig erwiesener Maßnahmen an. Gegen solche sachlogischen Argumente gibt es keinen politischen Einwand. Sachlogische Entscheidungen sind selbstevident und erübrigen deshalb politische Willensbildung wie politische Herrschaft.

Zunächst fällt auf, daß die Verfechter der Theorie des ›technischen Staates‹ ihre Gedanken in auffällig abstrakter Weise vortragen. Beispiele findet man selten. Schelsky verweist auf die Verstaatlichung der Eisenbahnen, der Flugzeugindustrie und der Atomindustrie[10]. In dem Maße, wie der Staat technische Großbetriebe betreibt, nimmt er selber teil am technischen Entwicklungsprozeß und setzt sich seinen Sachgesetzlichkeiten aus. Früher interessierte sich der Staat lediglich für die klassischen Techniken: die Militär- und Verwaltungstechniken. Nun gehören die Eisenbahnen, die Flugzeug- und Atomindustrie zweifellos in den militärischen Bereich staatlichen Handelns. Die Frage bleibt aber doch, ob schon deshalb eine durchgängige Identifizierung technischer Maßnahmen und politischer Entscheidungen die Wahrheit trifft.

Als Beispiel diene der Prozeß der Aufteilung des Staatshaushaltes in der BRD. Dieser wurde bisher durch den Einfluß der Lobbyisten, der einzelnen Wirtschafts- und Berufsgruppen, stark beeinflußt. Verfolgt man die von den verschiedenen Pressure Groups vorgetragenen Argumente, so hat man nicht das Gefühl, daß ihre diesbezüglichen politischen Vorstellungen selbstevident aus dem sozioökonomischen Prozeß oder aufgrund eindeutiger Fachgutachten geflossen wären. Etatkürzungen wie -steigerungen sind daher meistens das Ergebnis eines Bündels verschiedener sachlicher und politischer Argumente. In budgetpolitischen Maßnahmen kann man oft keine sachlogische Entscheidung sehen, für deren ›Richtigkeit‹ Fachleute, nicht aber Politiker die Verantwortung tragen. In der Aufteilung des Staatshaushaltes fließen seit eh und je sozial-, wirtschafts-, militär- und außenpolitische Argumente mit ›Rücksichten‹ partei- und gruppenpolitischer Natur in einer Entscheidung zusammen, welche die heterogenen Argumente, wenn es gut geht, im Hegelschen Sinne ›aufhebt‹. – Dieses Beispiel aus einem klassischen Bereich der inneren Politik soll zeigen, daß die Qualität einer politischen Entscheidung anderer Natur ist als ein Fachgutachten. Der Gutachterstreit kann als fachliche Auseinandersetzung prinzipiell endlos weitergehen (wie die wissenschaftliche Diskussion, die durch ihre Endlosigkeit geradezu definiert ist). Beendet wird ein solcher Streit sinnvoll allein durch den Schiedsspruch des Richters im juristischen Bereich und durch die politische Entscheidung.

4. Damit erhebt sich das alte Problem, worin denn das Wesen einer politischen Entscheidung als politischer liegen möchte. Folgt man der Dezisionismustheorie Carl Schmitts[11], so wird man auf den grundlosen und weiter nicht explizierbaren Willen des politischen Machthabers verwiesen. Entscheidend ist nicht das Argument, sondern die irrationale Kraft des Wollens. Dieser voluntativen Energie entspricht die prinzipielle Gleichgültigkeit normativer Vorstellungen und rationaler Setzungen. Der Dezisionismus erscheint damit als eine mögliche Konsequenz des Positivismus und des vitalistischen Nihilismus, wie er seit Nietzsche und Bergson das westliche Europa erfaßte. Auch Max Webers[12] Unterscheidung zwischen dem politischen Führer und dem Verwaltungsbeamten ist im Gefolge dieser großen geistesgeschichtlichen Strömung zu begrei-

fen, welche auf die Sozialwissenschaften zunächst und teilweise bis heute im Sinne eines radikalen Wertrelativismus gewirkt hat. Für Max Weber dauert der »Streit der Götter«, wie er sagt, unvermindert an. Jeder diene dem Dämon, der seines Schicksals Fäden hält, solle aber diesen Dienst nicht verwechseln mit dem Dienst an der Wissenschaft, welche keine Ziele setzen, sondern nur für Ziele, die man erreichen will, adäquate Mittel an die Hand geben kann.

Weber war weit entfernt von der Vorstellung, Technik könne von sich her dem politischen Führer Ziele setzen. Dennoch zeigt das technokratische Modell eine gewisse Verwandtschaft zum dezisionistischen Modell. Jürgen Habermas hat auf diesen Sachverhalt zuerst hingewiesen, indem er eine dialektische Beziehung zwischen der Wertfreiheit einer technokratischen Sachentscheidung auf der einen und der Grundlosigkeit einer politisch-dezisionistischen Entscheidung auf der anderen Seite annahm[13]. Nicht zufällig engagierten sich die älteren Verfechter des technokratischen Modells früher in der sogenannten ›Konservativen Revolution‹, einer Bewegung, die gegenüber westlicher Zivilisation und westlichem Parlamentarismus das Element der Macht, der Vitalität und der ›Tat‹ (der Titel der bedeutendsten Zeitschrift dieser politischen Gruppe) betonte. Hans Freyer, Arnold Gehlen und Ernst Forsthoff haben ihre damalige Position[14] nur scheinbar geändert, wenn sie heute die Heraufkunft des technischen Staates ankündigen. Bei den genannten Theoretikern findet sich die konservativ-kulturkritische Position durchgängig vertreten. Das zeigt sich etwa in einer Bemerkung, die Schelsky (unter Berufung auf Hans Freyer) über die Möglichkeiten von Bildung in der Moderne macht. Diese Bemerkung findet sich in derselben Schrift, welche das technokratische Modell entwickelt und lautet: »Wenn ... ›Bildung‹ eine geistige und sittliche Souveränität gegenüber den Zwängen der Welt und des praktischen Lebens ist – und alle anderen Bildungsbegriffe verfehlen den Kern des alten Bildungsanspruchs und sind pragmatische oder resignative Anpassungen –, dann ist sie heute primär und unmittelbar nicht mehr über die Wissenschaft zu gewinnen. Im Gegenteil: da das praktische Leben selbst wissenschaftlich geworden ist, führt der Anspruch, gebildet zu sein, heute präzis zu der Aufgabe, sich von der Wissenschaft in gleicher Weise zu distanzieren, sich über sie zu erheben, wie einst sich die Bildung der Humanisten und Idealisten über das bloße praktische Leben erhob. Bildung der Person liegt heute in der geistigen Überwindung der Wissenschaft – gerade in ihrer technisch-konstruktiven Dimension.«[15]

5. Scheinen wir bisher das technokratische Modell skeptisch zu beurteilen, so müssen nun einige Wahrheitsmomente dieser Theorie in den Blick kommen. Am Schluß muß sich erweisen, ob solche Argumente ausreichen, die These im ganzen zu tragen.

Der Politiker war zu allen Zeiten auf Daten angewiesen, die ihm der Sachverstand von Experten vermittelte. Er brauchte Analysen über militärische Ausrüstung und Befestigungen des Gegners, über eigene und feindliche Lebensmittelvorräte, über Ernteaussichten und Steueraufkommen, über Bevölkerungswachstum und psychologische Tatbestände. Aber diese Auskünfte waren in der Regel Daten ad hoc, auf eine bestimmte, meist kurzfristige Absicht bezogen. Ein großer Teil der Politik funktioniert noch heute unter dem Gesichtspunkt kurzfristiger Lösungen. Die bisherige Budgetpolitik der Bundesregierung war ein Beispiel dafür. In dem Maße, wie die Verflochtenheit politischer Entscheidungen und die Daseinsvorsorgepflicht des Staates[16] wächst, ist die moderne Politik jedoch auf längerfristige Planungen angewiesen. Solche Pläne stammen in den wenigsten Fällen aus Kreisen des Parlaments und nicht immer aus dem Kabinett, sondern häufig von Fachleuten. Die langfristige Neuorientierung der Schul- und Wissenschaftspolitik der Bundesregierung und der Landesregierungen wäre ohne die Initiative von einzelnen Wissenschaftlern, zum Beispiel Georg Pichts, nicht erfolgt. Statistiken von Soziologen und Pädagogen über die Gefahr einer ›Bildungskatastrophe‹ führten zur Gründung des Bildungsrates.

Von scharfem Zwangscharakter sind die großen Strukturpläne, welche die zukünftige Gestalt bewohnter und für Industrie und Verkehr bestimmter Landschaft festlegen, zum Beispiel des Ruhrsiedlungsplanes. Hier werden Entscheidungen für mehrere Jahrzehnte, vielleicht für Jahrhunderte getroffen. Der Politiker folgt in solchen Fällen in der Tat der Logik des Systems, das seinen Entscheidungsspielraum erheblich einengt. Dies gilt sogar für Bereiche der Sozialpolitik, wenn das System durch den Verwaltungsaufbau inhaltlich festgelegt ist und allein der Umbau des bürokratischen Apparates jene Summen verschlingen würde, welche der Politiker durch eine angemessene Verteilung gerade gewinnen will.

Die Stärke des technokratischen Argumentes liegt in dem Hinweis auf das, was man allgemein die Verwissenschaftlichung unseres Lebens nennt. Alle Lebensbereiche werden in zunehmendem Maße durch Wissenschaft vermittelt. Wissenschaft garantiert unser Leben, ob es sich um

Ernährung oder Verkehr, Erziehung oder Energieversorgung handelt. Die naive Berufung auf die Erfahrung oder die Weisheit des Politikers taugt immer weniger und weicht einem neuen Verständnis vom politischen Handwerk. Wer heutzutage in der Politik vorankommen will, muß selber Fachmann sein, Experte auf dem Feld seiner politischen Verantwortung und Entscheidung. Der Grad der Verwissenschaftlichung der Politik nimmt täglich zu, und in den Vereinigten Staaten gibt es längst eine Wissenschaft, die sich eigens mit dem Problem langfristiger und viele Bereiche gleichzeitig umfassender Planung abgibt. Diese sogenannte Projektwissenschaft hat an sich selbst politischen Charakter, insofern bestimmte Fragen, wie man weiß, die Antworten in gewissem Umfang präjudizieren. Die großen staatlichen Lenkungsbürokratien bedürfen wissenschaftlich geschulter Fachleute, welche die langfristigen Aufgaben einer großen Staatsgesellschaft zu erfassen und zu koordinieren verstehen. Schon zur Gewinnung von Erfahrungsdaten ist die wissenschaftliche Analyse unentbehrlich. Ohne moderne Datenverarbeitungsmaschinen würde man in vielen Bereichen nicht wissen, was gegenwärtig vor sich geht. Jede mögliche Planung hinge damit in der Luft. Aber auch für die Durchführung seiner Pläne ist der Politiker auf die Hilfe des Fachmannes angewiesen. Im Zuge dieser Entwicklung findet das wissenschaftlich-technische Prinzip der Kooperation Eingang in den politischen Stil. Beraterteams und Entscheidungsgremien lösen den großen einzelnen ab, der früher – Bismarck ist eines der glänzendsten Beispiele – alle Faktoren des politischen Prozesses in seinem Kopf vereint hatte.

Dies sind die wesentlichen Argumente, welche zur Stützung des technokratischen Modells, der These von der Ablösung der politischen Entscheidung durch wissenschaftlich-technische Problemlösung, vorgetragen werden. Wer auf das hohe Maß der Veränderung unserer Lebensumstände durch Wissenschaft und Technik blickt, möchte sich von der Vorstellung überzeugen lassen, sachliche Verfügung habe die politische Entscheidung ersetzt, und was zu geschehen habe, zeige sich dem Experten von selbst. Hinter dieser Vorstellung aber stecken einige Axiome, die einer Aufhellung bedürfen. Diese Aufhellung wird das technokratische Modell als eine sehr voraussetzungsvolle Interpretation des Zusammenspiels von Wissenschaft, Politik und Gesellschaft erweisen und erklären, warum ich an der strikten Unterscheidung von politischer Entscheidung und wissenschaftlich-technischer Beratung weiter festhalten möchte.

6. Zunächst liegt in der Idee des technischen Fortschritts selbst offenbar eine Art Zwang, das, was wissenschaftlich denkbar und technisch herstellbar ist, auch praktisch zu realisieren. Diese merkwürdige Logik wird in ihrer Problematik heute auch von den betroffenen Wissenschaften selbst durchschaut. Man beginnt den Aspekt der gesellschaftlichen Dringlichkeit von dem der technischen Realisierbarkeit zu trennen. Da die technischen Möglichkeiten nahezu unbegrenzt, die Budgets aber prinzipiell begrenzt sind, ergibt sich auf allen politischen Ebenen der Zwang zur Abwägung des kurzfristigen oder langfristigen Nutzens technischer Erfindungen und Entwicklungen. Man erkennt, daß nicht jede technische Möglichkeit auch gesellschaftlich positiv werden muß. Die »Vitalsituation«, wie Alexander Rüstow die Summe der anthropologischen Faktoren und Bedürfnisse genannt hat, muß vom Politiker, der Technik einsetzt, stets im Blick behalten werden. Das aber erfordert eine politische Entscheidung, die ihm auch die anthropologische Forschung nur begrenzt abnehmen kann. Der technische Fortschritt schien bisher durch den wachsenden Komfort und durch die Erhöhung der Lebenserwartung axiomatisch gerechtfertigt. Diese Selbstverständlichkeiten sind uns heute problematisch geworden. Nicht jede muskelschonende Maschine scheint uns heute sinnvoll, nicht jeder Spray seine Herstellung lohnend.

Aber auch von seiten der Politik gibt es Zwänge, welche den Eindruck technokratischer Evidenz verstärken. So hat der Satz ›Der Krieg ist der Vater aller Dinge‹ bekanntlich auch einen technologischen Sinn: Bis heute hat Kriegswissenschaft, Kriegstechnik und Kriegsindustrie einen großen Anteil am technischen Fortschritt. Der Kriegszustand ist überhaupt die politische Situation, auf die das technokratische Modell voll zutrifft: Alle politischen Kräfte gelten nur einem fest definierbaren Ziel: den Feind zu besiegen. Die moderne Verbindung von totaler Mobilmachung und Technik hat Ernst Jünger [17] schon nach dem Ersten Weltkrieg erkannt und damit die erste Theorie der Technokratie geliefert. In ihr wurde sogleich deutlich, daß Technokratie und Demokratie sich auf die Dauer nicht vereinen lassen.

Die Raumfahrt verschlingt, wie man weiß, riesige Summen. Argumente gegen diese Ausgaben beziehen sich auf die Irrationalität des Wunsches der Techniker, ›auf den Mond zu wollen‹, wie auch des Prestigedenkens der Politiker und der betreffenden Nationen.

Bei den populären Vergleichen der Kosten für die Raumfahrt mit denen für Einfamilienhäuser wird meist der militärpolitische Gesichtspunkt vergessen, der immerhin ein hohes Maß an Rationalität enthält. Aber sind die anderen Triebkräfte: technischer Fortschritt und nationales Prestige wirklich ›irrational‹ und mithin ›unsachlich‹? Diese Frage verweist uns auf einen sozialwissenschaftlichen Aspekt, der den Gegensatz von Politik und Technik überprüft und die Spannung von politischer Entscheidung und sachlichem Urteil zwar nicht zu lösen, aber doch zu erklären vermag.

7. Um eine politische Entscheidung zugleich als sachevident zu empfinden, bedarf es eines homogenen sozialen Raumes, in dem die von solcher Entscheidung betroffenen Menschen sie in gleicher Weise beurteilen. Nur innerhalb gleicher sozialer Koordinaten gilt eine politische Entscheidung zugleich als Sachentscheidung. Wenn diese Homogenität fehlt, erscheint sie ›unsachlich‹ und erweist sich in der Folge häufig als politisch unklug.

Als die deutsche Armee während des Ostfeldzuges ein Interesse daran hatte, die Ernte auf den ukrainischen Getreidefeldern möglichst rasch einzubringen, erhöhte die Militärverwaltung die Löhne in der Erwartung, die Erntearbeiter würden um des höheren Lohnes willen länger arbeiten. Der Erfolg war der umgekehrte: Man arbeitete kürzer. Die deutsche Entscheidung traf in ein soziales Feld mit völlig anderen Koordinaten, nämlich einer an traditionaler Bedarfsdeckung orientierten Lebensweise. – Die Wirtschaftsgesinnung Robinsons, der in seiner freien Zeit eine Wasserleitung zu seinem Haus baut, ist offenbar unterschieden von der in Indien lebenden Bauern. Eine typische Antwort auf die Frage, warum sie ihre Felder nicht mit Wasser aus dem neugebauten Kanal bewässern, sondern dies der Unregelmäßigkeit des Monsuns überlassen, ist: Seit Tausenden von Jahren wächst unser Korn nur durch Regen, warum sollen wir es also ändern [18].

Die eigentlich interessante Frage ist, ob unsere Gesellschaft solche zur Identifizierung von Sachurteil und politischer Entscheidung notwendige Homogenität durchgängig vermuten läßt. Soziale Homogenität kann verschiedenen Ursprungs und verschiedener Qualität sein. Neben der traditionalen Form einer durch Religion gestützten und durch Jahrhunderte sich herstellenden Homogenität gibt es besonders seit der russischen Revolution und heute in den jungen Nationen neuartige Homogenitätsbestrebungen, welche die mögliche Diskrepanz von politischen

Entscheidungen und Sachurteilen deutlich vor Augen führen. Das beste Beispiel solcher modernen Spannung zwischen Technikern und Politikern bietet die sowjetrussische Entwicklung. Der Kampf verschiedener Ministerien, die Spannung zwischen dem Produktions- und Konsumsektor, die Rivalität zwischen Landwirtschaft und Industrie sind Beispiele dafür, daß sogenannte sachlogische Fragen an sich selbst politischen Charakter tragen. Wie weit man der Bevölkerung eine Restriktion des Konsums im Interesse von Investitionen zumuten kann, ist eine Frage, zu deren Beantwortung verschiedene politische Aspekte wichtig sind, zum Beispiel die Kräftigkeit der nationalen Homogenität. Diese ist aber unter verschiedenen Bedingungen verschieden. Im Kriege lassen sich schärfere Restriktionen wagen und ertragen als in Friedenszeiten. Auch spielt das Maß der gesellschaftlichen Befriedung eine wichtige Rolle. Innerhalb kommunistischer Systeme sind Entscheidungen denkbar, die aus ideologischen Gründen sinnvoll sind, sich aber für den sozioökonomischen Fortschritt nicht oder nicht unmittelbar auszahlen. Kolakowski[19] hat diese Fragen gegen Ende der Stalinistischen Periode untersucht und gezeigt, daß die drei Triebkräfte des marxistischen Lehrgebäudes: die Geschichtseschatologie, die Gesellschaftstheorie und der moralische Impuls in verschiedenen Stadien der gesellschaftlichen Entwicklung verschieden stark wirken. Ein Plakat mit der Aufschrift »Die Tuberkulose verzögert den Aufbau«[20] bezeichnet offenbar das Stadium der Zusammenfassung aller Kräfte im Blick auf die Gestaltung der Zukunft, negativ gesagt: ein starkes Absehen von gegenwärtigen Bedürfnissen und Rücksichten. Für die Entwicklungsländer ist uns die objektive Notwendigkeit des Verzichts auf heutigen Konsum zugunsten einer höheren Investitionsquote und damit zugunsten eines höheren Verbrauchs in der Zukunft bekannt[21].

Um die Homogenität der Staatsgesellschaft zu schaffen, die man braucht, um sie schwere Restriktionen im Interesse des wirtschaftlichen Aufbaus ertragen zu lassen, muß man unter Umständen ökonomisch unsinnige, aber spektakuläre Maßnahmen durchführen[22]. Solche Entscheidungen erscheinen uns ›unsachlich‹, die wir einen höheren Homogenitätsgrad in unserer Gesellschaft und keine vergleichbaren wirtschaftlichen Sorgen haben. Dafür gibt es bei uns Einstellungen, die anderen westlichen Demokratien durchaus unverständlich sind. Ein Streik etwa wird in der Bundesrepublik vornehmlich unter dem Gesichtspunkt der unsinnig erscheinenden finanziellen Einbuße, in den angelsächsischen Ländern dagegen unter dem Aspekt bestimmter politischer Spielregeln gesehen, die zur demokratischen Staatsform und zu ihren ›Kosten‹ gehören [23].

Die deutlichsten Beispiele für die Spannung zwischen sachimmanenten und politischen Entscheidungen finden sich in der Außenpolitik, deren Primat sich gegenüber wirtschaftlichen Rentabilitätspunkten – etwa bei Rüstungskäufen – häufig durchsetzt. In der Innenpolitik sind es partei- und wahlorientierte Aspekte, vor denen die Fachberater kapitulieren. Das durchschlagendste Beispiel ist die Landwirtschaftspolitik in unserem Staate.

Wir sagten, gesellschaftliche Homogenität sei die wesentliche Voraussetzung dafür, daß politische Entscheidungen zugleich für sachlich gelten können, und sollten an dieser Stelle nicht verschweigen, daß politische Herrschaft selbst ein wichtiger Integrationsfaktor ist. Neben der normativen Kraft politischer Entscheidungen scheint der Zivilisationsprozeß heutzutage eine starke Konformität der Lebensgewohnheiten und der Denkweisen zu erzwingen.

In einem innen- und außenpolitisch völlig homogenisierten sozialen Feld könnte es weder den Konflikt von Herrschern und Beherrschten, noch den von Technokraten und Politikern geben. Der Marxismus-Leninismus erwartet solche Konvergenzen. Die Theorie des modernen Verfassungsstaates dagegen will die totale, allseitige Homogenisierung erklärtermaßen nicht. Sie ist eine Theorie des gesellschaftlichen Konflikts und glaubt nicht an unwandelbare gesellschaftliche Ziele [24]. Der politische Weg des Volkes ist vielmehr das Ergebnis öffentlicher Diskussion und gesellschaftlichen Interessenausgleichs [25]. Der Aufruf zur Sachlichkeit bedeutet deshalb zunächst nicht mehr als den Appell zur partiellen und befristeten Homogenisierung. Hier zeigt sich, daß der Kompromiß nicht als ein leider unvermeidliches Abrücken von der für absolut richtig gehaltenen Position begriffen werden darf, sondern als Mittel politischer Integration. Politische Integration aber ist Integration auf Zeit, da für eine zeitlose soziale Homogenität die Geschichte keinen Anhalt bietet und auch in einem gewiß anzustrebenden allgemein befriedeten Zustand der Welt strittige, das heißt politische Fragen zu entscheiden sein werden.

8. Überlegen wir, welche Faktoren in den westlichen Industriestaaten öffentliches Leben bestimmen, so sehen wir uns auf Kräfte verwiesen,

die stark oligarchische Züge tragen. Die Zeitungen befinden sich in wenigen Händen, Marktforschung und Meinungspflege versuchen nicht nur auf dem Konsumsektor, sondern auch auf politischem Felde Homogenitäten zu schaffen, welche den jeweiligen Interessen günstig sind. Der skeptische Beobachter des modernen politischen Prozesses stößt somit abermals auf das technokratische Argument. Die Markt- und Meinungsforschung bedient sich modernster mathematischer Methoden, um zu erfahren, was sozialpsychologisch vor sich geht. Ohne Faktorenanalyse etwa ist es unmöglich, die verschiedenen Aspekte einer Konsumgewohnheit zu erfassen. Die Parteien bedienen sich in zunehmendem Maße der Meinungsforschungsinstitute. Politiker werden aufgebaut wie Produkte, und eine politische Wahl wird unter ähnlichen strategischen Gesichtspunkten betrieben wie die Durchsetzung eines Markenartikels. Die Karriere eines Politikers hängt heute zum nicht geringen Teil von Fachleuten ab, die ihren Sachverstand nicht auf dem Felde der Politik, sondern auf dem des Make-up zur Verfügung stellen [26].

So bedenklich uns solche Erscheinungen der politischen Praxis stimmen, so wenig dient der Hinweis auf sie ohne weiteres der Stützung des technokratischen Argumentes, wenn immer dieses Argument behauptet, politische Entscheidungen würden durch sachevidente Urteile abgelöst. Es ist ja durchaus die Frage, ob das, was Meinungsforscher kommen sehen, wirklich geschehen sollte. Diese Frage ist so lange eine politische Frage, als eine durchgängige Homogenität zu ihrer Beantwortung nicht vorliegt und an der Differenz zwischen Herrschern und Beherrschten festgehalten wird. Das Maß der wirklich homogenen, das heißt der politischen Diskussion entzogenen Themen ist in den Staatsgesellschaften verschieden. Junge Staaten müssen dazu neigen, viele Bereiche gewaltsam zu homogenisieren, weil eine traditionale Homogenität fehlt. Die bei uns aufgekommene Rede von der ›Formierten Gesellschaft‹ läßt auf den Versuch schließen, bestimmte Züge der bisherigen sozioökonomischen Versuchsanordnung in der Bundesrepublik der politischen Diskussion zu entziehen. Einige Themen verschwinden von selbst aus dem politischen Streit und scheinen, vielleicht nur auf Zeit, selbstverständlich. Das technokratische Modell radikalisiert solche Homogenisierungen zu einer politischen Windstille, die es nie geben kann, selbst dann nicht, wenn auf dem Felde der Innenpolitik alle Ansprüche befriedigt wären und das Prinzip der staatlichen Daseinsvorsorge optimal funktionierte. Heute, wo wir in allen Ländern von diesem Zustand, allerdings verschieden weit, entfernt sind, wirkt das technokratische Modell deshalb in Richtung auf ein autoritäres Staatsverständnis. Die autoritäre Führung läge bei den Technokraten, deren Befehle keinen Widerspruch dulden, weil sie dem Volke nicht mehr begründet werden können. Das Volk hätte sich in diesem Falle freiwillig entmündigt.

Die Demokratie entstand einst in Konsequenz jenes ›Ausganges des Menschen aus seiner selbstverschuldeten Unmündigkeit‹, den man Aufklärung nennt und dem auch Wissenschaft und Technik ihre Entstehung verdanken. Beide, moderne Wissenschaft und moderne Demokratie, verteidigen die Autonomie des Geistes, der, in der Schule des Mißtrauens erzogen, die selbstgeschaffenen Systeme stets wieder zerbricht und skeptisch auf der Suche bleibt nach dem, was wahr, und das heißt in der Welt sozialer Realität: was dem Wesen des Menschen angemessen und förderlich ist. Diese Suche wird, solange es menschliche Geschichte gibt, nicht aufhören. Sie wird unbeschadet aller Relationierungen mit dem kulturellen, technischen und sozioökonomischen Entwicklungsstand einer Gesellschaft auf den Kampf jener Götter treffen, die uns inmitten aller Entzauberung der Welt durch Wissenschaft zwingen, Politik zu treiben und über Politik nachzudenken.

Vierter Teil
Politische Kultur

Politische Kultur
in der Bundesrepublik Deutschland

›Zeitgeist‹ und ›Nationalcharakter‹:
deutsche Vorläufer der politischen Kulturforschung

Für den Versuch, die Physiognomie eines Volkes zu erfassen, gab es in
Deutschland schon immer wissenschaftliche Traditionen. Deutschlands
geographische Lage in der Mitte Europas, dazu seine durch Brüche ge-
kennzeichnete Geschichte sorgten dafür, daß deutsche Philosophen und
Historiker einen geschärften Sinn für das entwickelten, was man heute
die politische Kultur eines Landes nennt. Zeitgeistanalysen und Kulturkritik gehören in besonderer Weise zur politischen Kultur Deutschlands.
Die Figur der ›Tendenzwende‹ taucht schon zu Beginn des 19. Jahrhunderts auf. Geschichtsphilosophie, vor allem in ihrer dialektischen Form,
ist die deutsche Kunst, aus der Not historischer Kurzatmigkeit die Tugend einer ›Sinngebung‹ zu machen. Die Hegelsche Geschichtsdeutung
bestimmt die deutsche Geschichtsschreibung und die Sozialphilosophie
bis heute. Sozialgeschichtlich orientierte Historiker erschlossen den
›Zeitgeist‹ aus Biographien, Reiseberichten, Zeitungen, Kalenderlitera-
tur, Briefen. Auch die Trivialliteratur kam zunehmend in den Blick. Die
Heidelberger Schule der Kultursoziologie (Alfred und Max Weber,
Alexander Rüstow) eröffnete mit ihrer vergleichenden und auf lange
Zeiträume gerichteten Forschungsorientierung eine Perspektive, wie sie
heute in der politischen Kulturforschung selbstverständlich ist. Der Heidelberger Sozialpsychologe Willy Hellpach ergänzte solche kultursozio-
logischen Forschungen um sozialpsychologische Theorien und Aspekte,
auf der Suche nach so etwas wie dem ›Nationalcharakter‹ eines Volkes.
   Vermutlich war es diese geisteswissenschaftlich orientierte Sicht-
weise, welche die deutsche Sozialwissenschaft länger als in anderen
Ländern zögern ließ, empirische Forschungsmethoden einzubeziehen,
nachdem sie in der amerikanischen Soziologie und Politikwissenschaft
eingeführt wurden. Hinzu kamen die Unterbrechung durch den Zweiten

Weltkrieg und der Verlust vieler bedeutender Sozialwissenschaftler durch Emigration (häufig waren es gerade deutsch-jüdische Emigranten, die in den USA die Synthese deutscher Kultursoziologie mit empirischer Feldforschung zuwege brachten). Jedenfalls begegnete man noch bis in die sechziger Jahre hinein amerikanischen Studien auf dem Felde der Wahl- und Einstellungsforschung mit erheblicher Skepsis. Diese Zurückhaltung ist zuweilen heute noch anzutreffen, wenn auch nur noch bei einer Minderheit von Sozialwissenschaftlern.

Als die große Studie über die politische Kultur in fünf Nationen von Almond / Verba zu Beginn der sechziger Jahre erschien, fand sie nur wenig Interesse, obgleich die Bundesrepublik eines der verglichenen Länder war. Der erste, der sich mit der politischen Kultur der Bundesrepublik beschäftigte, war Erich Reigrotzki mit seinem Buch ›Soziale Verflechtungen in der Bundesrepublik. Elemente der sozialen Teilnahme in Kirche, Politik, Organisationen und Freizeit‹ (Tübingen 1956). Erwin K. Scheuch und Rudolf Wildenmann folgten mit eigenen Wahlstudien. Inzwischen gehören deutsche Sozialwissenschaftler zum Kreis international angesehener Forscher auf dem Felde der vergleichenden politischen Kulturforschung.

Obrigkeitliche Traditionen

Die Bundesrepublik Deutschland ist eine der besterforschten politischen Kulturen und fehlt selten bei Viel-Länder-Studien. Das ist nicht verwunderlich, liefert die Bundesrepublik doch das vielleicht dramatischste Beispiel für das, was den politischen Kulturforscher interessieren muß: sozialer Wandel mit der Folge von Einstellungsänderungen in Familie, Beruf, Politik, Änderungen von Werten und Normen, Zuwächse oder Verluste in der speziellen und diffusen Legitimation, der politischen Folgebereitschaft usw. Während die alten Demokratien Europas und der Vereinigten Staaten von Amerika eine starke Kontinuität demokratischer Traditionen aufweisen, begegnet die Bundesrepublik Deutschland auf der Suche nach Identitätsangeboten aus deutscher Politikgeschichte großen Schwierigkeiten. Keines der drei Regime, die einander seit 1871 ablösten, liefert dem Westdeutschen Identifikation; auch die Weimarer Republik nicht, die in Umfragen sogar am schlechtesten abschneidet. Jedes politische System war der Feind des anderen und zog wesentliche

Kräfte aus dem Kampf gegen das vorhergehende, an dem es sich abarbeitete.

Auch andere Nationen sind durch politikgeschichtliche Wechselbäder gegangen, z. B. Frankreich. Der rasche Regimewechsel hat dort aber die Ausbildung und Fortführung zweier großer Traditionen nicht verhindert: ›Autorität‹ und ›Majorität‹ erlauben dem Franzosen rechts wie links gegenwärtige politische Orientierung.

Trotz des raschen Wechsels politischer Systeme hat sich in Deutschland bis zum Ende des Zweiten Weltkrieges nur eine Tradition als kräftig erwiesen, die konservativ-autoritäre. Ob konservativ oder faschistisch, in jedem Falle siegte das Prinzip von Befehl und Gehorsam. Die anachronistische Herrschaft einer feudal-militärischen Führungsschicht reichte bis in die Zeit der Weimarer Republik und hat in Deutschland zur Ausbildung einer Untertanenkultur geführt, die durch lutherische Staatstheologie und preußische Staatsphilosophie gestützt wurde. Die Merkmale des deutschen Obrigkeitsstaates sind:

- *Die prinzipielle Unterscheidung von Staat und Gesellschaft.* Nur Regierung und Verwaltung sollten führend oder ausführend mit Politik zu tun haben. Die Gesellschaft (Wirtschaft, Kultur, Wissenschaft, Vereinsleben, Familie) hatte sich politischer Tätigkeit weitgehend zu enthalten. Auch die Parteien gehörten im konstitutionellen Obrigkeitsstaat zum gesellschaftlichen Bereich, als Vertreter von Interessen und Weltanschauungen. Parteipolitik stand im Gegensatz zur ›Staatspolitik‹.

- *Die Ideologie von der Neutralität des Staates,* der nur dem Gemeinwohl verpflichtet galt. Man hat diesen Glauben an die Unparteilichkeit der politischen Klasse die Lebenslüge des deutschen Obrigkeitsstaates genannt.

- *Das Beamtentum* präsentierte staatliche Einheit, Ordnung und Stabilität als eine Korporation besonders staatsnaher Bürger. Der Beamte ›verdient‹ nichts, sondern wird ›alimentiert‹ vom Staat, seinem ›Dienstherrn‹.

- *Der Staat* galt nicht als Schöpfung bürgerlicher Vernunft und Resultat eines Vertrages, sondern als selbständige Substanz mit eigenem Recht und eigener Würde, dem Individuum nicht nur an Macht, sondern vor allem an Autorität überlegen.

- *Die politischen Tugenden des Untertanen* waren absolute Folgebereitschaft gegenüber staatlicher Autorität und politische Apathie als

Nichteinmischung in Dinge, die nicht ›seines Amtes‹ waren. Grundlage der Staatsräson war das dem Bürger zugemutete Eingeständnis seiner Inkompetenz in politischen Fragen. Diese galten als ›Sachprobleme‹, für deren Bewältigung Regierung und Verwaltung einstanden.

Das deutsche Bürgertum reagierte auf diese ihm vom Obrigkeitsstaat auferlegte Apathie durch Rückzug in mancherlei Bereiche von ›Innerlichkeit‹ und ein ambivalentes Verhältnis zur politischen Macht. In dem Maße, in dem der Bürger sich der Politik fernhielt, erschien sie ihm einerseits als ein ›schmutziges Geschäft‹, gerade deshalb aber als eine Welt eigener Maßstäbe: denen der großen historischen Persönlichkeit, der Geschichte, vaterländischer Pflicht, nationaler Ehre. Bürgerliches Selbstbewußtsein gründete lediglich in wirtschaftlicher Effektivität, und die einzige bürgerliche Freiheit, die nach fehlgeschlagenen Befreiungsversuchen übrig blieb, war die Gewerbefreiheit. In den westeuropäischen Demokratien entsprach der wirtschaftlichen Macht des Bürgertums die politische. Das deutsche Bürgertum dagegen verband seine spät einsetzende wirtschaftliche Dynamik nicht mit politischem Selbstbewußtsein. Dafür blieben seine Leistungen auf den Feldern Kultur und Wissenschaft noch bis vor wenigen Jahrzehnten in der Welt sprichwörtlich. Bezeichnend für die mangelnde Identität der deutschen Bourgeoisie ist ein bürgerlicher Selbsthaß, der sich bis heute sowohl links wie rechts beobachten läßt.

Sowohl Preußen wie das zweite Deutsche Reich waren Staaten ohne Staatsidee. Im Unterschied zu den westlichen Demokratien, die sich als Vorkämpfer individueller Menschenrechte verstanden (und gerade ihre imperialistischen und kolonialen Ziele solchermaßen ideologisch verbrämen konnten), blieb Deutschland zur Ausbildung seiner Identität nur der ideologische Rückzug auf die ›Kulturnation‹. Das kaiserliche Deutschland hat auf verschiedenen Wegen versucht, die fehlende Staatsidee zu ersetzen:

– Durch wirtschaftliche ›Weltgeltung‹. Binnen weniger Jahrzehnte hatte sich Deutschland auf vielen Feldern der industriellen Entwicklung an die Spitze der europäischen Mächte gesetzt. Das rasch reich gewordene Bürgertum betrachtete seine Wirtschaftskraft zunehmend als politischen Beitrag zu Deutschlands ›Platz an der Sonne‹. Die Kombination von politischer Rückständigkeit und wirtschaftlicher Fortschrittlichkeit lieferte einen Anwendungsfall für die Möglichkeit von Modernisierung ohne Demokratisierung (ähnlich wie in Japan).

– *Durch völkische Ideologien.* Das wirtschaftlich motivierte politische Sendungsbewußtsein wurde ergänzt durch aggressive Ideologien völkischer Größe. Dabei verband sich die Idee der deutschen Kulturnation später mit sozialdarwinistischen und antisemitischen Vorstellungen.

– *Durch ›negative Integration‹.* Auf dem Wege des gemeinsamen Kampfes gegen äußere und innere Feinde sollte politische Identität geschaffen werden. Als ›Reichsfeinde‹ galten Sozialdemokraten, Freimaurer, Juden, Jesuiten und Bewohner der nicht deutschsprachigen Grenzlande. Der Antisemitismus nahm auf diese Weise nationale Züge an, auch der Protestantismus wurde zur nationalen Ideologie. Wer als ›nationaler Mann‹ gelten wollte, hatte einen festen Bestand an politischen und weltanschaulichen Ideen zu vertreten, deren gemeinsames Kennzeichen eine kämpferische Gesinnung, ein Denken in Fronten war. Auf diese Weise wurde deutsche Politikgeschichte bis nach dem Zweiten Weltkrieg von einer ›Lagergesinnung‹ geprägt.

Dem deutschen Proletariat war durch die enge Verbindung des Bürgertums mit dem Obrigkeitsstaat der Weg zu einem eigenen Nationalbewußtsein erschwert. Der deutsche Arbeiter war einerseits durch Volksschule, Armee und Arbeitswelt in obrigkeitlichem Geiste erzogen. Andererseits sorgten seine soziale Lage und die sozialistische Parteischulung dafür, daß seine Kritik am Obrigkeitsstaat wach blieb. Sein revolutionäres Bewußtsein wurde aber durch die politische Loyalität zu Krone und Reich stets gebrochen. Die Forderung internationaler Solidarität der Arbeiterklasse brachte ihn als kaisertreuen Sozialisten notwendig in den Verdacht, ein ›vaterlandsloser Geselle‹ zu sein.

Für politische Umwälzungen, auch diejenigen, welche demokratische Regime zur Folge hatten, sorgten in Deutschland nicht Revolutionen, sondern militärische Niederlagen. Diese wurden meist der politischen Linken angelastet. Der politische Ertrag des verlorenen Ersten Weltkrieges wurde durch die ›Dolchstoßlegende‹ verspielt. Die ›Frontgeneration‹ erklärte sich gegen die Demokratie, zusammen mit der politisch führenden Klasse von Adel, Militär und einem Bürgertum, das diesen beiden Gruppen ihren politischen und gesellschaftlichen Rang immer noch nicht streitig machte.

Überblickt man die deutsche Politikgeschichte der letzten hundert Jahre und führt sich die politischen Regime vor Augen, die Deutschland als Nation erlebt hat (Kaiserreich, Weimarer Republik, Nationalsozialismus), so war die Entwicklung zu einer gefestigten parlamentarischen Demokratie nach 1945 nicht ohne weiteres garantiert, im Gegenteil: Alle Forscher nennen diese Wandlung mehr oder weniger dramatisch. Die Überraschung war um so größer, als man gefürchtet hatte, daß die zweite innenpolitische Umwälzung, hervorgerufen durch einen verlorenen Krieg, ebenso mißlingen könnte wie die Einführung der parlamentarischen Demokratie nach dem Ersten Weltkrieg in der Weimarer Republik. Vergleicht man die Strategien der Siegermächte und die Bedingungen, unter denen die Weimarer und die Bonner Demokratie ins Leben traten, so zeigen sich deutliche Unterschiede.

Bonn war nie Weimar

Die militärische Niederlage im Ersten Weltkrieg spielte sich nicht auf deutschem Boden ab, sondern in Feindesland. Sie wurde weder von der Armee noch von der Bevölkerung akzeptiert. Man erfand die ›Dolchstoßlegende‹, welche, zusammen mit dem falschen Urteil ›im Felde unbesiegt‹, die Nation dadurch innenpolitisch in zwei Lager teilte, daß sie der politischen Linken die Schuld an beidem gab: dem militärischen Zusammenbruch und der Einführung der parlamentarischen Demokratie. Demgegenüber fand die innenpolitische Konsequenz der Vernichtung des nationalsozialistischen Regimes keine Kritik, und die neue Staatsform hatte mit keinen nennenswerten Widerständen zu rechnen. Wie ungeschickt auch immer die Verbindung von Entnazifizierung und Reedukation (im Anfang noch verbunden mit einem strikten Fraternisierungsverbot der Besatzungstruppen) gewesen sein mochte: Die parlamentarische Demokratie wurde akzeptiert, wenn auch zunächst nur als Staatsform der Siegermächte. Wehmütige Erinnerungen an das zerschlagene Regime gab es kaum, und wer ihnen anhing, äußerte sich nur in engsten Zirkeln Gleichgesinnter. Die Weimarer Republik wurde von schweren wirtschaftlichen und politischen Krisen geschüttelt. Der Versailler Vertrag und die Reparationspolitik der Siegermächte lieferten auch innenpolitisch ständigen Konfliktstoff. Demgegenüber erholte sich Westdeutschland infolge einer klugen Wirtschaftspolitik der Alliierten rasch von den ungeheuren Kriegsschäden und stieg bald zu einer der führenden Wirtschaftsmächte der Erde auf. Diese Entwicklung kam auch dem neuen politischen System zugute. Es wurde vielleicht weniger als solches und um seiner selbst willen bejaht, aber man akzeptierte es als politische Rahmenbedingung des ›Wirtschaftswunders‹. Eine Folge dieser günstigen Wirtschaftsentwicklung ist das Verschwinden von Klassenbewußtsein in der westdeutschen Gesellschaft. Während sich in den fünfziger Jahren noch Zeichen dafür fanden, verschwand es in den späten sechziger Jahren und ist seither nicht mehr aufgetreten, unbeschadet der Tatsache, daß die Einkommens- und Vermögensverhältnisse gravierende Ungleichheiten aufweisen und auch von der Bevölkerung für ungerecht gehalten werden. Das System sozialer Sicherheit, die Versorgung der gesamten Bevölkerung mit langfristigen Gebrauchsgütern, die Reduzierung der Arbeitszeit und die Verlängerung des Urlaubs haben dafür gesorgt, daß diese materiellen Ungleichgewichte nicht unter Klassengesichtspunkten interpretiert werden.

Noch ein anderer Faktor mag für das Verschwinden von Klassenbewußtsein (im Unterschied zu Großbritannien, Frankreich und Italien, wo es bis heute Klassenbewußtsein gibt) eine Rolle spielen. Die alten politischen Eliten des großagrarischen Adels und des (mit ihm auf vielerlei Weise verbundenen) Militärs hatten endgültig abgedankt. Wenn auch die ökonomische Basis der Industriebourgeoisie durch eine sie begünstigende Eigentums- und Steuerpolitik erhalten blieb und ihr bis heute große politische Macht verleiht, bedeutete das Verschwinden der alten politischen Klasse eine erhebliche Modernisierung.

Es gibt noch mehr Unterschiede im Blick auf die Rahmenbedingungen, unter denen die Weimarer und die Bonner Republik jeweils begannen. Durch die Abtrennung der DDR, die dem pommerschen und ostpreußischen Landadel die Basis entzogen hatte, verschwand für die Bundesrepublik rein zahlenmäßig das Ungleichgewicht der beiden christlichen Konfessionen. Religiöse Konflikte, wie sie die Geschichte Deutschlands über Jahrhunderte prägten und andere europäische Länder immer noch schwer belasten, sind in der Bundesrepublik unbekannt. Protestanten und Katholiken halten sich in der westdeutschen Gesellschaft in etwa die Waage, und der CDU gelang die politische Integration beider großer Konfessionen. Religion tritt als politischer Faktor ohnehin immer weiter zurück und wird, so weit man sehen kann, in Zukunft keine Quelle gefährlicher politischer Konfrontationen sein, weder als ursprünglicher Faktor noch als Symptom für tieferliegende, z. B. soziale Ursachen. Konfessionell begründeter Kulturkampf gehört der Vergangenheit an, die Katholiken werden gesellschaftlich und politisch nicht mehr benachteiligt, sind in den Eliten inzwischen auch fast gleichrangig vertreten.

Auch regionale Spannungen haben bisher in der Bundesrepublik Deutschland keine politischen Krisen verursacht. Vergleicht man diese Situation mit den an fast allen Grenzen des Weimarer Staatsgebietes sich abspielenden Kämpfen ethnischer Minderheiten, so wird deutlich, daß regionale Aspekte ebenso wie konfessionelle aufgehört haben, Stoff für die Verfolgung von ›Reichsfeinden‹ zu liefern.

Im Unterschied zur Situation in der Weimarer Republik fühlt sich die westdeutsche Bevölkerung in ihrem Staat von Jahr zu Jahr mehr zu Hause. Heute steht die Bundesrepublik im europäischen Ländervergleich mit der Zufriedenheit über ihr politisches System an der Spitze. Während die Mehrheit der Weimarer Parteien und der politischen Elite die Republik ablehnten, hat die Bundesrepublik Deutschland nicht nur die politische, sondern auch die wirtschaftliche Elite von Anbeginn auf ihrer Seite gehabt. Der politische Grundkonsens ist hoch, Links- und Rechtsextremismus haben die Republik in ihrem Bestand nie bedroht. Nach fast zwanzigjähriger Herrschaft einer eher konservativen Parteiengruppe erlebte die Republik ihre erste politische Wachablösung, im Wege eines abgebremsten Wechsels durch eine mehrjährige Große Koalition. Auch die zweite Wende von einer fast vierzehnjährigen Führung durch eine sozial-liberale Koalition zur Rückgewinnung der Macht durch die CDU/CSU verlief ohne innenpolitische Krisen.

Nimmt man noch die außenpolitischen Aspekte hinzu, so zeigt sich auch hier ein deutlicher Unterschied zur Weimarer Situation. Adenauers Westintegration wurde in der Zeit der sozial-liberalen Regierung durch eine Entspannungspolitik nach Osten ergänzt. Diese Deutschlandpolitik hat bisher keine Gefährdung des Bündnissystems gebracht, sondern Verbesserungen für ein geregeltes Nebeneinander der beiden deutschen Staaten. Trotz ihrer prekären mitteleuropäischen Lage kennt die Bundesrepublik keine gravierenden Spannungen zu Nachbarländern. Auch sonst gibt es auf dem internationalen Parkett für die Bundesrepublik keine Probleme, die ihre Gesellschaft in feindliche Lager zu trennen vermöchte. Wenn man den Einstellungsforschungen trauen darf, stehen die Westdeutschen in ihrer Beliebtheit unter den Nationen nicht schlecht da. Das mag zum großen Teil auf ihrer Devisenkraft und Reisefreudigkeit beruhen, kann aber auch Ursachen haben, die in Änderungen von Einstellungen und Werthaltungen zu suchen sind, die man früher unter dem problematischen Begriff ›Nationalcharakter‹ faßte und für mehr oder weniger unabänderlich hielt. Den Deutschen schrieb man bekanntlich folgende Eigenschaften zu: Schaffensdrang, Gründlichkeit, Ordnungsliebe, dazu Formabneigung, Eigensinn, Schwärmseligkeit. Es sieht so aus, als ob besonders die jüngeren Alterskohorten dieses Bild verwischen.

Alles in allem unterscheidet sich die Bundesrepublik Deutschland nicht nur auf ungewöhnlich günstige Weise von der Weimarer Republik, sie steht auch im Vergleich mit den westlichen Industriedemokratien gut da, ja mehr: Als eine der stabilsten Demokratien des Westens dient sie sogar der einen oder anderen alten Demokratie eingestandenermaßen als Vorbild. Das gilt nicht zuletzt im Blick auf das Grundgesetz, das sich im ganzen und trotz vielfacher Veränderung bewährt hat. Die Briten überlegen, ob sie ihr historisch überholtes Oberhaus durch ein föderatives Organ ersetzen sollen, für das der Bonner Bundesrat Modell stehen könnte. Das Bundesverfassungsgericht hat sich als Entscheidungsfaktor in schwierigen Lagen vorzüglich bewährt. Das sogenannte ›konstruktive Mißtrauensvotum‹ findet ebenso wie die Fünfprozentklausel Bewunderung im Ausland. Dasselbe gilt für das Gewerkschaftssystem mit der Einbindung in wirtschaftspolitische Verantwortung. Man spricht vom ›Modell Deutschland‹.

Demokraten der ersten Stunde: unsicher

Wenn schon nach dem Zusammenbruch des nationalsozialistischen Regimes die parlamentarische Demokratie von den Westdeutschen widerstandslos akzeptiert wurde und sich darin die politische Situation zu derjenigen von 1918/19 prinzipiell unterschied, blieb das Bild von Demokratie zunächst doch diffus, und ihre politische Unterstützung bei den Westdeutschen ließ viel zu wünschen übrig. Zwar waren die Bürger mit ihrer neuen Staatsform im allgemeinen zufrieden, vor allem hielten sie sie für ›modern‹ und ›effektiv‹. Man sprach sich auch allgemein für ›Toleranz‹ aus. Genauere Nachfragen zwangen allerdings zu einem differenzierteren und weniger günstigen Urteil.

In der ersten großen vergleichenden Viel-Länder-Studie von Almond/Verba schnitten die Westdeutschen, besonders gegenüber Großbritannien und den Vereinigten Staaten, im ganzen schlecht ab, mit Ausnahme von zwei Resultaten, welche die Forscher zunächst verblüfften. Bei näherer Betrachtung stellten sie sich allerdings auch nicht als Lichtblicke demokratischen Bewußtseins heraus: Die Westdeutschen erwiesen sich politisch als überdurchschnittlich gut informiert und zeigten eine hohe Wahlbeteiligung, sie waren aber gleichzeitig der Meinung, man könne durch Partizipation in der Politik wenig ausrichten und solle sich politischer Diskussion enthalten. Der Widerspruch war rasch aufgeklärt. In der autoritären Politikgeschichte hatte man von Deutschen stets einen hohen politischen Informationsstand verlangt, damit das Volk den Willen der Obrigkeit kannte und ihn pünktlich ausführen konnte. Was die hohe Wahlbeteiligung anbetraf, so galt der Gang zur Urne nach der Veränderung der politischen Verhältnisse als die jetzt gebotene Bürgerpflicht. Die Wahl löste die Akklamation zum Führerstaat ab, ohne daß man ihren demokratischen Sinn als Bestimmung des politischen Weges durch das Volk voll erfaßt oder sich von dieser neuen Methode viel versprochen hätte.

Niedrige Werte ergaben sich für die Westdeutschen in den fünfziger Jahren vor allem auf folgenden Feldern:
- Affektive Unterstützung des politischen Systems (gemessen aufgrund der Frage, worauf man in seinem Lande besonders stolz sei);
- Politische Kommunikation (Gesprächen über Politik wich man aus: im Beruf aus Sorge vor Nachteilen, in der Familie aus Sorge vor Streit);
- Politische Partizipation (Parteimitgliedschaft, Mitgliedschaft in organisierten Gruppen war vergleichsweise gering ausgeprägt);
- Partizipation in Familie, Schule und Berufswelt;
- Unkonventionelle Partizipation (Petitionen, Bürgerinitiativen);
- Unterstützung des Parteiensystems (gemessen an der Frage, ob es besser sei, mehrere Parteien zu haben oder nur eine);
- Sinn für Pluralität und Opposition;
- Sinn für Aushandeln und Kompromiß (man meinte, Politik sei eher dazu da, Streit zu vermeiden, nicht ihn zu schlichten).

Sozialisationstheoretiker vermuten, daß die Bereitschaft zu Toleranz, Meinungsvielfalt und Parteienkonkurrenz nicht unabhängig ist von einer psychischen Verfassung, die man mit der Kategorie des sozialen Vertrauens zu fassen versucht und als Reaktion auf eine Behauptung wie die folgende mißt: ›Niemand wird sich viel darum kümmern, was aus dir wird, wenn es darauf ankommt‹ (Almond/Verba 1965). Hier wiesen die

Westdeutschen in den fünfziger Jahren Zeichen von mangelndem Sozialvertrauen, Entfremdung und Rückzugstendenzen auf. Kein Wunder, daß die soziale Kooperationsbereitschaft gering war.

Auch Erziehungsstile sollen auf politisches Bewußtsein Einfluß haben. Gemessen wurden unterschiedliche pädagogische Zielvorstellungen, z. B. mit Hilfe der Frage: ›Auf welche Eigenschaften sollte die Erziehung der Kinder vor allem hinzielen: Gehorsam und Unterordnung, Ordnungsliebe und Fleiß oder Selbständigkeit und freier Wille?‹ In den fünfziger Jahren sprach sich nur ein knappes Drittel für Selbständigkeit aus (Emnid 1976, zit. bei Greiffenhagen 1979).

Im Blick auf diese Resultate ist es verständlich, daß die Prognosen für die demokratische Entwicklung Westdeutschlands in den fünfziger Jahren nicht günstig ausfielen. Wenn auch die Startbedingungen des neuen westdeutschen Staates erheblich günstiger waren als diejenigen der Weimarer Republik, an einer entscheidenden Tatsache konnte man nicht vorbeisehen: Die politischen Institutionen der parlamentarischen Demokratie wurden von den Westdeutschen zwar nicht abgelehnt, aber auch nicht von Einstellungen getragen, ohne die sie auf Dauer nicht funktionieren konnten. Die Kluft zwischen dem durch die Verfassung eingerichteten politischen System auf der einen und dem politischen Bewußtsein der Bevölkerung auf der anderen Seite war beängstigend groß. Die Skepsis gegenüber der weiteren Entwicklung schien um so mehr berechtigt, als niemand eigentlich günstigere Befunde erwartet hatte – unter Berücksichtigung der langen autoritären Politikgeschichte Deutschlands und der nicht zu leugnenden Tatsache, daß das deutsche Volk den Nationalsozialismus nur durch die militärische Niederlage überwunden hatte, nicht durch eine eigene innenpolitische und ideologische Kehrtwendung. Viele Westdeutsche waren noch lange nach dem Krieg der Meinung, Hitler sei schon recht gewesen, wenn er nur nicht den Krieg angefangen und dazu noch verloren hätte.

Die Demokratie faßt Fuß

Angesichts der geringen Aussichten, die man einer Demokratisierung Deutschlands gab, wirkten die Resultate der Einstellungsforschung in den sechziger und siebziger Jahren um so überraschender. Und wirklich muß man eine Entwicklung dramatisch nennen, die sich in einem Satz so zusammenfassen läßt: Auf allen Feldern hat die westdeutsche Bevölkerung von Jahr zu Jahr höhere Werte zugunsten einer demokratischen Einstellung geliefert. Einige Beispiele:

– Die Behauptung, der Nationalsozialismus sei im Grunde eine gute Idee gewesen, die nur schlecht ausgeführt wurde, fand bei der westdeutschen Bevölkerung, als die Bundesrepublik gegründet wurde, noch fast zur Hälfte Zustimmung, dreißig Jahre später nur noch zu einem Viertel.

– Die Zustimmung zu der Meinung, es sei für ein Land besser, *eine* Partei zu haben, damit möglichst große Einigkeit herrscht, sank in den zwanzig Jahren von 1952 bis 1972 von 21 Prozent auf 8 Prozent; ebenso wichtig ist die Tatsache, daß die in dieser Frage Unentschiedenen und Ratlosen von 12 Prozent auf 4 Prozent zurückgingen.

– Das politische Interesse hat sich dreißig Jahre nach Gründung der Bundesrepublik nahezu verdoppelt; die Hälfte der Westdeutschen beantwortete die Frage, ob sie sich für Politik interessieren, mit Ja.

– Politische Partizipation ist auf allen Ebenen seit den fünfziger Jahren signifikant gestiegen.

– Dasselbe gilt für das Vertrauen, daß solche Aktivität den politischen Kurs des Bundes, des Landes oder der Kommune zu ändern vermag.

– Die Zufriedenheit mit dem demokratischen System ist seit den Anfängen der Bundesrepublik signifikant gestiegen und liegt heute bei 90 Prozent.

– Die Überzeugung, man könne in Westdeutschland seine Meinung frei sagen, ist ständig gewachsen und lag 1971 bei 84 Prozent; dann allerdings gab es einen Knick mit einer Abwärtstendenz, deren Gründe noch erörtert werden.

– Politische Gespräche haben entsprechend zugenommen; die Anzahl der Bürger, die angaben, sie sprächen ›manchmal‹ oder ›oft‹ über Politik, erreicht heute etwa 80 Prozent.

– Gegen Ende der siebziger Jahre vermutete man in der Bundesrepublik etwa 3000 Bürgerinitiativen mit einer Gesamtteilnehmerschaft von rund 2 Millionen. (Die Beispiele finden sich bei Almond / Verba 1965 und 1980; Barnes / Kaase 1979; Greiffenhagen 1979).

Diese Liste könnte man fortsetzen und würde immer zu demselben Resultat kommen: Die politische Kultur der Bundesrepublik hat sich von obrigkeitlichen Einstellungen zu demokratischen gewandelt, das politische Interesse ist gestärkt, zusammen mit dem Vertrauen in die politische Kompetenz auch des einfachen Bürgers, der seine Rolle nicht mehr in der des Wählers erschöpft sieht.

Das erstaunlichste Resultat ist die Steigerung und Festigung der ›affektiven Bindung‹ an das politische System. Gefühlsmäßige Bindungen an Institutionen bedürfen zu ihrer Ausbildung einer längeren Zeit. Eltern und Großeltern müssen Kindern und Enkeln das Gefühl vermitteln, die Institutionen seien ihr politisches Zuhause und verdienten Respekt und Loyalität. Blickt man auf die bewegte Politikgeschichte Deutschlands mit seinen vielfältigen Systembrüchen, so war die anfängliche politische Gefühlsarmut gegenüber dem neuen Bonner Staat verständlich. Um so überraschender ist die Tatsache, daß die affektive Bindung an die Bundesrepublik und ihre Institutionen in wenigen Jahrzehnten erstaunlich gewachsen ist.

Affektive Bindungen an das politische System mißt man über Jahrzehnte auf einer Skala, deren Basis die schlichte Frage ist: ›Worauf sind Sie in Ihrem Lande am meisten stolz?‹ Für mögliche Antworten auf diese Frage werden alle denkbaren Gründe für solche stolzen Gefühle angeboten, z. B. Künste, Wissenschaften, Natur und Landschaft, der außenpolitische Rang, die Sozialgesetzgebung, das Wirtschaftssystem – und eben auch die politischen Institutionen. Wie nicht anders zu vermuten, nahm in der Zeit des ›Wirtschaftswunders‹ der Stolz auf das Wirtschaftssystem einen hohen Rang ein: 33 Punkte. Die politischen Institutionen rangierten mit 7 Punkten an sehr niedriger Stelle (USA 85; Großbritannien 46; Italien 3) (Almond / Verba 1965). Bis in die Gegenwart sind die Westdeutschen weiter auf ihre Wirtschaft stolz, aber die politischen Institutionen haben stark ›aufgeholt‹. Ende der siebziger Jahre nahmen sie den zweiten Platz unter den Gründen für patriotischen Stolz ein.

Interessant und für die Beurteilung dieser Entwicklung wichtig ist das Schicksal einer anderen Kategorie für solchen Stolz, des Gesichtspunktes ›Volkseigenschaften‹. Der Stolz auf deutsche Volkseigenschaften hatte in den fünfziger Jahren den international ungewöhnlich hohen Rang von 36 Punkten (USA 7; Großbritannien 18) (Almond / Verba 1965). Inzwischen ist er wesentlich zurückgegangen. Man nimmt eine Verbindung zwischen dem Stolz auf solche Volkseigenschaften und einer Anfälligkeit für rechtsextremes Denken an, so daß das Absinken des Stolzes auf spezifisch deutsche Eigenschaften auch als Indikator für die Stärkung demokratischen Bewußtseins gelten darf.

Der Stolz auf wirtschaftliche Effektivität wird vermutlich noch lange zur politischen Kultur Deutschlands gehören. Regierungen wurden und werden vom deutschen Bürger vor allem danach beurteilt, ob sie den wirtschaftlichen Wohlstand des Landes fördern. Politische Effektivität wird zum großen Teil mit ökonomischer Effizienz gleichgesetzt, und wirtschaftliche Stabilität gilt einem hohen Prozentsatz von Bundesbürgern immer noch mehr als die Stabilität der Demokratie. Das zeigte die Reaktion auf folgende 1979 als Umfrage gestellte These: ›Wenn es wirtschaftlich aufwärts geht, sollte man nicht danach fragen, ob die Politiker auch alle Gesetze und Regeln einhalten.‹ 37 Prozent schlossen sich dieser Meinung an, 56 Prozent der Befragten verneinten sie (Adrian 1977).

Dieses eher bedenklich stimmende Resultat nimmt sich weniger pessimistisch aus, wenn man bedenkt, daß die Verbindung von wirtschaftlichem Wohlstand und demokratischer Lebensform vermutlich sehr alt und vielleicht konstitutiv ist. Die Demokratie ist eine Staatsform des Friedens, des Handels und der wirtschaftlichen Blüte. Das läßt sich an der Geschichte Athens ebenso ablesen wie an derjenigen Hollands oder Großbritanniens. Die Demokratie hat sich für Handelsvölker stets ›ausgezahlt‹, zusammen mit ihren Tugenden, die weithin Tugenden handeltreibender Gesellschaften sind. Natürlich haben sich in der Geschichte dieser Staaten demokratische Einstellungen auch in Zeiten wirtschaftlicher Krisen behauptet und tun es im Falle Großbritanniens heute noch. Erst wenn der wirtschaftliche Niedergang über lange Zeiten anhält und sich bei der Bevölkerung Hoffnungslosigkeit und Verzweiflung einstellen, werden die politischen Institutionen von dieser Skepsis berührt. Anzeichen dafür meinen einige Sozialwissenschaftler gegenwärtig in Großbritannien zu finden.

Wenn wirtschaftliche Stabilität also stets ein wichtiger Beitrag zur Stabilität der Demokratie ist, wäre es doch falsch zu meinen, man könne Demokratie produzieren, indem man der Wirtschaftspolitik unter allen Umständen den ersten Rang unter allen Politiken einräumt. Dann hätten wir in Deutschland und Japan viel früher eine demokratische Staatsform haben müssen.

Dennoch haben wir allen Grund, der wirtschaftlichen Entwicklung im Interesse unserer demokratischen Kultur hohe Beachtung zu schenken. Eine Bevölkerung, die wie die westdeutsche so stark auf wirtschaftliche

Effektivität setzt und ihre politische Folgebereitschaft wesentlich nach diesem Kriterium gewährt, ist Wirtschaftskrisen gegenüber anfälliger, als es Staaten sind, die ihre Identität sei es aus einer langen demokratischen Tradition, sei es aus politischen Zielen gewinnen, die also von der Wirtschaftskraft weniger abhängig sind. Das politische System der Weimarer Republik wurde von der Weltwirtschaftskrise weit stärker in Mitleidenschaft gezogen als die amerikanische Demokratie, die auf sie mit einer Politik des New Deal antwortete.

Es sieht so aus, als ob die sehr starre Koppelung von wirtschaftlicher Stabilität mit der Sympathie für das demokratische Regime aufgegeben werden könnte, zugunsten einer Bejahung der Demokratie um ihrer selbst willen. Ein Zeichen dafür mag man in dem fast völligen Verschwinden der NPD sehen. Sie war in den späten sechziger Jahren in die Parlamente eingezogen, wie man vermutete, als Reaktion auf die Wirtschaftsschwäche jener Epoche: Der Optimismus in weiteres wirtschaftliches Wachstum sank, und das NPD-Potential stieg. Diese Entwicklung hat sich bisher jedenfalls trotz steigender Arbeitslosigkeit nicht wiederholt.

Diese optimistische Einschätzung gründet sich vor allem auf eine Erscheinung, für welche die bereits erwähnte Skala gefühlsmäßiger Bindungen einen Hinweis enthält. Die jüngste Alterskohorte der 18- bis 23jährigen stellt ihren Stolz auf die politischen Institutionen an die Spitze. Erst dann folgt der Stolz auf das Wirtschaftssystem.

Auch auf dem Felde des sozialen Vertrauens und der Erziehungsstile liefern die jüngeren Alterskohorten signifikant höhere Werte für Einstellungen, die eine demokratische Haltung begünstigen (also vertrauensvolle Öffnung gegenüber seinen Mitmenschen und die Bevorzugung des Erziehungszieles Selbständigkeit). Diese Resultate geben Mittelwerte auf Bundesebene wieder. Man darf aber nicht vergessen, daß die regionalen politischen Kulturen innerhalb der Bundesrepublik teilweise stark divergieren. In den zuletzt genannten Befragungen führt das Land Nordrhein-Westfalen zusammen mit den Stadtstaaten den liberalen Trend an, während Bayern und Baden-Württemberg die höchsten Werte für eine Erziehung zu Gehorsam und Unterordnung liefern.

Die folgenden Überlegungen lokalisieren einige Defizite, die die politische Kultur der Bundesrepublik im Vergleich zu den alten Demokratien Westeuropas und Nordamerikas aufweist. Sie sind nicht nur methodisch, sondern auch politisch kontrovers: Konservative Sozialwissenschaftler fragen hier kritisch, ob denn die Bundesrepublik in jedem Falle dem Bild von Demokratie gleichkommen müsse, das sich unter ganz anderen politikgeschichtlichen Voraussetzungen in den westlichen Industriedemokratien herausgebildet hat. Es zeigt sich an dieser Stelle besonders deutlich, in wie starkem Maße die Sozialwissenschaften eines Landes zu seiner politischen Kultur hinzugehören, nicht nur mit ihren politischen Tendenzen, sondern ebenso mit ihren Theorien und Methoden. Im folgenden seien einige Felder genannt, auf denen die demokratische Kultur der Bundesrepublik noch einen ›Nachholbedarf‹ erkennen läßt.

Die Meinung, das Wichtigste für eine Partei seien Einigkeit und Geschlossenheit, erreicht unter der westdeutschen Bevölkerung immer noch hohe Zustimmung. Auch Gesprächen über Politik geht man weiter gern aus dem Wege, ›da sie nur zu unliebsamen Streitereien führen‹. Obwohl auch der Lohnstreik inzwischen als demokratisches Mittel in Arbeitskämpfen generell bejaht wird, wendet man sich doch gegen ihn, je länger er dauert. Diese Beispiele weisen sämtlich auf das politikgeschichtliche Erbe hohen politischen Homogenitätsbedarfs hin. Das gilt auch für eine hohe Neigung der westdeutschen Bevölkerung zu politischer Repression immer dann, wenn Unruhe oder gar Gesetzesübertretung drohen. In Ländervergleichen halten nur die Österreicher noch mehr von Verboten. (Während die Niederländer sich am anderen Ende der Skala mit ihrer Meinung ansiedeln, man müsse politische Kontroversen diskutieren.)

An dieser Stelle muß der merkwürdige Knick zur Sprache kommen, der ab 1971 zu signifikant schlechteren Werten auf die Frage führte: ›Haben Sie das Gefühl, daß man heute in Westdeutschland seine politische Meinung frei sagen kann, oder ist es besser, vorsichtig zu sein?‹ Konnte man von 1953 bis 1971 einen Zuwachs der Meinung verbuchen, man könne frei reden (von 55 auf 84 Punkte), so sank die Zustimmung von 1971 bis 1976 auf 73 Punkte ab (Conradt und Allensbach, zit. bei Greiffenhagen 1979). Das Dramatische dieser Entwicklung liegt darin, daß es ausgerechnet die jüngsten Alterskohorten sind, die das Gefühl haben, es sei besser, mit seiner politischen Meinungsäußerung vorsichtig zu sein – und das, obgleich bisher für die optimistische Beurteilung der Lage durchweg die jüngeren, nicht die älteren Generationen den Ausschlag gaben. Man geht wohl nicht fehl mit der Vermutung, daß diese Verschlechterung des Vertrauens in politische Meinungsfreiheit etwas mit Verletzungen des Rechtsstaatsprinzips durch illegale Lauschangriffe oder Bücherlisten bei Grenzkontrollen und dem als gigantisch empfundenen Überwachungssystem zu tun hat, das der Extremistenbeschluß zur Folge hatte. Polizeistaatliche Methoden trafen auf ein sich gerade festigendes Rechtsstaatsbewußtsein. Unter dem Eindruck des Terrorismus meinten viele, den Staat ›mit allen Mitteln‹ verteidigen zu sollen. Im Dezember 1977 bejahte jeder fünfte Bundesbürger die Meinung: ›Manche sagen, man muß heute in der Bundesrepublik vorsichtig sein mit dem, was man sagt, man muß immer Angst haben, daß man falsch verstanden wird und gleich als Sympathisant der Terroristen verdächtigt wird‹. Die höchsten Werte fanden sich bei den Jugendlichen im Alter von 16 bis 29 Jahren (Allensbach, zit. bei Greiffenhagen 1979).

Man hat damals begonnen, die Pädagogik der sechziger Jahre mit ihrer Vorbereitung auf Konflikte zu schelten und in ihr die Quelle politischer Polarisierung zu sehen, zu Unrecht. Gerade die Terroristen sind Verfechter eines absoluten Gemeinschaftsideals. Sie hoffen, mit ihren Gewaltaktionen die Welt von Konflikten ein für allemal befreien zu können. Konflikterziehung will dagegen gerade eine skeptische Grundhaltung einüben, ohne die Demokratie nicht leben kann, als feste Überzeugung davon, daß ewige Harmonie ebensowenig zu finden ist wie der einzig richtige Weg zu ihr. Kompromißbereitschaft schließt das radikale Entweder – Oder aus und verlangt hohe Enttäuschungsfestigkeit, weil niemand das, was er sich als Ziel gesetzt hat, völlig erreicht. Der Terrorist will die glatte Lösung, den harten Schnitt, den letzten Krieg, das höchste Ziel, für das kein Opfer zu hoch ist. Der westdeutsche Terrorismus trug – politikgeschichtlich betrachtet – darin spezifisch deutsche Züge. Aber auch die Antwort auf ihn zeigte viel traditionelle Unsicherheit und Überreaktionen. Die Republik konnte froh sein, daß sie nicht auf eine so harte und andauernde Probe im Umgang mit dem Terrorismus gestellt wurde wie Großbritannien oder Italien.

Mangelnder Konfliktfähigkeit entspricht ein Mangel dessen, was man psychologisch eine Haltung von ›Ambiguitätstoleranz‹ nennt: das Ertragen widersprüchlicher Aspekte mit dem Ziel, nach Prüfung zu einem Urteil zu kommen, das diese Widersprüchlichkeit unter Umständen enthält. Auf die Politik und ihre Repräsentanten bezogen heißt dies: Man versteht unter politischer Größe und Effektivität die Kunst zu Kompromissen und nimmt als Voraussetzung dafür lange Verhandlungen in Kauf. Nach deutscher Politiktradition gilt als starker Politiker dagegen nur ein Mann der Tat oder einsamer Entschlüsse.

Schwache Konfliktbereitschaft wirkt sich auch auf das Verständnis von politischer Opposition und ihrer Rolle aus. Wer opponiert, gilt leicht als Störenfried, zumal wenn er nur eine kleine Gruppe vertritt. Fast die Hälfte der westdeutschen Bevölkerung meinte noch Ende der siebziger Jahre, man solle einer Minderheit, die in einer Abstimmung unterlegen ist, das Recht auf weitere oppositionelle Äußerung in dieser Sache verweigern. Man hat die Fünfprozentklausel dafür verantwortlich gemacht, daß kleinere parteipolitische Gruppierungen erst relativ spät mit ihrer Programmatik wahrgenommen werden und die Bevölkerung auf diese Weise ihren Sinn für gesellschaftlichen Wandel und politisch unterschiedliche Sichtweisen ungenügend ausbildet. Diese Sperrklausel wurde im Blick auf die starke parteipolitische Zersplitterung in der Weimarer Republik erfunden. Ob sie ein taugliches Mittel gegen die Etablierung extremistischer Parteien ist, erscheint nach dem zeitweiligen Erfolg der NPD zweifelhaft.

Staat und Gesellschaft

Noch ein anderes Relikt aus deutscher Politikgeschichte läßt sich in der politischen Kultur der Bundesrepublik Deutschland feststellen: die Trennung von Staat und Gesellschaft. Auch hier gibt es durchaus unterschiedliche Beurteilungen. Die einen meinen, diese überkommene Trennung staatlicher Institutionen, die mit Regierung und Verwaltung führend und ausführend zu tun haben, von der Gesellschaft, die sich eher als unpolitischer Bereich der Führung ›des Staates‹ anzuvertrauen habe, sei eine vernünftige Tradition. Andere wenden ein, diese Zweiteilung stelle sich einem demokratischen Staatsverständnis in den Weg. Das westliche Demokratieverständnis lasse die Vorstellung eines Staates nicht zu, welcher von demokratischer Willensbildung und Volkssouveränität getrennt gedacht wird.

Das Grundgesetz wollte die deutsche Tradition der Staatsmetaphysik nicht fortsetzen. Der Weg, auf dem die Verfassungsväter versuchten, der Gefahr der Staatsvergottung zu entgehen, hat allerdings eine andere Gefahr heraufbeschworen. An die Stelle des unangreifbaren Staates ist die unangreifbare Verfassung getreten, so daß man inzwischen von einer abstrakten Verfassungsvergottung sprechen kann. Das Grundgesetz soll das Haus sein, in dem der Bürger sich wohlfühlt. Das angelsächsische Verständnis der Verfassung ist das eines Forums für politische Auseinandersetzungen. Die Verfassung gilt als sachlich und zeitlich offen und setzt den gesellschaftlichen Wandel, auch den Wandel von Wertvorstellungen, als normal voraus. Die statische Auffassung von der Verfassung als einem geschlossenen Haus blockiert dagegen solche inhaltliche und zeitliche Offenheit. Der Versuch, ein politisch-philosophisch-theologisches Wertgefüge mit systematischer Stimmigkeit aus der Verfassung herauszupräparieren, muß scheitern oder in einen ›Verfassungstotalitarismus‹ führen.

Die Auffassung des Grundgesetzes als eines absoluten Wertgehäuses hatte Ende der siebziger Jahre eine bedenkliche Verschiebung der politischen Macht vom Parlament zum Bundesverfassungsgericht bewirkt. Nicht politische Kräftekonstellationen und zukünfte Perspektiven der gesellschaftlichen Entwicklung sollten die Politik bestimmen, sondern die Frage, ob das Verfassungshaus auf systemkonforme Weise möbliert wird. Politische Fragen verwandelten sich auf diese Weise in Rechtsfragen, der Gesetzgeber trat in seiner Bedeutung zurück und machte dem Verfassungsgericht als einem Übergesetzgeber Platz. Parlamentarische Mehrheitsbeschlüsse galten nichts gegenüber höchstrichterlichen Urteilen, über die zuweilen die im Parlament unterlegene Minderheit ihre Ziele doch noch durchsetzen konnte. Heute scheint dieser gefährliche Weg verlassen.

Das deutlichste Zeichen für die immer noch nicht aufgehobene Trennung von Staat und Gesellschaft ist die Institution des Berufsbeamtentums. Es gilt als besonders staatsnahe Gruppe von Bürgern, die ihrem ›Dienstherrn‹ durch ein besonderes Treuegelöbnis verpflichtet ist. Dabei darf man nicht übersehen, daß die ›hergebrachten Grundsätze des Berufsbeamtentums‹ von großer inhaltlicher Ambivalenz waren, blickt man auf die deutsche Politikgeschichte zurück.

So problematisch sich die Institution des Berufsbeamtentums unter politikgeschichtlichen Aspekten ausnimmt, so sehr der Extremistenbeschluß das in der Verfassung verankerte Parteienprivileg ins Zwielicht gebracht hat, so wenig zeigen empirische Untersuchungen der hohen Ministerialbürokratie Gefahren einer Rückkehr obrigkeitlicher Gesinnung an. Das hohe Beamtentum stellt sich vielmehr als ein eigenständig operierendes politisches Veränderungspotential dar, dessen Rekrutierung und Karriere immer seltener dem alten Muster folgen. Hohe Verwaltungsbeamte begünstigen eine gesellschaftsverändernde und politiknahe Auffassung der Bürokratie. Dieses neue Bild einer planenden Ministerialbürokratie orientiert sich an aktiven Problemlösungsstrategien, nicht an überkommenen Verwaltungsgrundsätzen. Damit entspricht das Bild unserer Ministerialbürokratie dem anderer Industriedemokratien. Ihre Kennzeichen sind Politiknähe, offene Karrieremuster, Leistungsorientierung, Innovationsfreudigkeit, partizipatorisches Demokratieverständnis, Ungezwungenheit im Umgang untereinander und mit der politischen Macht, Bevorzugung der Teamarbeit gegenüber hierarchischer Entscheidungsstruktur. Eine Rückkehr zu obrigkeitsstaatlicher Mentalität muß daher nicht befürchtet werden.

Damit ist nicht gesagt, daß sich die westdeutsche politische Kultur im ganzen nicht doch sehr auf eine ›Staatskultur‹ hin entwickelt, im Unterschied zur angelsächsischen ›Gesellschaftskultur‹ (Rohe 1982): stark technokratisch orientiert, auf Effektivität setzend. Politische Partizipation würde der Bürger auch hier verlangen und ausüben wollen, aber eher im Bereich kommunaler oder nichtstaatlicher Felder. Wie weit es gelingt, solche ›Staatskultur‹ nicht in die alten Geleise des Obrigkeitsstaates abgleiten zu lassen, muß die Zukunft zeigen. Es gibt durchaus hoffnungsvolle Anzeichen dafür, daß die politischen Tugenden des Untertanen in Vergessenheit geraten und die Bürger künftig immer weniger zu dem Eingeständnis ihrer Inkompetenz in politischen Fragen bereit sind, das ihnen früher oft zugemutet wurde.

Auf der Suche nach den Gruppen, die für den überraschend stabilen Trend zu demokratischeren Einstellungen vor allem verantwortlich sind, treffen alle Sozialforscher auf dieselben Bedingungen. Es sind vor allem junge Menschen – und unter ihnen die besser Ausgebildeten –, die für den Trend zu mehr Partizipation, Sinn für Toleranz und Meinungsvielfalt, für das Anwachsen sozialen Vertrauens und für ›weichere‹ Erziehungsstile statistisch ins Gewicht fallen.

Es sind also nicht die Älteren, welche ihre Einstellungen und Werthaltungen geändert hätten, sondern die nachwachsenden jungen Generationen, die dafür sorgen, daß die politische Kultur der Bundesrepublik immer mehr Züge der alten europäischen Demokratien annimmt, ja diese wie im Falle Großbritanniens sogar auf einigen Feldern der internationalen Demokratieskala übertrifft. Gerade der Vergleich mit der ökonomischen und politischen Entwicklung Englands und der dort zu beobachtenden dramatischen Einbrüche demokratischer Einstellungen legt eine Verbindung mit der Theorie des Wertewandels nahe. Sie könnte weithin verständlich machen, daß bei Generationen, die in ihrer Jugend von den Erfahrungen sozialer Sicherheit und wachsender ökonomischer Prosperität geprägt wurden, die Bedürfnis- und Werteskala verändert wird zugunsten von mehr Selbstverwirklichung, Mitsprache und allgemein einer ›weicheren‹ Lebenseinstellung. Das sind bei uns die jüngeren Alterskohorten, während in Großbritannien umgekehrt die Jugend im Vergleich zu den älteren Generationen schlechtere Werte auf der Demokratieskala aufweist.

Die Theorie des Wertewandels wird gegenwärtig verfeinert, indem man die wohl doch zu einfache Teilung in ›Materialisten‹ und ›Postmaterialisten‹ zugunsten eines feinmaschigeren Kategoriennetzes aufgibt (z. B. Klages/Herbert 1983). Schon immer wurde aber die Ambivalenz des Wertewandels für politische Einstellungen gesehen. Wie er für den beruflichen Sektor im Blick auf Leistungsbereitschaft, Durchhaltevermögen und Disziplin gewisse Defizite produziert, droht auch im Blick auf politische Einstellungen eine Schere zwischen dem wachsenden Anspruchsniveau und dem Traum vom Leben ohne Entfremdung auf der einen Seite und den Anforderungen des Staates auf längerfristige Loyalität auf der anderen Seite. Der Wunsch nach Selbstverwirklichung kann sich in politischen Partizipationswillen umsetzen, muß dies aber nicht. Es sieht so aus, als ob gerade Menschen, die politisch stark motiviert sind, sich rasch von der Politik abwenden, wenn Staat oder Parteien ihren Erwartungen und Ansprüchen nicht oder nicht sofort entsprechen. Dann zeigen sich Symptome von ›Staatsverdrossenheit‹ oder ›Parteienverdrossenheit‹. Wenn auch viele ›postmaterielle‹ Werte mit demokratischen Einstellungen korrespondieren und gerade zentrale Bedürfnisse der Gesellschaft in den Blick bringen, so begegnet der Staat bei ›Postmaterialisten‹ gleichzeitig überspannten Forderungen und muß Enttäuschung und Verweigerung der politischen Folgebereitschaft fürchten. Die Parteien geraten zunehmend in eine ihre Homogenität belastende Diskussion und Spannung zwischen der ›Alten Politik‹ und einer ›Neuen Politik‹. Die Neue Politik orientiert sich an längerfristigen, vor allem systemischen Bedürfnissen, setzt sich für Umweltschutz ein und will nur noch qualitatives Wachstum, während die Alte Politik weiterhin an Einkommenssteigerung und dem Ausbau innerer und äußerer Sicherheit interessiert bleibt. Die Neue Politik wird in erster Linie von gebildeten Jüngeren und Mittelschichten getragen, während die Alte Politik ältere Menschen, einerlei welcher Bildungs- und Sozialschicht, mit der Unterschicht verbindet.

Schwierige nationale Identität

Wenn schon die Gefühlsbindung der westdeutschen Bevölkerung an ihren Staat inzwischen gut ausgebildet ist, leidet die Bundesrepublik Deutschland doch an einem empfindlichen Mangel staatlicher Symbole. Dieser Mangel entspricht dem erklärten Willen des Grundgesetzes, nur ein Provisorium sein zu wollen. Aber auch aus der deutschen Geschichte wachsen der Bundesrepublik keine demokratiestärkenden und erinnerungswürdigen Symbole zu. Die alte deutsche Nationalhymne, die nach einem fehlgeschlagenen Versuch, eine neue Hymne zu schaffen, von dem damaligen Bundespräsidenten Heuss wieder eingeführt wurde, wurde auf ihre dritte Strophe reduziert. Ein Versuch, den 18. Mai im Gedenken an die Eröffnung der Nationalversammlung in der Frankfurter Paulskirche als demokratischen Nationalfeiertag einzuführen, scheiterte mit gutem Grund: Auch diese Revolution verfehlte ihre wichtigsten Zielsetzungen. Im politisch wirksamen Traditionsbestand Deutschlands spielen weder die bäuerlichen noch die bürgerlichen Revolutionen eine Rolle. Beweise dafür lieferten die teilweise heftigen Diskussionen um Denkmäler und Namensgebungen nach bedeutenden deutschen Demokraten wie Heinrich Heine oder Carl von Ossietzky. Auch symbolische Rückgriffe auf Widerstandsgruppen des Dritten Reiches begegneten Kritik in der Bevölkerung. Der 17. Juni als Erinnerung an den Volksaufstand in der DDR belastet das Verhältnis der Bundesrepublik zur DDR, und sein Sinn als ›Tag der deutschen Einheit‹ wird deshalb immer wieder diskutiert.

Wenn immer die Identität einer Gesellschaft nicht nur vom Selbstbild, sondern auch vom Fremdbild anderer Staaten abhängt, geht es der Bundesrepublik Deutschland wesentlich besser als der DDR. Sie hat sich sehr viel früher von der Bevormundung durch die Schutzmächte befreien können, so daß sie heute auch gegenüber den USA eine selbständigere Politik verfolgt, als dies der DDR gegenüber der UdSSR möglich ist. Die Bundesrepublik besitzt der DDR gegenüber auch darin eine stärkere Identität, daß sie für den anderen deutschen Staat in vieler Hinsicht eine Herausforderung und einen Maßstab bedeutet. Umgekehrt gilt das nicht oder nur in wenigen Teilbereichen, z. B. auf dem Felde des Sports. Von der Bundesrepublik wird in Schulbüchern der DDR viermal so viel gehandelt wie umgekehrt. In wirtschaftlicher und sozialer Hinsicht ist die Bundesrepublik für die DDR die ständig herangezogene Bezugs- und Vergleichsgröße. Der Bundesbürger orientiert sich dagegen fast ausschließlich an west- und nordeuropäischen oder nordamerikanischen Maßstäben. Politische Sendungen der ARD und des ZDF erreichen in der DDR erhebliche höhere Einschaltquoten als solche des DDR-Fernsehens.

Die Bezeichnung ›Deutschland‹ wird zunehmend dem westdeutschen Staat zugeschrieben. Nicht nur bei Olympischen Spielen, sondern auch in Wahlparolen westdeutscher Parteien identifiziert man die Bundesrepublik mit Deutschland. Auch das Ausland unterstützt diese Neigung, die Bundesrepublik mit Deutschland gleichzusetzen, und die DDR vermeidet das Adjektiv ›deutsch‹ zunehmend. Diese Entwicklung weist auf die Schwierigkeit einer Aufgabe hin, die beide deutsche Staaten zu leisten hätten: eine Doppelidentifikation mit ihrem Staat und zugleich mit der nationalen Einheit beider deutscher Staaten herbeizuführen. In der Praxis hat sich dagegen auch in der Entwicklung der Bundesrepublik eine Erosion des nationalen Bewußtseins vollzogen. Das ist nicht verwunderlich, wenn man sich verdeutlicht, daß schärfere Gegensätze zwischen Staaten kaum denkbar sind als zwischen der DDR und der Bundesrepublik Deutschland, die in politischer, wirtschaftlicher, militärischer und ideologischer Hinsicht fundamentale Systemgegensätze aufweisen.

Während der Satz aus der Grundgesetz-Präambel »Das gesamte deutsche Volk bleibt aufgefordert, in freier Selbstbestimmung die Einheit und Freiheit Deutschlands zu vollenden« sehr wohl Zustimmung findet, ist die Bedeutung der Wiedervereinigung als ›wichtigste Frage‹ ständig gesunken. Die politische Substanz des Wiedervereinigungswillens ist somit sehr viel schwächer, als die verbale Erklärung vermuten läßt.

In den letzten Jahren ist jedoch ein verstärktes Nachdenken über die ›Identität der Deutschen‹ (Weidenfeld 1983) zu beobachten, das sich als Reaktion auf einen neuen Nationalismus von links und rechts erklären läßt (vgl. Brandt/Ammon 1981; Venohr 1982). Hierbei spielt die Frage nach den Handlungsspielräumen deutscher Politik im Rahmen der Bündnissysteme in Ost und West eine auslösende Rolle für die Erörterung von Zukunftsperspektiven einer gesamtdeutschen Politik. Das politische Bekenntnis zur ›Verantwortungsgemeinschaft‹ beider deutscher Staaten für die Bewahrung des Friedens in Europa hat das Bewußtsein von der Gemeinsamkeit und Einheit der deutschen Nation neu belebt. Auch die seit den siebziger Jahren erheblich ausgeweitete intergesellschaftliche Kommunikation zwischen den Menschen – wenn auch überwiegend nur als Einbahnstraße von der Bundesrepublik in die DDR möglich – hat zu einer intensiveren wechselseitigen Wahrnehmung der Deutschen beigetragen, die damit begonnen haben, den Inhalt der deutschen Frage in der jüngsten Zeit wieder neu zu überdenken, ohne dabei nationale Identität auf nationalstaatliche Kategorien zu reduzieren.

Die Perversion des Nationalismus durch das Hitler-Regime und die nationale Katastrophe, zu der sie führte, haben die Westdeutschen nach dem Kriege für die Europa-Idee besonders aufgeschlossen gemacht. Das Bekenntnis zur europäischen Integration wurde als ein Teil der Wiedergutmachungsleistungen gewertet, die Deutschland der Welt schuldete. Viele glaubten auch, die Zeit der Nationalstaaten sei vorbei. Die politische Rechte meinte, nur auf dem Wege zu einer ›Nation Europa‹ könne Deutschland eine führende Rolle in der Politik zurückerobern. Auf diese Weise wurden die Deutschen zu besonders zuverlässigen und überzeugten Europäern. Inzwischen ist die Europa-Euphorie verflogen, und von dem konkreten Endziel einer politischen Union ist wenig oder nichts übriggeblieben. Trotzdem gehören die Westdeutschen unter den EG-Nationen immer noch zu den engagiertesten Europäern.

Diese Tatsache wird verständlich, wenn man sieht, daß sich die politische Kultur der Bundesrepublik zunehmend den alten europäischen Demokratien angleicht. Die Bundesrepublik gehört zu den jungen Demokratien der Gemeinschaft. Weder ihre Institution noch ihre Werthaltungen sind durch eine lange Tradition gestützt. Aber die Aussichten für eine stabile Fortentwicklung sind nicht ungünstig. Die Legitimation des politischen Systems hat auch in den letzten Jahren der Wirtschaftskrise und steigender Arbeitslosigkeit nicht gelitten. Besonders bei den jüngeren Altersgruppen gehört die Demokratie inzwischen längst zu ihrem festen politischen Weltbild. Es gibt jedoch Anzeichen dafür, daß die Jüngeren teilweise andere Formen demokratischer Politik versuchen möchten und gerade durch solche Versuche, wenn sie zu radikal angesetzt sind, den Stand des Erreichten gefährden. Die Jugendstudie der Deutschen Shell von 1981 zeigt, daß die westdeutschen Jugendlichen ihre Zukunft eher düster beurteilen und eine hohe Bereitschaft zu politischem Protest besitzen. In dieser Kombination könnte eine politische Brisanz stecken. Man hat Sinn für ›Alternativen‹, fordert sie auch teilweise. Dabei kommen jedoch links- und rechtsextremistische Lösungen kaum in Betracht. Autoritäre Tendenzen weisen lediglich auf das Fortwirken einer konservativen Tradition in der Unterschicht hin.

Die jüngsten Studien über die politischen Einstellungen der Westdeutschen (Klages 1981; Matz / Schmidtchen 1983) zeigen, daß ein wachsendes Anspruchs-, Kritik- und Unruhepotential bei den jüngeren und gut ausgebildeten Bürgern vermutet werden muß. Wie weit man das Verlangen nach mehr Meinungsfreiheit und Partizipation, die Kritik an Pressekonzentration, Großkapital, Einkommensunterschieden und Militärpolitik als Anomie oder als Demokratiepotential zu beurteilen hat – darüber gehen die Meinungen auseinander. Konservative Sozialwissenschaftler fürchten einen zu radikalen Reformeifer. Sie haben Sorge, die politischen Institutionen hielten eine Bürgeraktivität nicht aus, die zu rasch auf zu viele Änderungen drängt. Progressive Forscher der politischen Kultur verweisen auf die Notwendigkeit von Wandlungen im politischen System, unter neuen ökonomischen, ökologischen und militärischen Bedingungen. Sie meinen, ein gewisser Druck aktiver Bürgerbewegungen sei heilsam, damit systemische und humanitäre Bedürfnisse stärker in das politische Blickfeld geraten. Wie immer sich solche eher optimistischen oder pessimistischen Züge in den Analysen verteilen, die meisten Forscher geben der Entwicklung der Bundesrepublik gute Chancen zur Bewältigung zukünftiger Probleme. Daß diese nicht gering sein werden, ist sicher. Somit gibt es Gründe für beides: für Vorsicht und für Zuversicht.

Literatur

Aberbach, J. D. / Futnam, R. D. / Rookman, B. A. 1981: Bureaucrats and Politicians in Western Democracies. Cambridge / Mass., London

Ackermann, P. (Hrsg.) 1974: Politische Sozialisation, Opladen

Adrian, W. 1977: Demokratie als Partizipation. Versuch einer Wert- und Einstellungsanalyse. Meisenheim

Alber, J. 1980: Der Wohlfahrtsstaat in der Krise? Eine Bilanz nach drei Jahrzehnten Sozialpolitik in der Bundesrepublik, in: Zeitschrift für Soziologie, H. 4, S. 313 ff.

Allerbeck, K. u. a. 1976: Wertorientierungen , politisches Verhalten und Generationen, München

Almond, G. A. / Verba, S. 1963: The Civic Culture. Political Attitudes and Democracy in five Nations, Princeton

Almond, G. A. / Verba. S. (Hrsg.) 1980: The Civic Culture Revisited, Boston / Toronto

Baker, K. L. u. a. 1981: Germany Transformed, Cambridge / Mass., London

Ballerstedt, E. / Glatzer, W. 1975: Soziologischer Almanach, Frankfurt / New York

Barnes, S. H. / Kaase, M. u. a. 1979: Political Action. Mass Participation in five Western Democracies, Beverly Hills / London

Berg-Schlosser, D. 1972: Politische Kultur. Eine neue Dimension politikwissenschaftlicher Analyse, München

Beyme, K. von 1979: Das politische System der Bundesrepublik. Eine Einführung, München

Bracher, K. D. 1971: Das deutsche Dilemma, München

Brandt, P. / Ammon, H. 1981: Die Linke und die nationale Frage. Dokumente zur deutschen Einheit seit 1945, Reinbek

Bundesministerium für Jugend, Familie und Gesundheit 1980: Jugendreligionen in der Bundesrepublik Deutschland, Bonn

Conradt, D. P. 1978: German Policy, New York / London

Conze, W. / Lepsius, R. M. (Hrsg.) 1983: Sozialgeschichte der Bundesrepublik Deutschland, Stuttgart

Coughlin, R. M. 1980: Ideology, Public Opinion and Welfare Policy, Attitudes Toward Taxes and Spending in Industrialized Societies, Berkeley

Craig, G. A. 1980: Deutsche Geschichte 1866–1945. Vom Norddeutschen Bund bis zum Ende des Dritten Reiches, München

Dahrendorf, R. 1968: Gesellschaft und Demokratie in Deutschland, München

Dahrendorf, R. 1972: Konflikt und Freiheit. Auf dem Weg zur Dienstklassengesellschaft, München

Döhring, H. / Smith, G. 1982: Party Government and Political Culture in Western Germany, London

Ellwein, T. / Lippert, E. / Zoll, R. 1975: Politische Beteiligung, Göttingen

Epstein, K. 1973: Die Ursprünge des Konservativismus in Deutschland, Frankfurt

Fetscher, I. 1977: Terrorismus und Reaktion, Frankfurt

Fogt, H. 1982: Politische Generationen, Opladen

Fürstenberg, F. 1974: Die Sozialstruktur der Bundesrepublik, Opladen

Glatzer, W. / Zapf, W. (Hrsg.) 1984: Lebensqualität in der Bundesrepublik. Objektive Lebensbedingungen und subjektives Wohlbefinden, Frankfurt / New York

Grebing, H. 1971: Konservative gegen die Demokratie. Konservative Kritik an Demokratie in der Bundesrepublik seit 1945, Frankfurt

Greiffenhagen, M. 1971: Das Dilemma des Konservatismus in Deutschland, München

Greiffenhagen, M. (Hrsg.) 1973: Demokratisierung in Staat und Gesellschaft, München

Greiffenhagen, M. (Hrsg.) 1974: Der neue Konservatismus der siebziger Jahre, Reinbek

Greiffenhagen, M. / Scheer, H. (Hrsg.) 1975: Die Gegenreform. Zur Frage der Reformierbarkeit von Staat und Gesellschaft, Reinbek

Greiffenhagen, M. und S. 1979: Ein schwieriges Vaterland. Zur politischen Kultur Deutschlands, München

Greiffenhagen, M. (Hrsg.) 1980: Kampf um Wörter? Politische Begriffe im Meinungsstreit, München

Greiffenhagen, M. 1981: Die Aktualität Preußens. Fragen an die Bundesrepublik, Frankfurt

Greiffenhagen, M. und S. / Prätorius, R. (Hrsg.) 1981: Handwörterbuch zur politischen Kultur der Bundesrepublik, Opladen

Grosser, A. 1980: Die Bonner Demokratie. Deutschland von außen gesehen, Düsseldorf

Guggenberger, B. 1980: Bürgerinitiativen in der Parteidemokratie, Stuttgart

Habermas, J. (Hrsg.) 1976: Stichworte zur »Geistigen Situation der Zeit«, 2 Bde., Frankfurt

Herbert, W. 1983: Anspruchsexplosion im Wohlfahrtsstaat? Speyerer Forschungsberichte

Hörning, K. H. (Hrsg.) 1976: Soziale Ungleichheit, Darmstadt

Hoffmann-Lange, U. / Neumann, H. / Steinkemper, B. 1980: Konsens und Konflikt zwischen Führungsgruppen in der Bundesrepublik Deutschland. Eine empirische Analyse, Frankfurt / Bern / Cirencester

Inglehart, R. 1977: The Silent Revolution. Changing Values and Political Styles among Western Publics, Princeton

Institut für Demoskopie Allensbach 1981: Eine Generation später. Bundesrepublik Deutschland 1953–1979, Allensbach

Jaide, W. 1978: Achtzehnjährige zwischen Reaktion und Rebellion. Politische Einstellungen und Aktivitäten Jugendlicher in der Bundesrepublik, Opladen

Jugendwerk der Deutschen Shell (Hrsg.) 1975: Jugend zwischen 13 und 24 – Vergleich über 20 Jahre. Sechste Untersuchung zur Situation der deutschen Jugend im Bundesgebiet, durchgeführt vom EMNID-Institut für Sozialforschung im Auftrag des Jugendwerks der Deutschen Shell, Hamburg

Jugendwerk der Deutschen Shell (Hrsg.) 1980: Die Einstellung der jungen Generation zur Arbeitswelt und Wirtschaftsordnung, Hamburg

Jugendwerk der Deutschen Shell (Hrsg.) 1981: Jugend '81. Lebensentwürfe, Alltagskulturen, Zukunftsbilder. Studie im Auftrag der Deutschen Shell, durchgeführt von Psydata, Institut für Marktanalysen, Sozial- und Mediaforschung, 3 Bde., Hamburg

Klages, H. 1975: Die unruhige Gesellschaft, München

Klages, H. / Kmieciak, P. (Hrsg.) 1979: Wertewandel und gesellschaftlicher Wandel, Frankfurt / New York

Klages, H. 1981: Überlasteter Staat – verdrossene Bürger? Zu den Dissonanzen der Wohlfahrtsgesellschaft, Frankfurt / New York

Klages, H. / Herbert, W. 1981: Staatssympathie. Eine Pilotstudie zur Dynamik politischer Grundeinstellungen in der Bundesrepublik Deutschland, Speyerer, Forschungsberichte

Klages, H. / Herbert, W. 1983: Wertorientierung und Staatsbezug. Untersuchungen zur politischen Kultur der Bundesrepublik, Frankfurt / New York

Koch, M. 1972: Die Deutschen und ihr Staat. Ein Untersuchungsbericht, Hamburg

Krockow, Ch. von 1970: Nationalismus als deutsches Problem, München

Lange, E. H. M. 1979: Entstehung des Grundgesetzes und Öffentlichkeit: Zustimmung erst nach Jahren, in: Zeitschrift für Parlamentsfragen, H. 3, S. 378 ff.

Langenbucher, W. R. / Rytlewski, R. / Weyergraf, B. 1983: Kulturpolitisches Wörterbuch Bundesrepublik Deutschland / DDR im Vergleich, Stuttgart

Lenk, K. 1971: Volk und Staat. Strukturwandel politischer Ideologien im 19. und 20. Jahrhundert, Stuttgart

Löwenthal, R. / Schwarz, H.-P. (Hrsg.) 1974: Die zweite Republik. 25 Jahre Bundesrepublik, Stuttgart

Matthes, J. (Hrsg.) 1979: Sozialer Wandel in Westeuropa, Frankfurt/New York

Matz, U./Schmidtchen, G. u. a. 1983: Gewalt und Legitimität, Opladen

Murphy, D./Nullmeier, F./Raschke, J./Rubart, F./Saretzki, T. 1981: Haben »links« und »rechts« noch Zukunft? Zur aktuellen Diskussion über die politischen Richtungsbegriffe, in: Politische Vierteljahresschrift, H. 4, S. 398 ff.

Noelle-Neumann, E. 1978: Werden wir alle Proletarier? Wertewandel in unserer Gesellschaft, Zürich

Oberndörfer, D. (Hrsg.) 1978: Wählerverhalten in der Bundesrepublik Deutschland, Berlin

Pappi, F. U. 1970: Wahlverhalten und politische Kultur, Meisenheim

Pawelka, P. 1977: Politische Sozialisation, Wiesbaden

Piehl, E. 1983: Die unheimliche Flucht ins Private. Die einsame Masse und die neue Gemeinschaft der Emotionen, in: Die politische Meinung, H. 4, S. 78 ff.

Plessner, H. 1969: Die verspätete Nation. Über die politische Verführbarkeit bürgerlichen Geistes, Stuttgart

Prätorius, R. 1982: »Verwaltungskultur« – Erkundungen zu einem amorphen Thema, in: Hesse, J. J. (Hrsg.): Politikwissenschaft und Verwaltungswissenschaft, PVS-Sonderheft 13/1982, Opladen

Pye, L. W./Verba, S. (Hrsg.) 1965: Political Culture and Political Development, Princeton

Raschke, J. 1980: Politik und Wertewandel in den westlichen Demokratien, in: Aus Politik und Zeitgeschichte, Beilage zur Wochenzeitung »Das Parlament«, B 36/80, S. 23 ff.

Reichel, P. 1981: Politische Kultur der Bundesrepublik, Opladen

Reichel, P. 1981 a: Politische Kultur, in: Greiffenhagen, M. und S./Prätorius, R. (Hrsg.): Handwörterbuch zur politischen Kultur der Bundesrepublik Deutschland, Opladen

Reigrotzki, E. 1956: Soziale Verflechtungen in der Bundesrepublik. Elemente der sozialen Teilnahme in Kirche, Politik, Organisationen und Freizeit, Tübingen

Rohe, K. 1982: Staatskulturen und Krise der Industriegesellschaft, in: Sociologica Internationalis, S. 31 ff.

Rupp, H. K. 1978: Politische Geschichte der Bundesrepublik Deutschland, Stuttgart

Scheuch, E./Wildenmann, R. (Hrsg.) 1965: Zur Soziologie der Wahl, Sonderheft 9 der Kölner Zeitschrift für Soziologie und Sozialpsychologie

Schmidtchen, G. 1979: Protestanten und Katholiken. Soziologische Analyse konfessioneller Kultur, Bern/München

Schmidtchen, G. 1979 a: Was den Deutschen heilig ist. Religiöse und politische Strömungen in der BRD, München

Schweigler, G. 1973: Nationalbewußtsein in der BRD und der DDR, Düsseldorf

Sinus-Studie 1981: 5 Millionen Deutsche: »Wir sollten wieder einen Führer haben ...« Sinus-Studie über rechtsextremistische Einstellungen bei den Deutschen, Reinbek

Sinus 1983: Die verunsicherte Generation. Jugend und Wertewandel. Ein Bericht des Sinus-Instituts im Auftrag des Bundesministers für Jugend, Familie und Gesundheit, Opladen

Sontheimer, K. 1968: Antidemokratisches Denken in der Weimarer Republik, München

Stern, F. 1963: Kulturpessimismus als politische Gefahr. Eine Analyse nationaler Ideologie in Deutschland, Bern/Stuttgart

Stürmer, M. (Hrsg.) 1970: Das kaiserliche Deutschland. Politik und Gesellschaft 1870–1918, Düsseldorf

Venohr, W. (Hrsg.) 1982: Die deutsche Einheit kommt bestimmt, Bergisch Gladbach

Wehler, H.-U. (Hrsg.) 1966: Moderne deutsche Sozialgeschichte, Köln/Berlin

Wehler, H.-U. 1977: Das deutsche Kaiserreich 1871–1918, Göttingen

Weidenfeld, W. (Hrsg.) 1983: Die Identität der Deutschen, München

Wildenmann, R. 1968: Eliten in der Bundesrepublik. Eine sozialwissenschaftliche Untersuchung über Einstellungen führender Positionsträger zur Politik und Demokratie, Mannheim

Winkler, H. A. (Hrsg.) 1979: Politische Weichenstellungen im Nachkriegsdeutschland 1945–1953, Göttingen

Wissmann, M. / Hauck, R. (Hrsg.) 1983: Jugendprotest im demokratischen Staat, Stuttgart

Zapf, W. (Hrsg.) 1977: Lebensbedingungen in der Bundesrepublik, Frankfurt

Zapf, W. (Hrsg.) 1977 a: Probleme der Modernisierungspolitik, Meisenheim

Politische Kultur
in beiden deutschen Staaten

Das Thema bietet Schwierigkeiten mannigfacher Art. Schon seine Formulierung ist nicht unstrittig. ›Politische Kultur‹, das Wort ist ein Amerikanismus und hat in der DDR keine Bedeutung. Der Ausdruck zielt auf das Verhältnis von politischem Bewußtsein und politischen Institutionen: Wird das politische System von der Bevölkerung bejaht oder abgelehnt; auf welchen Feldern hat die Regierung mit Legitimitätsentzug zu rechnen; gibt es aus der Politikgeschichte Barrieren für das gegenwärtige Regime ...? Das sind Fragen, wie sie die politische Kulturforschung stellt. Dabei ist die Methode einer doppelten Vergleichung wichtig: Man interessiert sich für die Entwicklung des politischen Bewußtseins in seinem Lande, tut dies aber unter gleichzeitiger Berücksichtigung von Entwicklungen in anderen Ländern.

Diese Länder müssen natürlich in gewisser Weise vergleichbar sein. Als die amerikanischen Forscher vor einigen Jahrzehnten mit Untersuchungen zur politischen Kultur begannen, wählten sie deshalb ausschließlich Demokratien liberalen Musters: Nur sie waren vergleichbar, und nur in ihren Gesellschaften konnten die Forschungsstrategien und -methoden, vor allem Umfragetechniken angewandt werden.

Aber selbst innerhalb demokratischer Systeme westlichen Musters gibt es große Probleme der Vergleichbarkeit. Kritiker meinen bis heute, die politische Kulturforschung leide an einem Geburtsfehler, nämlich der Auslieferung an die von den amerikanischen Forschern entwickelte Demokratieskala, das heißt an ein Netzwerk von Kriterien, die den ›guten Demokraten‹ definieren sollen, aber sämtlich aus der politischen Kultur der Vereinigten Staaten stammen und somit eine Wertvorgabe enthalten, an der andere Demokratien nur schwer zu messen sind. Ein Beispiel: Die amerikanische Demokratietheorie legt auf den Gesichtspunkt ›Partizipation‹ großes Gewicht. Ein brauchbarer Demokrat ist jemand, der zu politischer Beteiligung bereit ist, und zwar über den Wahlgang hinaus. Dafür gibt es einen in der Geschichte der Vereinigten

Staaten liegenden Grund. Das gesamte politische Leben hat sich in den USA aus kleinen Gemeinschaften entwickelt und zeigt bis heute starke Züge solcher politischer Eigeninitiative – im Unterschied zur Politikgeschichte europäischer Staaten mit stark zentralistischer Tradition.

Ist es schon nicht einfach, politische Systeme liberal-parlamentarischen Musters zu vergleichen, so scheinen die Schwierigkeiten unüberwindbar, wenn man sozialistische und bürgerliche Regime nebeneinanderhalten will. Wie kann man annehmen, daß bei einem Vergleich der beiden deutschen Staaten mehr herauskommt als radikale Verschiedenheit? Hier steht ein ›totalitärer Staat‹ gegen ein freiheitliches System – was gibt es noch mehr zu sagen? Dieses Urteil herrschte bis vor einigen Jahren in beiden Deutschlands und gilt heute noch in der DDR, deren Sozialwissenschaftler gegenüber dem Forschungskonzept der politischen Kultur überdies prinzipielle Einwände aus marxistischer Sicht haben:

Das Political-Culture-Konzept ist nichts anderes als die theoretische Spiegelung der bürgerlich-kapitalistischen Gesellschaft. Da es unfähig ist, das Erbübel des Kapitalismus, die Verfügung über Produktionsmittel in der Hand weniger, in den Blick zu bringen, beschäftigt es sich nur mit Überbauphänomenen, und zwar sowohl auf der Produktions- wie auf der Reproduktionsseite des bürgerlichen Lebens. Alles, was die politische Kulturforschung an Bewußtseinsinhalten zu greifen vermag, verstellt nur den Blick auf den ›Grundwiderspruch‹. So verdeckt zum Beispiel die Wahlforschung die Tatsache, daß in Wahrheit das Kapital regiert; der politische Kenntnisstand der Bevölkerung zeigt nichts anderes als den Grad der Verfestigung von falschem Bewußtsein; die Verankerung rechtsstaatlicher Normen bringt ökonomische Ungleichheiten in Vergessenheit; Sinn für Opposition oder Kompromiß ist das Resultat von Pazifizierungsstrategien, die das Kapital in bestimmten politikgeschichtlichen Phasen erfunden hat (in anderen bevorzugte es faschistische Mentalitäten). In summa: Wer sich auf das Konzept der politischen Kultur einläßt, hat sich bereits der politischen Reaktion ausgeliefert und ist unfähig, den fortschrittlichen Charakter sozialistischer Gesellschaften zu erkennen. Zu vergleichen gibt es hier weiter nichts.

Solche Einwände sind nicht unbegründet, ich meine aber, daß ein selbstkritisches Verständnis von politischer Kultur auch sie noch berücksichtigen kann. Jedenfalls sollten wir, nach der Überwindung des Kalten Krieges und in einem Klima der Öffnung zu vieler Gemeinsamkeit, den

Versuch eines politischen Kulturvergleichs wagen. Ich nenne folgende Gründe dafür:

1. Vergleiche zwischen beiden Staaten finden auch ohne sozialwissenschaftliche Theorien täglich statt, in beiden Richtungen. Die Bundesrepublik ist für die Bevölkerung der DDR das Vergleichsland schlechthin. Ihre politische Kultur ist nicht hermetisch abgeschlossen, sondern durch viele Kommunikationsstränge derjenigen der Bundesrepublik konfrontiert. Der Bundesbürger hat durch eigenen Augenschein und umfängliche Berichterstattung ebenfalls viele Vergleichsmöglichkeiten.

2. Die DDR will die bessere bzw. die einzig wahre Demokratie sein. Viele der Kriterien, welche die westliche politische Kulturforschung verwendet, gelten auch für ein sozialistisches System. Das zeigt sich zum Beispiel dann, wenn Kritik an politischen Zuständen innerhalb der DDR in der Weise vorgetragen wird, daß man die Demokratie >beim Wort< nimmt.

3. Wichtige Faktoren der politischen Kulturforschung ergeben sich aus der Politikgeschichte eines Landes. Die DDR teilt mit der Bundesrepublik deutsche Geschichte bis zum Ende des Zweiten Weltkrieges und unterschiedlich weite Strecken darüber hinaus.

4. Bedauerlich bleibt das Handikap mangelnder empirischer Untersuchungsmöglichkeiten in der DDR. Wir nehmen die Kriterien unserer eigenen Forschung, können sie aber nicht mit denselben Methoden drüben testen. Immerhin kommt uns gegenwärtig eine Forschungsrichtung zu Hilfe, die auch in der DDR wachsendes Interesse findet. Ich meine die Erforschung der Alltagskultur oder, wie man in der DDR eher sagt, der Lebensweise. Bevor es Umfragetechniken gab, stützte sich der politische Kulturforscher auf Quellen, die jetzt wieder wichtig werden: Literatur, Zeitungen, Briefe, mündliche Erzählungen. Wir sind also als politische Kulturforscher mit Blick auf die DDR nicht völlig ohne Quellen, sondern haben reiches Material aus verschiedensten Feldern. Dabei dürfen Selbstdarstellungen aus der DDR inzwischen nicht mehr ohne weiteres für unzuverlässig gelten. Die Ergebnisse der Jugend- und Freizeitforschung zum Beispiel sind durchaus seriös. Häufig hilft auch eine geschickte Koordination sehr unterschiedlicher Daten und Berichte, um Fragen zu beantworten, die drüben nicht gestellt werden.

5. Die Erforschung ihrer politischen Kultur gehört zum politischen

Selbstverständnis einer Nation, ist somit selber ein politischer Akt und dient der Identitätsbildung. Wer nicht weiß, woher er kommt, weiß nicht, wohin er geht. Wer die Bedingungen seiner Sozialisation nicht kennt, findet sich in der Gegenwart nicht zurecht und fühlt sich schicksalhaften Mächten ausgeliefert. Was für Personen gilt, gilt auch für Völker, Staaten und Nationen. Nicht nur die Bundesrepublik, sondern auch die DDR ist an der Erkundung ihrer politischen Kultur interessiert, und dies Interesse ist nie ohne Blick auf den deutschen Nachbarn. Ob und in welcher Form man die Einheit der Nation bejaht und für die Zukunft will: Beide Staaten bleiben aufeinander verwiesen, als ›definitorische Gegner‹ jedenfalls, und wie es scheint, noch mehr als Gesellschaft mit ähnlichen oder zumindest vergleichbaren Problemen.

Die erste große vergleichende Viel-Länder-Studie, in der die Bundesrepublik vorkommt, wurde von den Amerikanern Almond und Verba Mitte der fünfziger Jahre unternommen. Diese Untersuchung bildet daher den Ausgangspunkt für die Beurteilung der politischen Kultur der Bundesrepublik, ihrer Entwicklung unter den beiden genannten Vergleichskriterien: der eigenen Politikgeschichte und der Entwicklung in anderen Industriedemokratien westlichen Musters.

Was diese und anschließende Studien damals zutage förderten, mag in großen Zügen auch für die politischen Einstellungen im anderen Teil Deutschlands gelten. Die Untersuchungen wiesen sämtlich starke Relikte aus früheren politikgeschichtlichen Phasen Deutschlands auf. Das galt für die Überzeugung, Gesprächen über Politik solle man eher ausweichen, da sie im Beruf Nachteile und in der Familie Streit brächten; für den Unwillen zu politischer Partizipation; für die Meinung, mehrere Parteien führten zu politischer Zerrissenheit; für die Geringschätzung von Opposition und Kompromiß. Die in demokratischer Hinsicht ›schlechtesten‹ Werte lieferten stets die älteren Bürger. Aber auch die jüngeren zeigten keine große Begeisterung für das neue politische System, dessen affektive Unterstützung sehr gering ausgebildet war (gemessen aufgrund der Frage, worauf man in seinem Lande besonders stolz sei: die politischen Institutionen erreichten dabei einen minimalen Stellenwert).

Die politische Kulturforschung berücksichtigt nicht nur Einstellungen und Werthaltungen, die auf den ersten Blick als politische erkennbar sind, sondern interessiert sich auch für Erziehungsstile und Umgangsweisen im Alltag. Sie nimmt eine Verbindung solcher Lebensweisen in Familie, Beruf und Freizeit mit politischen Haltungen an. Auch unter diesem Gesichtspunkt lieferte die westdeutsche Bevölkerung damals Ergebnisse, die eher rückwärts in Richtung der autoritären Politikgeschichte wiesen. Zwei Beispiele dafür: Die Westdeutschen zeigten in den fünfziger Jahren deutliche Zeichen von mangelndem sozialen Vertrauen, von Entfremdung und von Rückzugstendenzen. Die soziale Kooperationsbereitschaft war gering ausgebildet. Man hatte das Gefühl, nur seiner unmittelbaren Mitwelt in Familie und Freundschaft trauen zu dürfen. Die untersuchten Erziehungsstile zeigten deutlich autoritäre Muster: Gehorsam und Unterordnung, Ordnungsliebe und Fleiß rangierten vor einer Erziehung zur Selbständigkeit.

Fragt man sich, welches Bild die Bevölkerung der damaligen SBZ geliefert hätte, wenn man sie mit Hilfe von Umfragetechniken hätte untersuchen können, so scheint es mir, wie gesagt, sicher, daß die Unterschiede zwischen beiden politischen Kulturen kaum ins Gewicht gefallen wären. Vielleicht wären einzelne Züge autoritärer Einstellung in der SBZ noch deutlicher zutage getreten, wenn man die inzwischen eingetretenen politischen Veränderungen durch die sowjetische Besatzungsmacht, das sich neu etablierende sozialistische Parteiensystem und den Stalinismus in Betracht zieht. Ich denke an die Sorge, sich durch politische Offenheit Nachteile einzuhandeln, an die geringe affektive Unterstützung des neuen politischen Systems, an die Resignation gegenüber dem Sinn politischer Partizipation, an geringes soziales Vertrauen. Natürlich wäre dabei schwer abzuschätzen gewesen, was auf Kosten der politikgeschichtlichen Situation gegangen wäre und welche Effekte man dem neuen politischen System, seinem Druck oder auch seiner Überzeugungskraft hätte zuschreiben müssen. Ambivalenzen wären mit Sicherheit im Spiel gewesen, zum Beispiel bei dem Thema Einparteienstaat.

Die Legitimität des sich neu einrichtenden sozialistischen Systems wäre mit Sicherheit geringer gewesen als diejenige des neuen westdeutschen Staates, und dies aus folgenden Gründen:

Der westdeutsche Staat wurde von seiner Bevölkerung freundlich toleriert, weil er den rasch einsetzenden wirtschaftlichen Aufschwung zu begünstigen schien, ihn jedenfalls nicht hinderte. Das Staatsverständnis der Westdeutschen ist bis heute ›output orientiert‹, das heißt, das politische System wird zunächst einmal danach beurteilt, was es dem Bürger an Leistungen (und hier vor allem ökonomischen) bietet. Unter diesem Gesichtspunkt schnitt das ostdeutsche System deutlich schlechter ab. Worin immer die Gründe dafür zu suchen sind, die DDR-Bevölkerung lebte mehr als ein Jahrzehnt länger unter den Bedingungen der Nachkriegszeit, mit Lebensmittelkarten, empfindlichem Mangel an wichtigen Versorgungsgütern, im Anblick von Ruinen und allgemein unter Eindrücken einer Ausnahmesituation, die alle Kräfte forderte und die Menschen persönlich und gesellschaftlich häufig überforderte. Das sozialistische System konnte damals noch aus einem anderen Grunde wenig Legitimität erwarten: Es war in seinen Konturen noch undeutlich, oder sagen wir besser, in dynamischer Entwicklung begriffen: Die Kollektivierung der Landwirtschaft wurde erst 1960 abgeschlossen; das Parteiensystem entwickelte sich erst im Laufe der Jahre zu dem einheitlichen Block der SED; der Arbeiteraufstand des 17. Juni 1953 offenbarte empfindliche Legitimitätsschwächen auf dem ökonomischen Sektor; auch im Ideologischen gab es viel Bewegung, zusammen mit Auswirkungen auf dem Bildungssektor und auf fast allen Berufsfeldern. Bis 1961 wanderten aus der DDR etwa 2,7 Millionen Menschen ab, das heißt mehr als ein Siebtel der Bevölkerung.

Demgegenüber bot der westdeutsche Staat von Anfang an zuverlässigere Koordinaten. Und der soziale Wandel hielt sich in überschaubaren Grenzen. Zwar hatten in Westdeutschland zwei der traditionellen Eliten abgedankt, das Militär und der großagrarische Adel, aber erhalten blieb die Wirtschaftsbourgeoisie. Durch die Erhardsche Wirtschafts- und Steuerpolitik ging sie aus den Wirren der Nachkriegszeit eher noch gestärkt hervor. Auch das Beamtentum blieb, nach wenigen Jahren der Irritation durch Entnazifizierungsverfahren, erhalten. Das Bonner Grundgesetz lieferte eine bürgerliche Verfassung für eine bürgerliche Gesellschaft. Möglichkeiten zu gesellschaftspolitischen Reformen, die es rechtlich enthielt, wurden politisch nicht ergriffen. Heute gehört die Bundesrepublik zu den stabilsten bürgerlichen Demokratien der Erde. Ihre Bevölkerung liefert hohe politische Folgebereitschaft und fühlt sich in ihrem Staate zu Hause.

Allerdings weist – unbeschadet einer im ganzen günstig zu beurteilenden Entwicklung – die politische Kultur der Bundesrepublik Schwachstellen, man kann auch sagen Brüche, auf. Ich kann diese Schönheitsfehler, die sämtlich mit der autoritären Politikgeschichte Deutschlands zu tun haben, nicht ausführlich behandeln, sondern nenne nur Stichworte: mangelnder Sinn für Pluralität, schwache Konfliktfähigkeit, ungenügende Achtung von Minderheiten, oppositionellen Konzepten und Strategien. Das sind alles Spuren aus einer politischen Tradition, welche die Bundesrepublik mit der DDR teilt.

Wir wollen uns nun der DDR zuwenden und überlegen, welches Bild die Bevölkerung dieses inzwischen voll etablierten politischen Systems bietet, und zwar unter den Gesichtspunkten der westlichen politischen Kulturforschung, das heißt unter der Frage, wie weit politisches Bewußtsein den Institutionen entgegenkommt; aus welchen Quellen sich die allgemeine Legitimation speist; auf welchen Feldern man hohe spezielle Legitimation für das System vermuten kann; ob es Formen von Entfremdung, Verweigerung, politischer Anomie gibt.

Bei diesen Überlegungen muß man jeweils genau angeben, woran man denkt, wenn man von ›der DDR‹, ›dem Regime‹, ›dem Leben drüben‹ spricht: Ist die Rede von der Machtelite des Zentralkomitees und des Staatsrates; von der staatlichen Bürokratie; vom ökonomischen System; vom sozialen Sicherungssystem; vom Bildungssystem; von der Infrastruktur und dem Kommunikationssystem; von der beruflichen Alltagswelt; von der Welt der Freizeit mit ihren Vereinen, ihrer Geselligkeit und Familienfesten; oder schließlich vom Sozialismus als Ideologie? Viele Urteile über die DDR, auch Bücher namhafter Autoren leiden darunter, daß diese Bezugsebenen nicht deutlich markiert sind. Nur so ist das Fehlurteil verständlich, die DDR-Bevölkerung bestehe mehrheitlich aus potentiellen Widerständlern, oder anders herum: sie habe inzwischen längst ihren Frieden mit dem real existierenden Sozialismus gemacht. Beides ist falsch. Gegenüber solch groben Klötzen ist heute eine Feinzeichnung der politischen Kultur gefordert. Meine Überlegungen haben noch sehr vorläufigen Charakter und sind eigentlich nicht viel mehr als die Formulierung von Forschungsaufgaben. In diesem Sinne also:

Nach allem was wir wissen, ist die Effektivität, besonders auf ökonomischem Felde, für die Einschätzung des politischen Systems nicht nur in der Bundesrepublik, sondern auch in der DDR der wichtigste Gesichtspunkt. Die große Masse der Bevölkerung geht einer Arbeit nach, deren ideologischer Stellenwert kaum ins Bewußtsein tritt. Man ist Handwerker oder Arzt, Fabrikarbeiter oder Architekt und versteht sich innerhalb seiner beruflichen Koordinaten. Wenn man hier zurechtkommt, eine erträgliche Arbeitssituation findet, vor allem aber: wenn die Arbeit einem sein Auskommen sichert, dann hat das politische System bereits eine gute Aussicht auf ›diffuse Legitimität‹, das heißt, eine Vorgabe an allgemeiner Loyalität.

Die zweite wichtige Quelle solcher grundsätzlichen Zustimmung liegt auf der Reproduktionsseite des Lebens: Die DDR hat den höchsten Lebensstandard aller Ostblockstaaten, die UdSSR eingeschlossen. Die Befriedigung der Grundbedürfnisse Wohnung, Essen, Kleidung ist garantiert, dazu auf teilweise ungemein preiswerte Weise. In der Bundesrepublik muß man bis zu einem Drittel seines Gehalts für Wohnung rechnen, in der DDR kann man diesen Posten im Familienbudget fast vergessen. Die Grundnahrungsmittel sind billig. Hinzu kommt, daß eine Hauptmahlzeit von der Masse der Bevölkerung in Kantinen eingenommen wird. Aller Ärger über die Unterversorgung mit Gütern des gehobenen Bedarfs, das Schlangestehen und zeitaufwendige Tauschen, auch der Vergleich mit dem überreichen Angebot in der Bundesrepublik kann offenbar eine Grundstimmung von Zufriedenheit, vor allem aber Sicherheit nicht mehr gefährden.

Sicherheit: ein Stichwort, dem für die politische Kulturforschung grundsätzliche Bedeutung zukommt. Über die genannte Sicherheit der ökonomischen Grundausstattung hinaus ist das soziale Netz in der DDR dicht geknüpft; der Arbeitsplatz ist durchweg gesichert. Ausbildungsförderung, vorzügliche Ausstattung mit Kinderkrippen und Kindertagesstätten entlasten die Familien. Urlaubsgeld und Freizeitheime erlauben Urlaub auch für schmale Einkommen. Wohlgemerkt: Was hier in Rede steht, ist die Sicherheit dieses Versorgungs-Ensembles, nicht sein Niveau, auch nicht die Frage seiner ideologischen Einbindung. Man muß diese Gesichtspunkte trennen, wie sie auch in der westlichen Forschung getrennt werden. Die output-Leistungen des DDR-Staates werden durchweg anerkannt und liefern in Gesprächen zuweilen Grund für einen gewissen Stolz.

Wir gehen einen Schritt weiter und fragen, ob die DDR-Bürger mit der sozialistischen Grundverfassung ihres Gesellschaftssystems einverstanden sind. Diese Frage zielt nicht auf die marxistische Ideologie vom Kommunismus und sozialistischen Menschen, sondern auf die als Lebensweise erfahrene Realität. Man darf vermuten, daß die in der DDR geborenen Generationen mit ihrem Gesellschaftssystem mindestens in dem Sinne einverstanden sind, daß sie das kapitalistische ablehnen. Der DDR-Bürger weiß, daß seine Gesellschaft dichter beieinander ist als unsere, und er findet dies gut so. Die Eigentumsstruktur ist im Vergleich zu westlichen Systemen in der Weise ausgewogen, daß, von wenigen Ausnahmen abgesehen, es keine Reichen und schon gar keine Superreichen gibt. Dasselbe gilt für die Lohnstruktur. Bei ihrer Beurteilung will allerdings ein Argument bedacht sein, das bei uns häufig nur in der Weise eines schlechten Zynismus vorgetragen wird: Mit dem in der DDR verdienten Geld lassen sich alle lebenswichtigen Dinge kaufen, für mehr reicht das Warenangebot nicht. Knapp wird das Geld erst, wenn jene Schwelle überschritten wird, die in die Läden mit Export- und Luxusgütern führt. Aber auch hier gilt der genannte Gesichtspunkt: Man findet sich weitgehend in derselben Situation, soziale Scham ist unbekannt, unbefangen tauscht man Ratschläge und Strategien zur Besorgung von Fehlendem aus, auch die ökomischen Schwierigkeiten sind sozialisiert.

Man kann diese Situation auf eine Formel bringen, wie sie Irene Böhme in ihrem Büchlein ›Die da drüben‹[1] vorschlägt: »In der DDR regiert Geld die Welt nicht.«

Ethisch gewendet bedeutet die Erfahrung stärkerer Gleichheit im Produktions- wie im Reproduktionsbereich das Erlebnis dessen, was man Gemeinsinn nennen mag. Der einzelne erlebt sich stärker im Verbund familiärer, freundschaftlicher, nachbarschaftlicher und beruflicher Abhängigkeit. Man kann diese Situation auch negativ sehen und mit Hermann Rudolph von einem »ziemlich penetranten Provinzialismus«[2] sprechen. Rudolph sieht andererseits auch Positives, wenn er über die ostdeutsche Gesellschaft schreibt: »Sie bietet weniger Spielraum für die Entfaltung von Ehrgeiz und Eitelkeit, von Unternehmungsgeist und Egoismus, kurz: für Sich-anders-verhalten als andere; sie ist deshalb für den Einzelnen auch als Ganzes gegenwärtiger.«[3] Wie man weiß, liefert dieser Gesichtspunkt des Gemeinsinnes einen der kritischsten Einwände gegenüber der Bundesrepublik, den man von Aussiedlern nach den ersten Eingewöhnungswochen zu hören bekommt. Diese Kritik verbindet sich häufig mit dem Urteil, in der DDR lebe man ›gemütlicher‹ als bei uns.

Mit dem Wort ›Gemütlichkeit‹ wird ein komplexer Zusammenhang angesprochen, der auch ideologisch nicht ohne gewisse Vertracktheit ist: das Verhältnis zur Arbeit in der DDR. Der Marxismus definiert bekanntlich den Menschen wesentlich über die Arbeit als wichtigen gesellschaftlichen Emanzipations- und Sozialisationsfaktor. Trotzdem darf man vermuten, daß die DDR-Bevölkerung sich nicht vornehmlich über die Arbeit definiert. Zwar liefert das Thema Beruf und Arbeit offenbar viel Gesprächsstoff, aber eher im Sinne von kleinen Themen aus der täglichen Erfahrung am Arbeitsplatz. Gesellschaftlicher Ehrgeiz, der über die Arbeit und ihren positionellen Rang befriedigt würde, ist in der DDR seltener als bei uns. Gewiß, man versucht, eine möglichst qualifizierte Arbeit zu finden, nimmt auch zu einem hohen Prozentsatz an Fortbildungskursen teil. Aber man verspricht sich von solchen Veränderungen weder bedeutenden gesellschaftlichen Aufstieg noch wesentliche Gehaltsverbesserungen und also entscheidende Veränderungen im Blick auf seine Bedürfnisbefriedigung. Wichtiger ist das Arbeitsklima. Statt mörderischer Konkurrenz im Beruf herrscht eher Gelassenheit in der Erfüllung all der Solls und Übersolls des Plans. Streberei und Treiberei sind verpönt und werden innerhalb des Arbeitskollektivs auch geahndet.

Gesellschaftliche Identifikations- und Darstellungsmöglichkeit liefert eher die Reproduktionsebene. Hier, in der Gestaltung von Feierabend und Wochenende findet man sich: im Kampf gegen die tägliche Unbill der Versorgungsschwierigkeiten, im Besorgen und Tauschen, im Erwerb und Bau eines Wochenendhauses, in der Bestellung des Schrebergartens, im gemeinsamen Feiern von Festen: Nischengesellschaft – ich komme auf diesen Ausdruck gleich zurück.

Auch in der Sphäre der Reproduktion darf die DDR-Gesellschaft, von der Ausnahme einer winzigen Elite abgesehen, als klassenlos gelten. Dieses Urteil gilt in anderer Weise als bei uns. Klassenbewußtsein läßt sich in der Bundesrepublik seit Mitte der sechziger Jahre nicht mehr antreffen. Das liegt an der reichen Ausstattung mit langfristigen Gebrauchsgütern, mit Autos und wachsender Zeit, sie zu nutzen. Auch das Fernsehen hat teil daran, daß Freizeitbeschäftigung immer weniger klassenspezifische Merkmale aufweisen. Das Fehlen spezifischen Klassenbewußtseins kann aber nicht darüber hinwegtäuschen, daß die kapitalistischen Länder dramatische Vermögens- und Einkommensdifferenzen aufweisen, die von der Bevölkerung in Befragungen auch als ungerecht bezeichnet werden. Was dem westlichen Gesellschaftsverständnis abgeht, ist das Gefühl einer tiefen Solidarität, verursacht durch die prinzipiell gleichen ökonomischen Ressourcen und die kaum unterschiedlichen Weisen, sie zu nutzen. Ein Schlaglicht hierfür: In der Bundesrepublik gibt es 4500 Kleingartenanlagen, in der DDR 8000. Abgesehen von der Versorgungsfunktion bedeutet die Tatsache dieses Freizeitbereiches die Existenz einer Subkultur, welche das Gemeinschaftsgefühl einer ganzen Gesellschaft nachhaltig bestimmt – in einem

Sinne, der nun zur Sprache kommen muß, in Begriffen, die alle dasselbe meinen: Rückzug ins Private, Innerlichkeit, Gemütlichkeit, Kleinbürgerkultur, Nischengesellschaft etc.

Bei keinem Aspekt der DDR-Gesellschaft sonst bedauert man mehr die fehlende Möglichkeit empirischer Umfragen wie bei diesem Aspekt eines Quietismus, der ganz verschiedener Natur sein kann. Nirgends sonst muß man sich vor Einseitigkeit im Urteil so in acht nehmen wie hier. Nirgends sonst gibt es auch so heterogene Deutungen und Wertungen. Ich will mich deshalb eines eigenen Urteils enthalten und nichts anderes tun, als die hier möglichen Aspekte nebeneinanderstellen: als Forschungsstrategie.

Da ist zunächst der Aspekt der Kleinbürgerkultur, genauer: der proletarisch-kleinbürgerlichen Kultur: Proletarische Kultur, das war, was die neue politische Elite nach dem Zweiten Weltkrieg gesellschaftspolitisch anstrebte. Und sie hat ganze Arbeit geleistet in der Verfolgung dieses Zieles. Das Bürgertum wurde von allen einflußreichen Positionen ferngehalten, für Generationen. Der neue Ehrentitel ›Arbeiter- oder Bauernkind‹ galt lange als das einzige Entree in gesellschaftliche Führungspositionen.

Die neue Elite hatte mit ihrer proletarischen Herkunft eine kleinbürgerliche Orientierung auf allen Lebensgebieten mitgebracht. Immer wieder wird dieses Milieu in der Literatur beschrieben, am besten natürlich von Schriftstellern, deren Blick dafür durch eigene bürgerliche oder gar großbürgerliche Herkunft geschärft ist (wie zum Beispiel von Brigitte Reimann in ihrem Roman ›Franziska Linkerhand‹[4]). Auf dem Bildungssektor rangierte technisches Wissen vor humanistischer Bildung, der Wohngeschmack zeigte ins Kleinbürgerliche abgesunkene bürgerliche Züge, dasselbe galt für die Architektur. Die Erziehungsnormen und -methoden wiesen die im deutschen Proletariat traditionellen Spiegelungen bürgerlicher Wohlanständigkeit auf. Die traditionelle Rolle der Frau in Haus und Familie blieb erhalten, trotz beruflicher Emanzipation. Und was die Politik betraf, so herrschte der Typus des Funktionärs vor, der seine Führungsrolle als Amt verstand, das er zu bekleiden hatte: ›Preußentum und Sozialismus‹. Diese Subalternität ist bekanntlich eines der stärksten Traditionselemente deutscher Politikgeschichte. Man ist wohl nicht unfair, wenn man die gesamte Skala dessen, was man in der westdeutschen Soziologie ›Unterschichtsautoritarismus‹ nennt, auf die DDR-Gesellschaft der ersten drei Jahrzehnte anwendet, und zwar auf ihre Gesamtheit, da die bürgerliche Mittelschicht gesellschaftlich außer Kraft gesetzt oder geflüchtet war.

Läßt man für einen Augenblick außer Betracht, daß es sich bei der DDR um ein marxistisches System handelt mit revolutionärer Ideologie, Avantgarde-Verständnis des Proletariats, Kader-Partei, und faßt nur die bürokratisch-staatliche Seite in den Blick, so nimmt es nicht wunder, daß dieser Staat als Garant von Ordnung und Effektivität von den älteren DDR-Bürgern weithin bejaht wurde. Von hier aus gab es viele Möglichkeiten, westliche Lebensweise abzulehnen: als moralische Laxheit, ästhetische Libertinage, philosophischen Nihilismus, pädagogische Permissivität, entartete Musik – und Tanzkultur, etc. Auch der westliche Parlamentarismus mit seinen harten Oppositionsmethoden und innerparteilichen Auseinandersetzungen kam in diese Schußlinie. Insofern kann dieser Oststaat als der ›deutschere‹ gelten. Er setzte die autoritäre deutsche Politikgeschichte fort, allerdings in einem Amalgam, von dem noch die Rede sein muß. Das Urteil ›deutsch‹ gilt auch für jenen häufig beschriebenen Rückzug in die Innerlichkeit von Familie, Natur, Kleingärtnerlaube, in eine Literatur von bewährter Klassik, die einer politisch ohnmächtigen Schicht als Überlebensstrategie gedient hatte und sich nun empfahl als Schutz vor dem Zugriff einer den ganzen Menschen fordernden Politik. Dabei soll man nicht gleich an ›innere Emigration‹ oder apathische Verweigerung denken. Diese Züge laufen stets mit, müssen oder mußten nicht in allen Phasen der DDR-Geschichte bestimmend sein. Deutsche Innerlichkeit verband sich eher und stabiler mit der Vorstellung, Politik sei nicht die Sache des kleinen Mannes und also des Volkes, sondern werde von einer eigens dafür bestimmten politischen Klasse betrieben, die man nicht stören, der man allenfalls applaudieren dürfe. Es gab und gibt wohl bis heute diese Einstellung unter DDR-Bürgern: Der politischen Elite und ihren globalen politischen Strategien folgt man in einer Mischung von Respekt und mürrischer Nörgelei, während man den mittleren oder kleinen Funktionär, den man kennt und dessen Anweisungen man folgen muß, beurteilt wie einen Polizisten: ob er seine Sache ordentlich macht, ohne Willkür, ohne Vorteil, als anständiger Mensch. Daß er selber in Zwängen steht, nicht über den Schatten seiner Vorschriften springen kann, räumt man bereitwillig ein. Von dieser legitimatorischen Vorgabe lebt das System. Ruhe ist die erste Bürgerpflicht, und wie der britische Journalist Ash berichtet, beteiligt man sich eher noch an den Kontrollen, etwa im Falle des Alkoholverbots oder der Anschnallpflicht im Auto. Ash spricht in diesem Zusammenhang von einem »Polizeistaat mit menschlichem Antlitz«[5].

Wie weit dieses Staatsbild dem Anspruch von Sozialismus entspricht, darüber kann man unterschiedlicher Meinung sein. Die einen sagen, was heute real als kleinkarierter Bürokratismus mit all seinen sozialen, moralischen und ästhetischen Verkürzungen existiert, das sei sein wahres Wesen. Andere verweisen auf die großen sozialistischen Führergestalten und ihre Kritik gerade an dem kleinbürgerlichen Bewußtsein des Proletariats. Sie sollten dabei aber nicht vergessen, daß diese Führer fast ausschließlich aus dem Bürgertum oder Großbürgertum stammten. In der DDR-Literatur, zum Beispiel in dem erwähnten Roman von Brigitte Reimann, wird denn auch immer wieder der Gegensatz zwischen dem meist erfolglosen sozialistischen Idealisten und dem bornierten Funktionär beschrieben. Dabei handelt es sich bei den Idealisten stets um Menschen, die sich aus eigener Kraft von der Versuchung bürgerlicher Lebensweise abgewandt haben. Ich lasse auch die Frage unentschieden, ob es sich bei der kleinbürgerlichen Nischenkultur um politische Opposition handelt oder um traditionelle politische Apathie mit einem erheblichen Schuß Loyalitätsbereitschaft gegenüber *jeder* Art von Obrigkeit. Hier helfen nur intensive Interviews weiter und natürlich quantitative Umfragen, die nicht möglich sind.

Eine Bemerkung noch zu der vielleicht wichtigsten Nische, die es jedenfalls bis vor kurzem gab: der Familie. In deutlichem Kontrast zur westdeutschen Entwicklung bildete sie mindestens bis jetzt den entscheidenden Rückhalt gegenüber allen Belastungen durch das politische System. Die Jugendlichen teilen die Anschauung der Eltern, übernehmen ihr Wertsystem, häufig auch den Beruf, und von Konflikten ist selten die Rede. Die hohe Scheidungsrate ist kein Argument gegen die Hochschätzung der Familie, im Gegenteil: Ehen, die aus Familiensinn zu früh geschlossen wurden, halten nicht. Deshalb wird aber die Hoffnung auf die bergende Kraft der Familie nicht aufgegeben: Man heiratet bald wieder. Das Thema Liebe ist in der DDR-Literatur viel wichtiger und ergiebiger als bei uns: als Gegenwelt von Sicherheit, Vertrautheit, Behaglichkeit.

Erst jetzt komme ich auf den Aspekt des politischen Systems zu sprechen, der gewöhnlich gleich zu Beginn behandelt wird und den Angelpunkt für die Beschreibung und Beurteilung des Gesamtsystems abgibt, seinen ›totalitären Charakter‹: Eine kommunistische Partei versteht sich als Avantgarde des gesellschaftlichen Fortschritts, als Hüterin des Sozialismus und seiner Entwicklung zum Kommunismus; ein Zentralkomitee fungiert als Zentralinstanz für alle politischen Grundentscheidungen; ein Überwachungssystem verhindert Abweichungen; ein System politischer Aktivitäten hält die Bevölkerung von Jung bis Alt in Trab; Karrieren sind nicht gegen die Partei durchsetzbar; wer vorankommen will, muß seinen politischen Zoll entrichten, und wer gar nicht mitspielt oder aufmuckt, wird eingesperrt oder abgeschoben. – Wie steht es mit der Legitimität dieser Seite des politischen Systems?

Das SED-Regime ist unpopulär. Man leidet unter der Angst, die es verbreitet; man haßt das Spitzelsystem; man fürchtet die Eintragungen in der sogenannten Kader-Akte; man schämt sich der eigenen Doppelzüngigkeit, die bis in die Familie hinein geboten ist, wenn man seine Mitmenschen nicht gefährden will; man würde in freien Wahlen sich des Regimes entledigen. Die von der Partei geforderten Aktivitäten werden als Pflichtsoll abgeleistet, von Spontaneität keine Spur. (Dieses Urteil läßt sich sogar empirisch belegen, da DDR-Soziologen Zahlen über die Verwendung von Freizeit veröffentlichen. Politische Aktivitäten, auch Gespräche über Politik nehmen einen sehr niedrigen Stellenwert ein.)

Es gab und gibt auch Fälle, in denen die Partei zurückstecken mußte: Westfernsehen ist heute geduldet, ebenso wie Blue jeans, Rock-Musik, ja sogar Punks. Die Kirchen gelten als Fluchtburgen, zum Teil als Bastionen heimlichen oder offenen Widerstands. – Wie bringt man alles dieses zusammen mit den Zügen, die vorhin zur Sprache kamen?

Eines ist mit Sicherheit unmöglich: das gesamte politische System und die Frage seiner Legitimität einzig unter dem Aspekt der SED-Herrschaft zu betrachten. Man würde damit genau den Fehler begehen, den Sozialwissenschaftler in der DDR ständig machen: das erklärte Ziel der SED für die Wirklichkeit ausgeben, nämlich die völlige Durchdringung des politischen Bewußtseins und des politischen Verhaltens mit der SED-Doktrin.

Das ist es ja, was westliche Soziologen und Bildungsforscher so irritiert: Da nicht sein kann, was nicht sein darf, wird das ideologisch geforderte Soll von der DDR-Forschung für die Realität ausgegeben. Das politische Bewußtsein der Bevölkerung entspräche dann dem von der Partei dekretierten Entwicklungsstand, Abweichungen wären minimal und überdies meist Resultate der Einwirkungen des Klassenfeindes jenseits der Mauer.

Worauf es für den westlichen Forscher ankommt, ist also eine möglichst genaue Röntgenplatte der politischen Kultur der DDR herzustellen, in der die Effekte des SED-Regimes verzeichnet sind: Was wird bejaht, was wird nur hingenommen, was führt zu politischer Entfremdung, was zu politischen Ängsten und allgemein zu dem, was politische Kulturforscher unter ›Anomie‹ buchen? Hier helfen nur Intensiv-Interviews, eine genaue Kenntnis der DDR-Literatur (die sehr ergiebig ist), eine Analyse der SED-Politik selbst, ihrer Erfolge und Mißerfolge. Ich kann eine solche Feinzeichnung hier nicht vorlegen. Statt dessen möchte ich eine These diskutieren, die weit verbreitet ist und mir zu einfach zu sein scheint. Ich trage sie in der Form vor, in der einer der gescheitesten DDR-Analytiker, Hermann Rudolph, sie entwickelt hat.

Rudolph meint, die dem DDR-System zuwachsende Legitimität liege »keineswegs in der Richtung des Anspruchs des Systems ... Sie ist echt, so weit sie politisch die Einsicht realisiert, daß man in der DDR ›auch leben kann‹, weil man anderswo ›auch arbeiten muß‹ und insbesondere im Westen ›auch nicht alles Gold ist, was glänzt‹, und insofern die DDR-Führung der Gesellschaft dabei durch eigenes Bemühen entgegenkommt. Sie gilt dem DDR-System, so wie es ist, jedoch nicht nach Maßgabe seines Anspruchs, sozialistisch verfaßte Gesellschaft zu sein, sondern nur soweit, als die DDR ein Land ist ›wie andere auch‹.« [6]

Ein paradoxer Sachverhalt also: Die DDR kann auf Loyalität ihrer Bürger nur in dem Maße rechnen, in dem sie gerade auf das verzichtet, was sie als sozialistisches System sich zum Ziele gesetzt hat.

Diese These scheint mir zu einfach. Ihre Plausibilität gilt nur unter einer Voraussetzung, die leider heute bei uns politisches Allgemeingut geworden ist, der sogenannten Totalitarismustheorie.

Diese Theorie besagt, daß faschistische und marxistische Gesellschaften in derselben Weise inhuman sind, als sie in der Praxis den Menschen total in Pflicht nehmen wollen – und dies unbeschadet ihrer unterschiedlichen Ideologie: Der Faschismus will die Herrschaft eines Volkes über andere im Führerstaat auf Dauer stellen, der Marxismus strebt die klassenlose Gesellschaft an.

Ich bin nicht töricht genug zu leugnen, daß Gestapogefängnisse sich von Staatssicherheitsgefängnissen nicht unterscheiden, ebensowenig wie die Praktiken der Überwachung, des Gesinnungsterrors, der geforderten Doppelzüngigkeit, der gelenkten Presse etc. Woran mir aber liegt, ist ein Umstand, der für die Frage der politischen Legitimität und also auch die Praxis der Loyalität von Bedeutung ist:

Während die Ziele des Faschismus erklärtermaßen inhuman sind, also in keinem Falle auf Legitimität Anspruch haben können, gilt dies für die vom Sozialismus erklärten politischen Ziele nicht ohne weiteres. Wer den Sozialismus will, erklärt sich damit noch nicht für inhumane Praktiken seiner Einführung oder Aufrechterhaltung. Im Gegenteil läßt sich eine systemimmanente Kritik und Opposition denken, die bis heute auch immer wieder versucht wird: indem man die Parteiführung eines sozialistischen Regimes ›beim Wort nimmt‹, nämlich ihrem Programm selbst, ihrem Wertekatalog, ihrem Normengefüge. Diese Art von Opposition unterscheidet sich grundsätzlich von der Opposition gegenüber dem Faschismus, und entsprechend unterscheidet sich auch die Weise der Kollaboration mit einem solchen System. Die Kirchen in der DDR führen uns diesen Umgang mit einem sozialistischen Regime exemplarisch vor: Bei Annahme oder Hinnahme politischer Zielvorstellungen, über die man im einzelnen sprechen kann, gilt die Opposition den Methoden, soweit sie diesen Zielen widersprechen.

Wer solche Differenzen gering achtet, der wird weiter von ›Totalitarismus‹ sprechen und in der Folge wohl auch leugnen müssen, daß die Loyalität der DDR-Bevölkerung gegenüber ihrem Staat sich aus unterschiedlichen Elementen zusammensetzt, daß die Ablehnung des Regimes nicht total ist und nicht total zu sein braucht. Der Anhänger des Totalitarismus-Theorems wird keine andere Alternative zum DDR-Staat sehen als die eigene bürgerliche Verfassung und damit drüben Widerstand in jeder Form für geboten halten. Kompromisse wird er verzeihlich finden (weil man aus dem sicheren Hort eines Rechtsstaates niemandem den Selbstmord anempfehlen kann), aber er wird sie in der Sache nie verständlich finden.

Statt der globalen Etikettierung unter dem Begriff ›totalitär‹ scheint mir eine differenzierte Erforschung der politischen Kultur in der DDR notwendig, und dies nicht nur in unserem eigenen deutschen Interesse, sondern im Interesse des Friedens in Europa und in der Welt. Die DDR und die Bundesrepublik Deutschland sind die mächtigsten Verbündeten der beiden Weltmächte, militärisch und wirtschaftlich. Im Herzen Europas angesiedelt, sind wir auf Vergleichung und Konkurrenz verwiesen. Die DDR-Bevölkerung lebt durch das Westfernsehen mit einem Teil ihres politischen Interesses in unserer politischen Kultur. Man hört von drüben häufig das Urteil, wir seien amerikanischer, als sie sowjetisch seien. Das stimmt, wobei gleich hinzuzufügen ist, daß wir von unserer

Schutzmacht unabhängiger sind als die DDR von ihrer. Welcher Staat immer als der ›deutschere‹ gelten mag, im Selbstbild oder Fremdbild, in jedem Falle sind die beiden deutschen Staaten zu einer möglichst konfliktfreien Nachbarschaft durch ihre Lage und Geschichte aufgerufen. Wie im persönlichen Umgang die Kenntnis des anderen eine Bedingung des Friedens ist, so dient die Erforschung der politischen Kultur des jeweils anderen Deutschland einer guten Nachbarschaft. Dabei ist die Kenntnis des Trennenden ebenso wichtig wie die Erfahrung von Gemeinsamkeiten.

Was die Frage der politischen Legitimität beider Systeme angeht, so will ich zum Schluß einige Probleme ansprechen, mit denen sich beide Systeme, wie ich vermute, in gleicher Weise, konfrontiert sehen. Es handelt sich um Prozesse, über deren Ursachen und Verlaufsperspektiven man noch wenig weiß (auch bei uns nicht), deren Erforschung aber in beiden Staaten zu den dringendsten Aufgaben der politischen Kulturforschung gehört. Ich meine die Abkehr eines großen Teils der Jugend von dem politischen System, hier wie dort.

Nach einer Untersuchung von Allensbach im Juli 1984 ist die Kluft zwischen den Generationen im Vergleich zu den Vereinigten Staaten und europäischen Ländern in der Bundesrepublik am größten. Gemessen wurden Moralvorstellungen, Einstellungen zur Religion, zur Sexualität und politische Ansichten. Dieses Ergebnis überrascht nicht, wenn man die Entwicklung seit Jahrzehnten überschaut: Die westdeutsche Jugend hat sich auf dramatische Weise von den überkommenen Einstellungs- und Verhaltensmustern derjenigen Generationen entfernt, die noch durch Krieg und Nachkriegszeit geprägt wurden. Dabei sind die radikalsten Veränderungen bei den Jugendlichen zu bemerken, die aus Mittelschichten stammen und durch eine lange Ausbildung vom Berufsleben ferngehalten wurden.

Was die Loyalität zum politischen System angeht, so tritt ein Zusammenhang immer deutlicher hervor: Je besser orientiert und je partizipationsbereiter einer ist, desto kritischer ist er gleichzeitig gegenüber bestimmten Versäumnissen der Politik:

Legitimitätsentzug als Folge hoher politischer Erwartungen. Politische Repression, zusammen mit Versäumnissen auf den Feldern Umwelt- und Friedenspolitik, trifft zunehmend auf die Kritik der Jugend. Bei einem Teil führt der Entzug solcher spezieller Legitimität zur Abwendung vom gesamten System, zu Partei- und Staatsverdrossenheit.

In der DDR lassen sich ähnliche Erscheinungen beobachten. Ob und wie weit es sich dabei wirklich um dieselben Phänomene handelt, bleibt natürlich in hohem Maße unsicher. Immerhin geben die folgenden Aspekte doch zu denken:

Zum ersten Mal scheint sich eine Art Gleichaltrigenkultur herauszubilden, in einer gewissen Abkehr von der Familie, die bisher den Heranwachsenden als Orientierung diente. Man trifft sich auch außerhalb der etablierten Vereinskultur und entwickelt ein Gefühl der Zusammengehörigkeit, das nicht ohne Kritik an der etablierten Ordnung ist, die man spießbürgerlich nennt. Ein eigener Jugendjargon bildet sich heraus. In solchen informellen Gruppen sind die Kinder von hohen Funktionären offenbar führend. Gerade diejenigen, die aus Häusern der Machtelite stammen, wollen die Normen der Gesellschaft nicht mehr unbesehen übernehmen, wollen keine technokratische Karriere machen, sondern interessieren sich für Philosophie, Kunst, Geschichte, Ökologie. Man will dem Mief des konservativen Kleinbürgertums entgehen. Man schätzt auch die Arbeit nicht mehr so hoch ein wie die Älteren und kritisiert sekundäre Tugenden wie Ordnung, Fleiß, Sauberkeit, Disziplin. Man findet das Leben in anderen sozialistischenStaaten ›lockerer‹, und wenn man überhaupt westliche Länder als Vergleichsmaßstab heranzieht, dann nicht mehr mit Sehnsucht nach dem höheren Lebensstandard, sondern unter dem Aspekt größerer Freiheit zu abweichendem Verhalten: Im Westen kann man kritisieren, eigene Wege versuchen, unorthodoxe Meinungen vertreten und propagieren, für Ökologie und Frieden agitieren.

Ob diese alternative Jugendkultur, von der man erst Umrisse ahnt, als politisches Protestpotential zu werten ist, scheint eher zweifelhaft. Zwar wird der eigene Staat kritisiert, und zwar am Maßstab seines eigenen Anspruchs: ›Das ist doch kein Sozialismus!‹. Aber politische Opposition scheint nicht eigentlich das zu sein, was man vorhat. Eher Rückzug, Abkehr, Unter-sich-Bleiben. Es gibt wenig Gespräche über Politik, die von der Partei geforderten Lippenbekenntnisse werden als Pflichtleistungen erbracht, im übrigen verhält man sich apathisch. Man will für sich selbst ein sinnvolles Leben, und deshalb wendet man sich gegen Partei, Technokratie, Bürokratie und eine als falsch empfundene Wertwelt.

Es ist noch zu früh, Zuverlässiges über diese Entwicklung zu sagen. Für die DDR fehlen uns viele soziale Koordinaten, und auch in der Bundesrepublik lassen sich die Effekte für die politische Kultur noch nicht absehen: Handelt es sich um Erosion, um Opposition oder um Ausbildung einer neuen Kultur? Es könnte sein, daß die Front, gegen die sich die neuen Jugendbewegungen richten, in beiden Staaten ähnlich ist: Starrheit der politischen Strukturen, Unbeweglichkeit der Parteiapparate, die vor allem am eigenen Überleben interessiert sind, Kurzsichtigkeit politischer Strategien, Unempfindlichkeit gegenüber Problemen der Dritten Welt, reaktionäre Modelle der Militärpolitik. – Jedenfalls gibt es Gründe genug, die politischen Kulturen in beiden deutschen Staaten sorgfältig zu beobachten – und dies durchaus in vergleichender Absicht.

Anmerkungen

Zwei Seelen in der Brust?
Zur politischen Kultur Preußens zwischen 1789 und 1848

1 Wer die Dialektik in Deutschland erfunden hat, darüber streitet man bis heute. Vgl. Martin Greiffenhagen: Das Dilemma des Konservatismus in Deutschland. 2. Aufl., München 1977, S. 219 ff.

2 Ebd. S. 221.

3 Henri Brunschwig: Gesellschaft und Romantik in Preußen im 18. Jahrhundert. Frankfurt/Main 1975, S. 53.

4 Wilhelm Dilthey: Friedrich der Große und die deutsche Aufklärung. In: Ders., Gesammelte Schriften, 3. Bd. 2. Aufl., Stuttgart 1959, S. 133.

5 Zit. nach Horst Möller: Aufklärung in Preußen. Der Verleger, Publizist und Geschichtsschreiber Friedrich Nicolai. Berlin 1974, S. 246.

6 Alberto Martino/Marlies Stützel-Prüsener: Publikumsschichten, literarische und Lesegesellschaften. In: Horst Glaser (Hrsg.): Deutsche Literatur. Eine Sozialgeschichte, Bd. 4. Reinbek 1980, S. 45 f.

7 Brunschwig a. a. O. (s. oben Anm. 3) S. 9.

8 Vgl. Helmut Schelsky: Einsamkeit und Freiheit. Idee und Gestalt der deutschen Universität und ihrer Reformen. Reinbek 1963, S. 98.

9 Ebd. S. 126.

10 Vgl. Martin Greiffenhagen: Die Gruppenuniversität in Perspektive. Vortrag vor dem Hochschulverband in Schloß Gracht am 1. 5. 1981.

11 Vgl. Schelsky a. a. O. (s. oben Anm. 8) S. 111.

12 Vgl. Hannsjoachim W. Koch: Geschichte Preußens. München 1980, S. 246 f.

13 Zit. nach Reinhard Behm: Aspekte reaktionärer Literaturgeschichtsschreibung des Vormärz. Dargestellt am Beispiel Vilmars und Gelzers. In: Literaturwissenschaft und Sozialwissenschaft 2. Germanistik und deutsche Nation 1806–1848. Stuttgart 1974, S. 237.

14 E. J. Feuchtwanger: Preußen. Mythos und Realität. München 1979, S. 13.

15 Vgl. Koch a. a. O. (s. oben Anm. 12) S. 249.

16 Ebd. S. 250.

17 Vgl. Feuchtwanger a. a. O. (s. oben Anm. 14) S. 175.

18 Ralph-Rainer Wuthenow: Autobiographien und Memoiren, Tagebücher, Reiseberichte. In: Horst Glaser (Hrsg.): Deutsche Literatur, 4. Bd. a. a. O. (s. oben Anm. 6) S. 159.

19 Vgl. Christian Graf von Krockow: Warnung vor Preußen, Berlin 1981, S. 160 f.

20 Zit. nach Schelsky a. a. O. (s. oben Anm. 8) S. 78.

21 Ebd. S. 67.

22 Ebd. S. 72.

23 Vgl. Martin Greiffenhagen: Die Aktualität Preußens. Fragen an die Bundesrepublik. Frankfurt 1981, S. 34 f.

24 Vgl. was Jörg Jochen Müller über das kleinbürgerliche Familienideal der Brüder Grimm schreibt: Der erste Germanistentag, in: Literaturwissenschaft ... a. a. O. (s. oben Anm. 13) S. 309.

25 Vgl. Richard Samuel: Die poetische Staats- und Geschichtsauffassung Friedrich von Hardenbergs (Novalis). Hildesheim 1975, S. 119 ff.

26 Vgl. Reinhard Behm: Aspekte ... a. a. O. (s. oben Anm. 13) S. 241.

27 Heinz Schlaffer: Der Bürger als Held. Sozialgeschichtliche Auflösungen literarischer Widersprüche. Frankfurt 1973, S. 140.

28 Berthold Hinz: Zur Dialektik des bürgerlichen Autonomie-Begriffs. In: Autonomie der Kunst. Zur Genese und Kritik einer bürgerlichen Kategorie. Frankfurt 1972, S. 174.

29 Zit. nach Hinz, ebd. S. 187.

30 Zit. nach Greiffenhagen, Das Dilemma ... a. a. O. (s. oben Anm. 1) S. 206.

31 Vgl. Samuel a. a. O. (s. oben Anm. 25).

32 Greiffenhagen, Das Dilemma ... a. a. O. (s. oben Anm. 1) S. 275 ff.

33 Ebd. S. 275.

34 Gonthier-Luis Fink: Die Revolution als Herausforderung in Literatur und Publizistik. In: Horst Glaser (Hrsg.). Deutsche Literatur. Eine Sozialgeschichte, Bd. 5. Reinbek 1980, S. 125.

35 Zit. von Leo Balet / E. Gerhard: Die Verbürgerlichung der deutschen Kunst, Literatur und Musik im 18. Jahrhundert, hrsg. von Gert Mattenklott. Frankfurt 1973, S. 123.

36 Peter von Matt: Naturlyrik. In: Horst Glaser (Hrsg.): Deutsche Literaturwissenschaft. Eine Sozialgeschichte, Bd. 6. Reinbek 1980, S. 205.

37 Ebd. S. 208.

38 Hans-Jürgen Schings: Melancholie und Auflärung. Stuttgart 1977, S. 6.

39 Wolf Lepenies: Melancholie und Gesellschaft. Frankfurt 1972, S. 89.

40 Vgl. Feuchtwanger a. a. O. (s. oben Anm. 14) S. 187.

Der Totalitarismus in der Regimenlehre

1 Vgl. Martin Greiffenhagen: »Nationalismus und Kommunismus im Sozialkunde-Unterricht«, Frankfurter Hefte 18 (1963), S. 168 ff. Eine großangelegte didaktisch-methodische Darstellung gibt Klaus Hornung: Die totalitäre Herrschaft, Bd. 1–3 der Schriftenreihe der Landesanstalt für Erziehung und Unterricht: Politik und Soziologie. Stuttgart 1966.

2 »Die Auseinandersetzung mit dem Totalitarismus gehört zu den wesentlichen Aufgaben der politischen Bildung unserer Jugend. Die Lehrer aller Schularten sind daher verpflichtet, die Schüler mit den Merkmalen des Totalitarismus und den Hauptzügen des Bolschewismus und des Nationalsozialismus als den wichtigsten totalitären Systemen des 20. Jahrhunderts vertraut zu machen.« Beschluß der Ständigen Konferenz der Kultusminister vom 5. Juli 1962, in: Laufende Mitteilungen zum Stand der politischen Bildung in der Bundesrepublik Deutschland, hrsg. von Friedrich Minssen, Frankfurt a. M. 1 (1964) 5.

3 Otto Stammer: »Aspekte der Totalitarismusforschung«, in: Soziale Welt 12 (1961) S. 107.

4 Peter Christian Ludz: »Entwurf einer soziologischen Theorie totalitär verfaßter Gesellschaft«, in: Studien und Materialien zur Soziologie der DDR, hrsg. von Peter Ludz, in: Kölner Zeitschrift für Soziologie und Sozialpsychologie, Sonderheft 8. Köln und Opladen 1964, S. 12 f.

5 Martin Drath: »Totalitarismus in der Volksdemokratie«, Einleitung zu Ernst Richert: Macht ohne Mandat. Köln und Opladen [2] 1963, S. XIV (Schriften des Instituts für politische Wissenschaft 11).

6 Peter Christian Ludz: »Totalitarismus oder Totalität? Zur Erforschung bolschewistischer Gesellschafts- und Herrschaftssysteme«, in: Soziale Welt 12 (1961) S. 129.

7 Vgl. Stammer: »Totalitarismusforschung«, S. 107, s. oben Anm. 3.

8 Vgl. die Definitionen im Fischer-Lexikon 2: Staat und Politik, Neuausgabe 1964, S. 328 ff., im Staatslexikon 7, [6] 1962, Sp. 1018 ff., im Politischen Wörterbuch von Siegfried Landshut, 1958, S. 231 f.

9 Max G. Lange: Politische Soziologie. Eine Einführung. Berlin und Frankfurt a. M. 1961, S. 197; ebenso Karl Dietrich Bracher, Wolfgang Sauer, Gerhard Schulz: Die nationalsozialistische Machtergreifung. Köln und Opladen [2] 1962, S. 5. Das Unbehagen gegenüber dem Totalitarismusbegriff findet sich auch in der angelsächsischen Literatur, vgl. Hugh Seton-Watson: »Totalitarianism Reconsidered«, in: Problems of Communism, Vol. XVI, 1967, Nr. 4, S. 55. Den jüngsten Überblick über die Totalitarismusliteratur gibt Silke Schmalriede in ihrem Literaturbericht: Gesellschaft – Staat – Erziehung 12 (1967), S. 332 ff.

10 Hans Buchheim: Totalitäre Herrschaft, Wesen und Merkmale. München 1962; zur Kritik vgl. Martin Greiffenhagen: »Totalitarismus rechts und links, Ein Vergleich von Nationalsozialismus und Kommunismus«, in: Gesellschaft – Staat – Erziehung 12 (1967), S. 287.

11 S. Anm. 6.

12 Ludz: »Totalitarismus«, S. 130, s. oben Anm. 6.

13 Karl Loewenstein: Verfassungslehre, Tübingen 1959, S. 57 (Amerikanische Ausgabe 1957).

14 Drath: »Totalitarismus«, S. XXVI, s. oben Anm. 5.

15 Dies um so mehr, als es sich bei dem Totalitarismusbegriff um ein Bündel verschiedenwertiger Positionen handelt. Der ›totale Staat‹ war ein vom Faschismus und Nationalsozialismus entwickelter positiver Begriff zur Kennzeichnung der eigenen Staatsvorstellungen; der ›totalitäre Staat‹ erscheint als polemisches Gegenbild zum demokratischen Verfassungsstaat; die Totalitarismuslehre will Nationalsozialismus und Kommunismus in einer Theorie fassen, wobei sie als definitorisches Vergleichsmoment neben den modernen Verfassungsstaat noch den ›autoritären‹ Staat setzt.

16 Vgl. den Titel der oben Anm. 4 genannten Arbeit von Ludz.

17 Alexander Rüstow: Ortsbestimmung der Gegenwart, Eine universalgeschichtliche Kulturkritik, 1. Erlenbach-Zürich 1957, S. 19.

18 Ebd. Bd. 3, 1957, S. 266.

19 Ebd. S. 489 ff.

20 Pitirim Sorokin: Social and Cultural Dynamics. New York 1937, Neuausgabe New York 1962; vgl. auch Jules Monnerot: Soziologie des Kommunismus. Köln-Berlin 1952, S. 301, 323, 334.

21 Franz Neumann: Demokratischer und autoritärer Staat, Studien zur politischen Theorie. Frankfurt a. M., Wien 1967, S. 236.

22 Robert Morrison MacIver: Macht und Autorität. Frankfurt a. M. 1953, S. 181 ff., 199; Guglielmo Ferrero: Macht. Bern 1944.

23 Artikel »Totalitarismus« im Fischer-Lexikon 2: Staat und Politik, hrsg. von Ernst Fraenkel und Karl Dietrich Bracher, Neuausgabe. Frankfurt a. M. 1964, S. 328.

24 Artikel »Totalitarismus« im Staatslexikon 7. Freiburg 1962, Sp. 1018.

25 Wilhelm Hennis: Politik und praktische Philosophie. Neuwied und Berlin 1963.

26 Ebd. S. 70 f.

27 Karl Popper: Der Zauber Platons. Bern 1957, S. 126 ff.

237

28 Dies gilt auch für Wittfogels Lehre von der hydraulischen Gesellschaft, s. Karl Wittfogel: Die orientalische Despotie. Eine vergleichende Untersuchung totaler Macht.
   Köln-Berlin 1962. Wittfogel will für den Totalitarismus in seiner chinesischen Form
   eine welthistorische und kultursoziologische Begründung finden. Damit versucht er
   ebenso wie die in diesem Abschnitt genannten Autoren den Totalitarismus unter historisch durchgängigen Aspekten zu fassen.

29 Eric Voegelin: Wissenschaft, Politik und Gnosis. München 1959, ders.: Die neue
   Wissenschaft der Politik. München 1959.

30 Voegelin: Wissenschaft, Politik und Gnosis, S. 56 f.

31 Ebd., S. 16.

32 Ebd., S. 19.

33 Diese Schwierigkeit stellt sich bei vielen Autoren, welche das Totalitarismusphäno-
   men vornehmlich von der ideologischen Seite her angehen, vgl. Waldemar Gurian:
   »Totalitarianism as Political Religion«, in: Totalitarianism, Proceedings of a Confe-
   rence held at the American Academy of Arts and Sciences. March 1953, ed. Carl J.
   Friedrich. Cambridge Mass. 1954, S. 119 ff. Ausdrücke wie ›Säkularisierte Religion‹,
   ›Religionsersatz‹, ›Ersatzreligion‹ sagen zunächst wenig über die Rolle, welche eine
   Ideologie jeweils spielt. Ein (wohl noch zu grobes) Schema versucht Martin Greif-
   fenhagen: »›Politische Theologie‹ und Politikwissenschaft«, in: Gesellschaft – Staat
   – Erziehung 8 (1963), S. 142 ff.

34 Erwin Faul: Der moderne Machiavellismus. Köln-Berlin 1961.

35 Ebd., S. 13.

36 So der Titel des 3. Teils, ebd., S. 163.

37 Hermann Rauschning: Gespräche mit Hitler, Vorwort, zitiert nach Faul: Machiavellismus. S. 302.

38 Faul: Machiavellismus, S. 304.

39 Ebd., S. 338.

40 Ebd., S. 339.

41 Ebd., S. 340.

42 Ebd., S. 341.

43 Ebd., S. 344 f.

44 Jacob L. Talmon: Die Ursprünge der totalitären Demokratie. Köln und Opladen 1961.

45 Vgl. für viele Kurt Schilling: Geschichte der sozialen Ideen. Stuttgart 1957,
   S. 293 ff.: Herbert Krüger: Allgemeine Staatslehre. Stuttgart 1964, S. 762 f.: John
   W. Chapman: Rousseau – Totalitarian or Liberal? New York 1956, spricht S. 74 ff.
   von »totalitarian implications«.

46 Richard Löwenthal: »Totalitäre und demokratische Revolution«, in: Der Monat 13
   (1960), H. 146, S. 33.

47 Talmon: Ursprünge S. 6 ff., s. oben Anm. 44.

48 Gerhard Leibholz: Strukturprobleme der modernen Demokratie. Karlsruhe 1958,
   S. 225.

49 Otto Stammer: »Politische Soziologie«, in: Soziologie, Ein Lehr- und Handbuch zur
   modernen Gesellschaftskunde, hrsg. von Arnold Gehlen und Helmut Schelsky.
   Düsseldorf, Köln ⁶1966, S. 292.

50 Löwenthal: »Totalitäre und demokratische Revolution«, S. 32, s. oben Anm. 46;
   Lange: Politische Soziologie, S. 192, s. oben Anm. 9.

51 Sigmund Neumann: Permanent Revolution, Totalitarianism in the Age of International Civil War. London 1965; Zbigniew K. Brzezinski: The Permanent Purge, Politics in Soviet Totalitarianism. Cambridge Mass. 1956; s. auch Löwenthal: »Totalitäre und demokratische Revolution«, S. 31 ff., s. oben Anm. 46.

52 Hannah Arendt: Elemente und Ursprünge totaler Herrschaft. Frankfurt a. M. 1955, S. 659.

53 Monnerot: Soziologie. S. 315, s. oben Anm. 20.

54 Karl Mannheim sieht in ihnen »die entscheidende Ursache dafür . . ., daß die modernen Diktaturen eine totalitäre Form annehmen. In keiner der älteren Formen der Diktatur und geistigen Planung kam es zu der totalitären Kontrolle der einzelnen Glieder wie in der heutigen Diktatur. Wir wissen von den älteren Formen der Despotie, daß niemand, der nicht gerade im Brennpunkt des politischen oder geistigen Widerstandes stand, so stark in der Hand der zentralistischen Gewalt war wie heute. So war das zaristische Rußland vergleichsweise niemals so ›totalitär‹ wie die modernen Diktaturen. Auch die mittelalterliche geistige Planung der Kirche war – trotz ihrer bis in das Gewissen eindringenden Kontrolle – nicht so gewalttätig wie die moderne geistige Überwachung. Die Ursache scheint mir in zwei wesentlichen Faktoren zu liegen. Einmal darin, daß die modernen Nachrichten- und Verkehrsmittel wie Eisenbahn, Telefon und Radio eine zentralistische Beherrschung viel eher möglich machen als früher, noch mehr jedoch in der Tatsache der ›Fundamentaldemokratisierung‹ der Massen.« Karl Mannheim: Mensch und Gesellschaft im Zeitalter des Umbaus. Darmstadt 1958, S. 129 f. Das technische Argument bringt auch George F. W. Hallgarten: Dämonen oder Retter?. Frankfurt a. M. 1957, S. 181. Vgl. auch Emil Lederer: The State of the Masses. New York 1940, S. 45.

55 Vgl. den letzten Satz des Zitates von Karl Mannheim in Anm. 54 und unten, letzter Absatz.

56 »Doch welche Sprache wird dem großbetrieblichen, arbeitsteiligen Völkermord gerecht? Was ist das für ein Mord, den nicht nur Tausende erleiden, sondern auch Tausende begehen? Die dem Individualstrafrecht entnommenen Begriffe wie Täter und Gehilfe sind dem Sachverhalt eigentlich nicht angemessen. Wie wäre die Sozialität der Täter in der Tätergruppe zu beschreiben? . . . Wenn wir Ausdrücke wie ›Endlösung‹, ›Deportation‹, ›Selektion‹, ›Sonderbehandlung‹ aus dem Wörterbuch des Unmenschen übernehmen, so deshalb, weil wir zunächst empfinden, daß hier andere, grausigere Verbrechen geschehen sind, als die mit traditionellen Begriffen gemeinten. Wir haben noch keine Namen für das Entsetzliche gefunden, die uns ermöglichen würden, es mit der Benennung in den Griff zu bekommen. Einstweilen gibt es nur die Ganovensprache der Verbrecher selbst.« Dietrich Goldschmidt in seiner Einleitung zu Reinhard Henkys: Die nationalsozialistischen Gewaltverbrechen. Stuttgart-Berlin 1964, S. 13.

57 Arendt: Elemente, S. 750 f., s. oben Anm. 52.

58 Carl Joachim Friedrich: Totalitäre Diktatur. Stuttgart 1957, S. 15.

59 Ebd., S. 13.

60 Ich habe mit Absicht darauf verzichtet, Beispiele für eine Begriffsbestimmung des Totalitarismus auf der Basis quantitativer Methoden zu geben, da diese Versuche, so interessant sie sind, für eine Regimenlehre gegenwärtig noch wenig austragen. Für solche Versuche vgl. N. S. Timasheff: »Totalitarianism, Despotism, Dictatorship«, in: Totalitarianism, S. 40 ff., s. oben Anm. 33; Robert A. Dahl: »Politische Systeme – Ähnlichkeiten und Unterschiede«, in: Political Science, Amerikanische Beiträge zur Politikwissenschaft, ausgewählt und eingeleitet von Ekkehart Krippendorff, Tübingen 1966, S. 149 ff.

61 Es kann mir im folgenden nicht darum gehen, die Theorie des totalen Staates nach allen Seiten hin zu entfalten. Ich hebe nur die Punkte heraus, die im Blick auf eine Totalitarismustheorie von Bedeutung sind, und stütze mich dafür im wesentlichen auf die Schrift von Ernst Forsthoff: Der totale Staat. Hamburg 1933. Diese Schrift bietet reichhaltiges Material für die hier interessierenden Aspekte. Einen guten Abriß über die für unseren

Zusammenhang wichtige Literatur gibt Gerhard Schulz: »Der Begriff des Totalitarismus und der Nationalsozialismus«, in: Soziale Welt 12 (1961), S. 112 ff.

62 Adam H. Müller: Die Elemente der Staatskunst, hrsg. von Jakob Baxa. 1, Jena 1922, S. 48 (Die Herdflamme, hrsg. von Othmar Spann, 1,1).

63 Vgl. Martin Greiffenhagen: »Das Dilemma des Konservatismus«, in: Gesellschaft in Geschichte und Gegenwart, Festschrift für Friedrich Lenz, hrsg. von Siegfried Wendt, 1961, S. 29 ff.

64 Ernst Forsthoff: Der totale Staat. Hamburg 1933, S. 29.

65 Ebd., S. 30; vgl. auch S. 33, 34, 38, 41, 42, 43. In demselben Sinne Otto Koellreutter: Grundriß der allgemeinen Staatslehre. Tübingen 1933, S. 163 ff., Ernst Rudolf Huber: Verfassungsrecht des Großdeutschen Reiches. Hamburg ²1939, S. 194 ff. »Das Führerreich strebt nicht nach der Identität von Regierung und Regierten, sondern es erhebt sich auf der Erkenntnis, daß Führertum und Gefolgschaft etwas Verschiedenes sind.« »Das Deutsche Reich ist keine Demokratie, in der das souveräne Volk sich selbst regiert.« (Ebd., S. 210); E. R. Huber: »Die deutsche Staatswissenschaft«, in: Zt. f. d. ges. Staatswiss. 95 (1935), S. 43 ff. »Die Totalität des nationalsozialistischen Staates ist eine Totalität der Führung ...« (Ebd., S. 45). Carl Schmitt ist in diesem Punkte nicht eindeutig. Entwickelt er in seiner Verfassungslehre, Berlin 1957, den Gedanken substantieller Gleichheit im Sinne demokratischer Identität (ebd., S. 223 ff.), so behauptet er später den »unbedingte(n) Vorrang der politischen Führung« (Staat, Bewegung, Volk. Hamburg 1933, S. 10; vgl. ebd., S. 32 ff.), die er jedoch über den Gedanken der »Artgleichheit« als Beziehung gegenseitiger Treue von Führung und Gefolgschaft deutet (S. 42).

66 Forsthoff: Der totale Staat, S. 33, s. oben Anm. 64.

67 Ebd.

68 Ebd., S. 34.

69 Vgl. ebd., S. 29, 30, 31, 33, 34, 37, 38, 43. Die Unterscheidung von ›autoritärem‹ und ›totalem‹ Staat war seit Heinz O. Zieglers Schrift (Autoritärer oder totaler Staat. Tübingen 1932, Recht und Staat in Geschichte und Gegenwart 90) eingeführt.

70 Forsthoff: Der totale Staat, S. 38.

71 Vgl. ebd., S. 39 f., in dieser Hinsicht folgt Forsthoff der Freund-Feind-Theorie Carl Schmitts. Für die Herkunftsorientiertheit des nationalsozialistischen Volksbegriffes vgl. Hans Freyer: Der politische Begriff des Volkes. Neumünster 1933; Ernst Wilhelm Eschmann: Vom Sinn der Revolution. Jena 1933.

72 Ebd., S. 41. Diese Sätze zeigen deutlich, daß, wie unten weiter ausgeführt werden soll, der nationalsozialistische totale Staat, strenggenommen, keine demokratische Legitimierung forderte und zuließ.

73 Adolf Hitler: Mein Kampf, 241./245. Auflage. München 1937, S. 420.

74 Vgl. Forsthoff: Der totale Staat, S. 43 ff.

75 Ralf Dahrendorf: Gesellschaft und Demokratie in Deutschland. München 1965, S. 434.

76 Ebd., S. 437.

77 Dahrendorfs These hat inzwischen eine neuerliche Stützung erfahren. David Schoenbaum spricht von zwei Revolutionen, welche die nationalsozialistische Bewegung bedeutet haben: »It was at the same time a revolution of means and ends. The revolution of ends was ideological – war against bourgeois and industrial society. The revolution of means was its reciprocal. It was bourgeois and industrial since, in an industrial age, even a war against industrial society must be fought with industrial means and bourgeois are necessary to fight the bourgeoisie.« David Schoenbaum: Hitler's Social Revolution, Class and Status in Nazi Germany 1933–1939. New York 1966, S. XXIII.

78 Dahrendorf: Gesellschaft, S. 448, s. oben Anm. 75.

79 Vgl. Paul Sering (d. i. Richard Löwenthal): Jenseits des Kapitalismus. Lauf bei Nürnberg 1946, S. 118 ff.; ders., »Revolution«, S. 29 ff.; s. oben Anm. 46.
80 Drath: »Totalitarismus«, S. XXVI, XXVII, s. oben Anm. 5.
81 Loewenstein: Verfassungslehre, S. 53, s. oben Anm. 13.
82 Ebd., S. 55.
83 Diese verbreitete These in der Formulierung von v. d. Gablentz: »Autoritäre Staaten unterscheiden sich von den totalen grundlegend dadurch, daß sie nicht ideologisch sind und daher Freiheitssphären außerhalb des politischen Bereiches zulassen.« Otto Heinrich von der Gablentz: Einführung in die Politische Wissenschaft. Köln und Opladen 1965, S. 272.
84 Loewenstein: Verfassungslehre, S. 53, s. oben Anm. 13.
85 Theo Stammen: Regierungssysteme der Gegenwart. Stuttgart – Berlin – Köln – Mainz 1967.
86 Ebd., S. 124 ff.
87 Maurice Duverger: Die politischen Regime. Hamburg 1960.
88 Eleonore Sterling: Der unvollkommene Staat, Studien über Diktatur und Demokratie. Frankfurt a. M. 1965.
89 Drath: »Totalitarismus«, S. XXXI, s. oben Anm. 5.
90 Loewenstein: Verfassungslehre, S. 56, s. oben Anm. 13.
91 Ebd.
92 Ebd.
93 Drath: »Totalitarismus«, S. XVII, s. oben Anm. 5.
94 Ebd.
95 Stammer: »Totalitarismusforschung«, S. 100, s. oben Anm. 3.
96 Ebd., S. 102.
97 Das gilt ebenso für andere Idealtypen der Regimenlehre, z. B. für den Absolutismus.
98 Ludz: »Soziologische Theorie«, S. 18, s. oben Anm. 4.
99 Ebd., S. 19.
100 Ebd., S. 21.
101 Ebd.
102 Die politische Regimenlehre hat nicht die Aufgabe, ihren Gegenstand empirisch in seiner Ganzheit zu erforschen, um ihn dann im nachhinein theoretisch zu bestimmen (dies fordert A. R. L. Gurland in seiner Einleitung zu M. G. Langes Schrift: Totalitäre Erziehung, 1954, zitiert bei Ludz: »Totalitarismus«, S. 135 f., s. oben Anm. 6). Sie kann auch Wandlungen der Organisation und Herrschaftsstruktur, die Dynamik, neu sich bildende Konflikte oder gar die gesamte Umstrukturierung der Gesellschaft nicht voll erfassen, s. Ludz ebd., S. 133 f. Sie hat das weder im Fall des ›Liberalismus‹ noch des ›Absolutismus‹, nicht im Fall des ›Konstitutionalismus‹ und nicht des ›Cäsarismus‹ oder anderer idealtypischer Bezeichnungen für politische Regime getan. Man kann, wie Erich Küchenhoff (Möglichkeiten und Grenzen begrifflicher Klarheit in der Staatsformenlehre. Berlin 1967), auf eine Überwindung solcher trivialen und zu groben Nomenklatur dringen. Ob sich Küchenhoffs feinmaschiges Begriffsschema allerdings durchsetzen wird, bleibt abzuwarten. Für die bisherige Unausgereiftheit des Totalitarismusbegriffes liefert das gründliche Werk jedenfalls durchschlagende Beweise.
103 Drath: Totalitarismus, S. XVII, s. oben Anm. 5. Auch *Loewenstein* meint, daß die wirkliche Errichtung eines integralen Totalitarismus schwierig sei, s. Loewenstein: Verfassungslehre, S. 57, s. oben Anm. 13; vgl. weiter Otto Stammer: »Gesellschaft und Politik«, in: Handbuch der Soziologie, hrsg. von Werner Ziegenfuss. Stuttgart 1956, S. 580.
104 Vgl. George F. Kennan: »Totalitarianism in the Modern World«, in: Totalitarianism,

S. 19, s. oben Anm. 33; Leo Loewenthal (Diskussionsbeitrag), ebd., S. 222; Karl Dietrich Bracher: Die Auflösung der Weimarer Republik, Eine Studie zum Problem des Machtverfalls in der Demokratie. Villingen ³1960, S. 97f.; Maurice Duverger: Die politischen Regime. Hamburg 1960, S. 117 ff.; Hartmut Zimmermann: »Probleme der Analyse bolschewistischer Gesellschaftssysteme, Ein Diskussionsbeitrag zur Frage der Anwendbarkeit des Totalitarismusbegriffs«, Gewerkschaftliche Monatshefte 12 (1961) 198; Arnold Künzli: »Rot ist nicht braun«, ebd., S. 207 ff.; Stammer: »Totalitarismusforschung«, S. 105, s. oben Anm. 3; Lange: Politische Soziologie, S. 197, s. oben Anm. 9; Ernst Nolte: Der Faschismus in seiner Epoche. München 1963, S. 34; Oskar Anweiler: »Totalitäre Erziehung? Eine vergleichende Untersuchung zum Problem des Totalitarismus«, in: Gesellschaft – Staat – Erziehung 9 (1964), S. 179 ff.; Greiffenhagen: »Totalitarismus«, S. 285 ff., s. oben Anm. 10.

105 Dahrendorf: Gesellschaft, S. 445, s. oben Anm. 75.

106 Ebd.

107 Zimmermann: »Bolschewistische Gesellschaftssysteme«, S. 196, s. oben Anm. 104; George F. W. Hallgarten nennt die NS-Bewegung deshalb »pseudo-revolutionär« (Why Dictators? The Causes and Forms of Tyrannical Rule Since 600 B. C. New York 1954).

108 Vgl. Christian Graf v. Krockow: »Nationalstaat und Demokratie, Zur Geschichte und Gegenwart eines deutschen Strukturproblems«, in: Gesellschaft – Staat – Erziehung 12 (1967), S. 98 ff.

109 Von der Gablentz: Einführung, S. 267, s. oben Anm. 83.

110 Dahrendorf: Gesellschaft, S. 441, s. oben Anm. 75.

111 Buchheim: Totalitäre Herrschaft, S. 33, s. oben Anm. 10; in diesem Sinne jüngst auch Hornung: Totalitäre Herrschaft 1, s. oben Anm. 1.

112 Einzelne Autobiographien von Menschen, die unter beiden Regimen gelitten haben, zeigen jedoch auch interessante Unterschiede. Vgl. etwa Helmut Gollwitzer: ... und führen, wohin du nicht willst, Bericht einer Gefangenschaft. München 1951. – Der charakterologische Gesichtspunkt wirkt auch eher in Richtung einer parallelisierenden Betrachtung: »The extremely prejudiced person tends toward psychological totalitarianism, something which seems to be almost a microcosmic image of the totalitarian state at which he aims.« (T. W. Adorno, Else Frenkel-Brunswik, Daniel J. Levinson and R. Nevitt Sanford: The Authoritarian Personality, 2. New York 1964, S. 632.)

113 Schulz: »Totalitarismus«, S. 114, s. oben Anm. 61. Schulz glaubt auch in bezug auf die wichtigsten Instrumente der Terrorausübung, nämlich Gestapo und SD, Tscheka, GPU und später MWD, trotz unbestreitbarer Ähnlichkeiten genügend Unterschiede aufweisen zu können, »die warnen sollten vor einer summarischen Gleichordnung der sowjetischen Institution, die an die Tradition der zaristischen Geheimpolizei Ochrana mit ihrem weit verzweigten Spitzelsystem anknüpfen konnte, und der des nationalsozialistischen Deutschlands«, ebd., S. 114. Im Blick auf den Abbau massiver Zwangsmethoden in den osteuropäischen bolschewistischen Systemen und in der UdSSR vermutet Siegfried Jekner, eine Theorie der totalitären Herrschaft, welche sich zentral auf das Element des Terrors stützt, verliere an Aussagekraft. Vgl. S. Jenkner: »Zur Anwendung von Integrations- und Konfliktmodellen bei der Erforschung bolschewistischer Gesellschafts- und Herrschaftssysteme«, in: Moderne Welt 3 (1961/62) 381.

114 Vgl. Heinz Höhne: Der Orden unter dem Totenkopf, Die Geschichte der SS. Gütersloh 1967.

115 V. d. Gablentz: Einführung, S. 271, s. oben Anm. 83.

116 Herbert Marcuse: Kultur und Gesellschaft 1. Frankfurt a. M. 1967, S. 32.

117 Vgl. Seymour Martin Lipset: Political Man, The Social Bases of Politics. London –

242

Melbourne – Toronto 1960, S. 140 ff.; Otto Bauer, Herbert Marcuse, Arthur Rosenberg u. a.: Faschismus und Kapitalismus, Theorien über die sozialen Ursprünge und die Funktion des Faschismus. Frankfurt und Wien 1967.

118 Karl Marx, Friedrich Engels: Manifest der Kommunistischen Partei, Berlin 1967, S. 28 (Hervorhebung von mir).

119 Loewenstein: Verfassungslehre, S. 57, s. oben Anm. 13.

120 Ludz: »Totalitarismus«, S. 132, s. oben Anm. 6.

121 Ludz: »Soziologische Theorie«, S. 18 f., s. oben Anm. 4; ders.: »Totalitarismus«, S. 133 ff., s. oben Anm. 6; Stammer: »Totalitarismusforschung«, S. 106, s. oben Anm. 3; Zimmermann: »Bolschewistische Gesellschaftssysteme«, S. 198 ff., s. oben Anm. 104.

122 Werner Hofmann: Stalinismus und Antikommunismus, Zur Soziologie des Ost-West-Konflikts. Frankfurt a. M. 1967, S. 40.

123 Ebd., S. 13.

124 Ebd., S. 93.

125 »Die wissenschaftliche Kritik des Stalinismus kann nur ›immanent‹ erfolgen. Sie wird von der marxistischen Theorie der ›proletarischen Diktatur‹ auszugehen haben, also von den Absichten, Zielen, Erwartungen derer, die mit dem Anspruch aufgetreten sind, die Gesellschaft bewußt zu gestalten.« Hofmann, ebd., S. 18.

126 Vgl. Schulz: »Totalitarismus«, S. 125, s. oben Anm. 61: »›Totalitarismus‹ enthält aber auch ein politisch-weltanschauliches Prinzip, bedeutet auch politische Entscheidung, Bekenntnis zur prinzipiellen Gegnerschaft, die unüberbrückbar ist und nur die Konsequenz der Abwehr zuläßt. Dieser Begriff stellt das Schreckensbild einer am Bösen krankenden Gesellschaft dar.« Vgl. auch zu Zimmermann: »Bolschewistische Gesellschaftssysteme«, S. 195, s. oben Anm. 104.

127 Hofmann: Stalinismus, S. 19, s. oben Anm. 122.

128 Ernst Nolte: Der Faschismus in seiner Epoche. München 1963, S. 34 f.

129 Dies gilt, wie gesagt, nur für die Form des sogenannten ›linken‹ Totalitarismus, dem wir allein diesen Begriff vorbehalten sehen möchten, im Unterschied zum eher autoritären Führer- und Rassestaat, der schon in der Intention seine brutale Herrschaft auf Dauer stellte und keine Ansätze von demokratischer Selbstverwaltung kennt. Dagegen hat selbst der Stalinismus nicht nur ideologisch, sondern auf den unteren Ebenen politischer Entscheidung auch in der Praxis auf das Element demokratischer Willensbildung nie völlig verzichtet.

130 John H. Herz, Gwendolen M. Carter: Regierungsformen des zwanzigsten Jahrhunderts. Stuttgart 1962, S. 15; v. d. Gablentz: Einführung, S. 262, s. oben Anm. 83.

131 Vgl. Hans-Joachim Lieber: »Ideologie und Wissenschaft im totalitären System«, in: Wissenschaft im totalen Staat, hrsg. von Walter Hofer, München 1964, S. 14 ff.; Mannheim: Mensch und Gesellschaft, S. 129 ff., s. oben Anm. 54.

Demokratie und Technokratie

1 Wilhelm Fucks: Formeln zur Macht, 2. Aufl., Stuttgart 1965.

2 Sie tun dies zuweilen gegen das demoskopisch zu ermittelnde Dafürhalten der Bevölkerung. So fand z. B. die von den politischen Repräsentanten des Volkes beschlossene Wiederaufrüstung in der Bevölkerung, wie man weiß, wenig Sympathie. Heute gehört die aktive Teilnahme am westlichen Militärbündnis längst zum politischen Bewußtsein der meisten. Andererseits würde die Aufhebung der Todesstrafe in einem diesbezüglichen Plebiszit auch heute noch rückgängig gemacht werden.

243

3 Helmut Schelsky: Der Mensch in der Wissenschaftlichen Zivilisation. Köln / Opladen 1961. Reihe: Arbeitsgemeinschaft für Forschung des Landes Nordrhein-Westfalen, Geisteswissenschaften, Heft 96, S. 25 und 29.

4 Zitiert bei Schelsky, a. a. O., S. 26, Anmerkung 19. Aus I. W. Lenin: Staat und Revolution, Kap. V / 4.

5 Jürgen Habermas: Wissenschaft und Politik, in: Offene Welt, Nr. 86, Köln / Opladen 1964, S. 413 ff., S. 414. Ders.: Technischer Fortschritt und soziale Lebenswelt, in: Praxis, Vol. II, Zagreb 1966, Nr. 1 / 2, S. 217 ff., S. 227; Ders.: Verwissenschaftlichte Politik und öffentliche Meinung, in: Humanität und politische Verantwortung, Festschrift für Hans Barth. Erlenbach-Zürich / Stuttgart, 1964, S. 55 ff.

6 Schelsky, a. a. O., S. 31 f.

7 Schelsky, a. a. O., S. 31.

8 Hermann Lübbe: Zur Politischen Theorie der Technokratie, in: Der Staat, Vol. II. Berlin 1962, S. 19 ff., S. 37.

9 Lübbe, a. a. O., S. 37.

10 Schelsky, a. a. O., S. 22.

11 Vgl. Carl Schmitt: Der Begriff des Politischen. Berlin 1963 (nach dem Text von 1932); Ders.: Politische Theologie. Vier Kapitel zur Lehre von der Souveränität. München / Leipzig 1934.

12 Max Weber: Parlament und Regierung im neugeordneten Deutschland, darin: Beamtenschaft und Politisches Führertum, in: Gesammelte Politische Schriften, 2. erw. Aufl. Tübingen 1958, S. 308 f.; Ders.: Politik als Beruf, a. a. O., S. 493 ff.

13 Habermas: Wissenschaft und Politik, a. a. O., S. 414.

14 Hans Freyer; Revolution von Rechts, Jena 1931. Arnold Gehlen: Der Staat und die Philosophie, Leipzig 1935; Ernst Forsthoff: Der Totale Staat, Hamburg 1933.

15 Schelsky, a. a. O., S. 37. Für die Durchgängigkeit dieser zivilisationskritischen Haltung bei den ehemaligen Revolutionär-Konservativen vgl. Hans Freyer: Das soziale Ganze und die Freiheit der Einzelnen unter den Bedingungen des industriellen Zeitalters, Göttingen / Berlin / Frankfurt a. M. 1957; Arnold Gehlen: Das Ende der Persönlichkeit?, in: Studien zur Anthropologie und Soziologie, Neuwied a. Rh. / Berlin 1963, S. 329.

16 Vgl. Ernst Forsthoff: Die Daseinsvorsorge als Aufgabe der modernen Verwaltung. Nachdruck aus der Schrift: Die Verwaltung als Leistungsträger, Stuttgart / Berlin 1938, in: Rechtsfragen der leistenden Verwaltung. Stuttgart 1959.

17 Ernst Jünger: Die Totale Mobilmachung, in: Krieg und Krieger, Sammelwerk, hrsg. von E. Jünger. Berlin 1930. Zur Verbindung vom totalen Staat und Technokratie vgl. Erich Ludendorff: Der totale Krieg. München 1935.

18 Kusum Nair: Blossoms in the Dust. London 1962, S. 48 f.

19 Leszek Kolakowski: Der Mensch ohne Alternative. München 1961.

20 Kolakowski, a. a. O., S. 233. Vgl. Martin Greiffenhagen: Das Gute und der gesellschaftliche Fortschritt im Marxismus Kolakowskis, in: Zeitschrift für evangelische Ethik, Vol. IX, Gütersloh 1965, S. 284 ff.

21 Die Frage ist, wieweit das Prinzip der aufgeschobenen Befriedigung (Talcott Parsons' »deferred gratification pattern«) von der Bevölkerung tatsächlich internalisiert und wie es motiviert ist. In der Motivation unterscheidet sich der erzwungene Konsumverzicht der Bevölkerung Chinas deutlich von der Rolle, die der Calvinismus für die wirtschaftliche Entwicklung Europas und der USA gespielt hat. Vgl. Max Weber: Die protestantische Ethik und der Geist des Kapitalismus, in: Gesammelte Aufsätze zur Religionssoziologie, Bd. I, 4. Aufl. Tübingen 1947.

22 Z. B. Verstaatlichung von Industrien und Banken in Entwicklungsländern mit der Folge, daß das ausländische Kapital seine Investitionen stoppt; oder Großbauten, die

das nationale Prestige heben sollen, deren Nutzen aber sehr umstritten ist; oder andere Fälle von ›demonstrativem Konsum‹ auf nationaler Ebene.

23 Dieser Unterschied ist eines der Beispiele dafür, daß man in Deutschland von einem durchgängigen demokratischen Staatsbewußtsein vielfach noch weit entfernt ist: Hinter der Bewertung des Streiks einzig an seiner negativen wirtschaftlichen Effizienz steht das Modell des absoluten Staates mit seiner auf der Soziologie von Befehl und Gehorsam beruhenden Effektivität.

24 Vgl. Ralf Dahrendorf: Die Funktion sozialer Konflikte, sowie: Elemente einer Theorie des sozialen Konflikts, in: Gesellschaft und Freiheit. München 1961. Für die Notwendigkeit gesellschaftlicher Homogenität vgl. Reinhold Niebuhr: Consensus in einer demokratischen Gesellschaft, in: Politische Vierteljahresschrift, Vol. II, Köln / Opladen 1962. S. 202 ff., S. 212.

25 Vgl. Wilhelm Hennis: Verfassungsordnung und Verbandseinfluß, in: Politische Vierteljahresschrift, Vol. II, Köln / Opladen 1962, S. 23 ff., S. 32.

26 Vgl. Gerhard Schmidtchen: Die Befragte Nation. Frankfurt a. M. 1965, der im Vorwort schreibt: »Bundestagspräsident Gerstenmaier oder Bundesaußenminister Schröder wäre wahrscheinlich der Nachfolger von Adenauer geworden, Erler wäre Kanzler-Kandidat der SPD, Kennedy lebte noch, er wäre 1960 nicht Präsident der USA geworden, weil die Demokratische Partei ihn nicht nominiert hätte, man spräche nicht von Bundeswehr, sondern Bundesstreitkräften, und wir sängen nicht die dritte Strophe des Deutschlandliedes als Nationalhymne, wenn es keine Meinungsforschung gäbe« (S. 9).

Politische Kultur in beiden deutschen Staaten

1 Berlin 1983, S. 72.
2 Die Gesellschaft der DDR – eine deutsche Möglichkeit. 1972, S. 55.
3 Ebd.
4 München 1977.
5 Timothy Garton Ash: »Und willst du nicht mein Bruder sein ...« Die DDR heute. Reinbek 1981, S. 79.
6 Vgl. Anm. 2, S. 111.

Nachweise

Friedrich der Große. Preußen und wir. In: Friedrich der Große. Herrschaft zwischen Tradition und Fortschritt. Bertelsmann Lexikothekverlag, Gütersloh 1985

Zwei Seelen in der Brust? Zur politischen Kultur Preußens zwischen 1789 und 1848. In: Akademie der Künste Berlin. Katalog ›Berlin zwischen 1789 und 1848. Facetten einer Epoche‹. Ausstellung vom 30. 8. bis 1. 11. 1981

Konservatismus heute: Ungedruckt

Identität durch Schweigen? Unser Umgang mit dem Nationalsozialismus: Ungedruckt

Intellektuelle in der deutschen Politik: Wesentlich erweiterte Fassung eines Aufsatzes in: Der Monat 20 (1968) Heft 233

Das evangelische Pfarrhaus: Urbild und Vorbild bürgerlichen Lebens: Einleitung zu Martin Greiffenhagen (Hrsg.): Das evangelische Pfarrhaus. Eine Kultur- und Sozialgeschichte. Kreuz Verlag Stuttgart 1984

Der Totalitarismusbegriff in der Regimenlehre. In: Politische Vierteljahresschrift 9 (1968); M. Greiffenhagen u. a.: Totalitarismus. Zur Problematik eines politischen Begriffs. Paul List Verlag München 1972

Demokratie und Technokratie. In: Claus Koch und Dieter Senghaas (Hrsg.): Texte zur Technokratiediskussion. Europäische Verlagsanstalt Frankfurt a. M. 1970

Politische Kultur in der Bundesrepublik Deutschland. In: Peter Reichel (Hrsg.): Politische Kultur in Westeuropa. Bürger und Staaten in der europäischen Gemeinschaft. Campus Verlag Frankfurt/New York 1984

Politische Kultur in beiden deutschen Staaten: ein Vergleich: Ungedruckt

Im Herbst 1986 erscheint:

Martin Greiffenhagen
Propheten, Rebellen und Minister
Intellektuelle in der Politik
Ca. 200 Seiten mit ca. 30 Abbildungen. Geb.

Intellektuelle haben häufig mit Politik zu tun. Die Rollen, die sie
dann spielen, sind höchst unterschiedlich und waren es stets.
Intellektuelle haben Macht ausgeübt, direkt oder indirekt; sie haben
Macht kritisiert, heimlich oder offen; sie waren Berater und Erzieher
von Politikern; sie wurden bezahlt und bestochen, um Meinungen zu
verbreiten, zu verändern oder zu unterdrücken; sie haben für politische
Loyalität gesorgt, aber auch Revolutionen vorbereitet; sie haben
politische Theorien erfunden; sie haben Reden gehalten und Reden für
andere geschrieben. Intellektuelle haben Ideale errichtet und verraten,
sie haben für Ideen ihr Leben oder das Leben anderer geopfert – alles
im Umkreis politischer Macht.
An Stelle einer theoretischen Erörterung gibt der Stuttgarter Politik-
wissenschaftler und Publizist in seinem neuen Buch eine lebendige
Schilderung der Rollen, die Intellektuelle in der Politik bis heute
spielen. Diese kleine Weltgeschichte versammelt Utopisten und
Visionäre, Propheten und politische Heilskünder, politische Kritiker
und Rebellen, Schriftsteller und Maler, Hofnarren und graue
Eminenzen, auch Intellektuelle im Offiziersrock und im Ministeramt.
In zehn Kapiteln bietet Greiffenhagen die spannende Geschichte der
Intellektuellen. Der Leser erfährt die entscheidenden Bedingungen und
Wesenszüge intellektueller Existenz anhand der Schilderung so unter-
schiedlicher Persönlichkeiten wie Zola, Voltaire, Sartre, Ossietzky,
Robespierre, Lenin, Che Guevara, Dutschke, Hölderlin, Heine, Tucholsky,
Plato, Morus, Orwell, Huxley, Herzl, Skinner, v. Holstein, Kissinger,
Körner, Lafayette, T. E. Lawrence, Albertz, Dubček, Disraeli, Koestler,
Sorge, Fuchs und Oppenheimer.

Piper

Michael Stürmer
Dissonanzen des Fortschritts
Essays über Geschichte und Politik in Deutschland
1986. 338 Seiten. Geb.

Vierzig Jahre nach Kriegsende erinnern sich die Deutschen
wieder einer Angelegenheit, welche die Nachbarn nie vergaßen:
der Deutschen Frage als Problem der Gestaltung Europas und
der Rolle der Deutschen darin. Zwischen Patriotismus und
Neutralismus – wohin treibt das deutsche Nationalgefühl, und
wohin wird es getrieben?
Was folgt aus der jüngeren europäischen Geschichte für die
Bundesrepublik Deutschland? Was hat es mit dem so verführerischen
wie gefährlichen »deutschen Sonderweg« auf sich? Was bedeutet
heutzutage Geschichtsbewußtsein? Ist aus der Geschichte nur zu
lernen, daß nichts aus ihr gelernt wird? Der Autor plädiert dafür,
die europäischen Bedingungen deutschen Daseins und Denkens
endlich zu einem Hauptthema des politischen Diskurses zu
machen. Es geht um politische und historische
Standortbestimmung.
»Die Essays, die dieser Band zusammenfaßt, erinnern im ersten
Teil an alteuropäische Lebensformen, die weit genug zurückliegen,
daß in dem Kontrast von humaner Nähe und historischer Fremde
ein Leitmotiv heraustritt: wie altmodisch der Mensch blieb in
den Fortschrittswelten der Moderne. Der zweite Teil des Bandes
rekapituliert Aufstieg und Fall des deutschen Nationalstaats vom
ersten Scheitern 1848/49 über den Triumph von 1871 bis zu Hybris
und Nemesis des 20. Jahrhunderts. Und endlich erinnern diese
Essays an die Gegenwart: die Entstehungsbedingungen des heutigen
Weltsystems in den Jahren 1944 bis 1948, ihren Entscheidungslagen
seitdem und ihre offenen Horizonte.« (Aus der Einleitung)

PIPER

Pipers Wörterbuch zur Politik

Herausgegeben von Dieter Nohlen

Band 1:

Politikwissenschaft

Theorien – Methoden – Begriffe
Herausgegeben von Dieter Nohlen und Rainer-Olaf Schultze
Halbband 1: Abhängigkeit – Multiple Regression.
Halbband 2: Nation-building – Zweiparteiensystem.
1985. 1183 Seiten mit 9 Tabellen und 15 Abbildungen. Kt.

Band 2:

Westliche Industriegesellschaften

Wirtschaft – Gesellschaft – Politik
Herausgegeben von Manfred G. Schmid
1983. 558 Seiten mit 69 Tabellen und 14 Abbildungen. Kt.

Band 3:

Europäische Gemeinschaft

Problemfelder – Institutionen – Politik
Herausgegeben von Richard Woyke
1984. 471 Seiten. Kt.

Band 4:

Sozialistische Systeme

Politik – Wirtschaft – Gesellschaft
Herausgegeben von Klaus Ziemer
1986. Ca. 600 Seiten mit zahlreichen Tabellen. Kt.

PIPER

Pipers Wörterbuch zur Politik

Herausgegeben von Dieter Nohlen

Band 5:

Internationale Beziehungen

Theorien – Organisationen – Konflikte
Herausgegeben von Andreas Boeckh
1984. 583 Seiten. Kt.

Band 6:

Dritte Welt

Gesellschaft – Kultur – Entwicklung
Herausgegeben von Dieter Nohlen und Peter Waldmann
(Erscheint voraussichtlich Herbst '86)

»Pipers Wörterbuch zur Politik verspricht ein unentbehrliches
Nachschlagewerk zu werden.«   Prof. Dr. Kurt Sontheimer

»Wenn die übrigen fünf Bände des Gesamtwörterbuches den Standard
halten, den der erste Band gesetzt hat, dürfte das Gesamtwerk
eine lohnende, kenntnisreiche und gut lesbare Enzyklopädie zur
Politik abgeben.
Mit sachlicher Knappheit und Präzision, unterschiedlicher
Auffassungen und Lehrmeinungen gleichermaßen darstellend, bieten
die drei- bis fünfseitigen Kapitel je Stichwort den Benutzern
Informationen und Denkanstöße zugleich. Statistisches Material
reichert die Informationen an, je Stichwort gibt eine Literatur-
sammlung Hinweise für jene, die sich mit einem Thema intensiver
befassen wollen. Von Agrarpolitik über Bankpolitik, politische Eliten
bis zu Wohlfahrtsstaat und Wohnungspolitik reichen die Stichworte.«
                                                            Capital

PIPER

Pipers Handbuch der politischen Ideen

Herausgegeben von Iring Fetscher und Herfried Münkler

Bereits erschienen:

Band 3

Neuzeit: Von den Konfessionskriegen bis zur Aufklärung

1985. 670 Seiten. Leinen

Band 4:

Neuzeit: Von der Französischen Revolution bis zum europäischen Nationalsozialismus

1986. Ca. 600 Seiten. Leinen

In Vorbereitung:

Band 1

Frühe Hochkulturen und europäische Antike

Band 2

Mittelalter: Von den Anfängen des Islams bis zur Reformation

Band 5

Neuzeit: Vom Zeitalter des Imperialismus bis zu den neuen sozialen Bewegungen

»Pipers Handbuch der Politischen Ideen« bietet in 5 Bänden einen umfassenden Überblick über die Geschichte politischen Denkens von den frühen Hochkulturen bis zu den neuen sozialen Bewegungen unserer Zeit. In der Darstellung des Wechselspiels von Denken und Gesellschaft entsteht zugleich ein lebendiges Bild der Zeiten. Ein unentbehrliches Werk für Forschung und Lehre, aber auch für alle politisch, historisch und philosophisch Interessierten.

PIPER

Politik bei Piper (Auswahl)

Klaus von Beyme
Interessengruppen in der Demokratie
5., überarb. Aufl., 16. Tsd. 1980. 269 Seiten. Serie Piper 202

Klaus von Beyme
Parteien in westlichen Demokratien
1982. 520 Seiten. Serie Piper 245

Klaus von Beyme
Das politische System der Bundesrepublik Deutschland
Eine Einführung
4., überarb. Aufl., 19. Tsd. 1985. 242 Seiten. Serie Piper 186

Klaus von Beyme
Die politischen Theorien der Gegenwart
5., überarb. und ergänzte Aufl., 20. Tsd. 1984.
288 Seiten. Serie Piper 211

Klaus von Beyme
Die Sowjetunion in der Weltpolitik
2., überarb. Aufl., 11. Tsd. 1985. 219 Seiten. Serie Piper 455

Kurt H. Biedenkopf
Die neue Sicht der Dinge
Plädoyer für eine freiheitliche Wirtschafts- und Sozialordnung
2. Aufl., 20. Tsd. 1985. 459 Seiten. Geb.

Hans Maier
Politische Wissenschaft in Deutschland
Lehre und Wirkung. Erweiterte Neuausgabe 1985.
310 Seiten. Kt.

Kurt Sontheimer
Grundzüge des politischen Systems der Bundesrepublik Deutschland
2. Aufl., 10. Tsd. 1985. 341 Seiten. Serie Piper 351

PIPER

Serie Piper aktuell

Michel Albert
Herausforderung Europa
Die Europäische Gemeinschaft als Chance
1985. 140 Seiten. Serie Piper 384

Franz Alt
Frieden ist möglich
Die Politik der Bergpredigt
21. Aufl., 819. Tsd. 1985. 119 Seiten. Serie Piper 284

Werner Becker
Der Streit um den Frieden
Gegnerschaft oder Feindschaft – die politische Schicksalsfrage
1984. 127 Seiten. Serie Piper 354

Klaus von Bismarck / Günter Gaus / Alexander Kluge /
Ferdinand Sieger
Industrialisierung des Bewußtseins
Eine kritische Auseinandersetzung mit den »neuen« Medien
1985. 227 Seiten. Serie Piper 473

Heinz Griesinger
Überrollt uns die Technik?
Wege zu ihrer Beherrschung
1985. 109 Seiten. Serie Piper 413

Hildegard Hamm-Brücher
Der Politiker und sein Gewissen
Eine Streitschrift für mehr Freiheit
1984. 123 Seiten. Serie Piper 265

Martin Jänicke
Vor uns die goldenen neunziger Jahre?
Langzeitprognosen auf dem Prüfstand
1985. 176 Seiten. Serie Piper 377

PIPER

Serie Piper aktuell

Marielouise Janssen-Jurreit
Lieben Sie Deutschland?
Gefühle zur Lage der Nation
1985. 320 Seiten. Serie Piper 368

Friedrich Kassebeer
Die Tränen der Hoffnung
Machtkampf in Mittelamerika
1984. 157 Seiten. Serie Piper 392

Martin Kriele
Nicaragua – das blutende Herz Amerikas
Ein Bericht
1985. 185 Seiten. Serie Piper 554

Christian Graf von Krockow
Gewalt für den Frieden
Die politische Kultur des Konflikts
3. Aufl., 29. Tsd. 1983. 122 Seiten. Serie Piper 323

Thomas Kruchem
Brücken über die Apartheid
Gespräche im Südafrika des Ausnahmezustands
1985. 328 Seiten. Serie Piper 349

Roland Röhl
Natur als Waffe
Umwelt in der Planung der Militärstrategen
1985. 119 Seiten mit 12 Abbildungen. Serie Piper 445

Christian Schmidt-Häuer
Michail Gorbatschow
Moskau im Aufbruch
3. Aufl., 21. Tsd. 1985. 198 Seiten. Serie Piper 467

Hannes Schwenger
Im Jahr des großen Bruders
Orwells deutsche Wirklichkeit
3. Aufl., 23. Tsd. 1984. 125 Seiten. Serie Piper 326

PIPER